İstanbul

Dünya
Kenti Sergisi

World
City Exhibition

TÜRKİYE
EKONOMİK VE TOPLUMSAL
TARİH VAKFI

Tarih Vakfı bu kitabın gerçekleşmesini sağlayan Yapı Kredi Yayınlarına teşekkür eder.
The History Foundation would like to thank Yapı Kredi Publications for making possible the production of this book.

İstanbul

Dünya Kenti Sergisi

World City Exhibition

Yayınlayan Published by	Türkiye Ekonomik ve Toplumsal Tarih Vakfı The Economic and Social History Foundation of Turkey
Tasarım Designed by	Eray Makal, Şölen Bazman
Kapak Cover	Afife Batur'un sergi sunuş panosundan alıntı A quotation from the introductory panel of the exhibition by Afife Batur
Baskı Printed by	Ofset Yapımevi
Cilt Binding	Bayındır Cilt Atölyesi

Istanbul,
Kasım, November, 1996

ISBN 975-7306-21-5

World City İstanbul Exhibition
Dünya Kenti İstanbul Sergisi

katalogu
catalogue

Editör Editor	Prof. Dr. Afife Batur
Editör Yardımcısı Assistant Editor	Pelin Derviş
Bölüm Sorumluları Curators	
Tarihöncesi Çağlarda İstanbul Istanbul in Prehistoric Times	Prof. Dr. Mehmet Özdoğan
Byzantion	Doç. Dr./Assoc. Prof. Dr. Oğuz Tekin
Konstantinopolis Constantinople	Prof. Dr. Ayla Ödekan
Osmanlı Dönemi İstanbul'u Istanbul in the Ottoman Period	Doç. Dr./Assoc. Prof. Dr. Edhem Eldem
Geç Osmanlı Dönemi İstanbul'u Istanbul in the Late Ottoman Period	Prof. Dr. Afife Batur
Resim Painting	Prof. Dr. Günsel Renda
Müzik Music	Ersu Pekin
Mütareke ve Cumhuriyet Dönemi İstanbul'u Istanbul ın the Armistice and Republican Era	Prof. Dr. Atilla Yücel
Görsel Malzeme Tasarımları Images designed by	Eray Makal, Şölen Bazman
Koordinasyon Coordination	Ahmet Özgüner
Çeviriler Translation	Füsun Elioğlu, Engin Akyürek
İngilizce Düzelti ve Üst Okuma English Editing and Proofreading	Adair Mill

Genel Koordinatör General Coordinator	Prof. Dr. Afife Batur
Bilimsel İşlerden Sorumlu Koordinatör Yardımcısı Assistant Coordinator (Scientific)	Pelin Derviş
İdari İşlerden Sorumlu Koordinatör Yardımcısı Assistant Coordinator (Executive)	Canset Aksel
Teknik İşlerden Sorumlu Koordinatör Yardımcısı Assistant Coordinator (Technical)	Zeynep Fulya Kaya
Bölüm Sorumluları Curators	
Tarihöncesi Çağlarda İstanbul Istanbul in Prehistoric Times	Prof. Dr. Mehmet Özdoğan
Byzantion	Doç. Dr./Assoc. Prof. Dr. Oğuz Tekin
Konstantinopolis Constantinople	Prof. Dr. Ayla Ödekan
Osmanlı Dönemi İstanbul'u Istanbul in the Ottoman Period	Doç. Dr./Assoc. Prof. Dr. Edhem Eldem
Geç Osmanlı Dönemi İstanbul'u Istanbul in the Late Ottoman Period	Prof. Dr. Afife Batur
Resim Painting	Prof. Dr. Günsel Renda
Müzik Music	Ersu Pekin
Mütareke ve Cumhuriyet Dönemi İstanbul'u Istanbul in the Armistice and Republican Era	Prof. Dr. Atilla Yücel
İstanbul Müzikleri Istanbul's musics	Evin İlyasoğlu
İstanbul Giysileri Istanbul Costumes	Çağla Ormanlar
Mimari Architecture	
Proje Mimarı Project Architect	Mehmet Konuralp, Konuralp A.Ş
Mimari Tasarım Design Architect	Ahmet Özgüner, Paralel 41 Mimarlık
Yaratıcı Grup Creative Group	
Proje Koordinasyon Project Koordination	Ahmet Özgüner
Kreatif ve Art Direktörler Creative and Art Direction	Eray Makal, Şölen Bazman
Çeviriler Translation	Füsun Elioğlu, Engin Akyürek

önsöz

Türkiye Ekonomik ve Toplumsal Tarih Vakfı Türkiye'de tarih bilincini geliştirmek için kurulmuş bir sivil toplum kurumudur. Tüm toplumsal olgular gibi tarihsel olguları bilmede de iki yönlü bir biliş söz konusudur. Bilişin bir yönü olguları biçimiyle ve görsel düzlemde bilmek, diğer yönü kavramsal olarak bilmektir. Tarih Vakfı, tarih bilincinin bu iki yönünün de geliştirilmesi çabası içindedir. Ama Türkiye'de tarihin görsel olarak pek de bilinmediğinin farkındadır. Bu nedenle, çalışmalarında sergi düzenlemelerine özel önem vermektedir. Göç sergisi ve İnsan Hakları sergisiyle başlattığı çalışmalarını, Toplu Konut İdaresi'yle birlikte Habitat II Konferansı için düzenlediği Tarihten Günümüze Anadolu'da Konut ve Yerleşme ve Dünya Kenti İstanbul sergileriyle yeni bir aşamaya taşımıştır. Tarih Vakfı bu yöndeki çalışmalarını geliştirerek sürdürecektir.

Dünya Kenti İstanbul Sergisi'nin kataloğu alışılmadık bir biçimde sergi sonrasında yayımlanıyor. Parasal olanaksızlık nedeniyle kataloğun daha önce değil de şimdi yayımlanması serginin açık kaldığı sürece duyulan bir eksikliği gidermesi bakımından sevindiricidir. Kataloğun sergi sonrasında yayımlanabilmesinin üzerinde durulması gereken iki nedeni var. Birincisi, serginin açık kaldığı sürece sağladığı yüksek kamuoyu desteğidir. Kanımca sergi, bu başarısıyla eksiğini kapamış, kataloğunun yayımlanmasını sağlayarak kendi kendini tamamlamıştır. İkinci neden serginin bir nesne sergisi olmayıp malzemesinin bilgisayar tekniğinden yararlanılarak kolaj halinde üretilmesidir. Her panosu, aktardığı bilginin dışında bir sanat eseri niteliği kazanmıştır.

Bir sergi malzemesinin bir katalog haline getirilmesi, yeni baştan çalışma yapılmasını gerektiriyor. İşte bunu gerçekleştiren, serginin küratörü Prof. Dr Afife Batur'a ve çalışma arkadaşlarına, bu kataloğun sergi sonrasında yayımlanması için bizi destekleyip mali olanakları sağlayan Yapı Kredi Bankası'na ve Genel Müdürü Sayın Burhan Karaçam'a teşekkür etmek benim için zevkli bir görevi yerine getirmektir..

İLHAN TEKELİ
Tarih Vakfı Yönetim Kurulu Başkanı

foreword

The Economic and Social History Foundation of Turkey is a social institution founded with the aim of furthering historical awareness in Turkey. Knowledge of historical phenomena, like that of all other social phenomena, presents two different aspects, one being related to the formal and visual aspect of the phenomenon in question, the other to the conceptual. The History Foundation aims at the development of both these aspects. It is, however, well aware that in Turkey little is known of the visual aspect of history, which accounts for the importance given by the Foundation to the arrangement of exhibitions. The Housing and Settlement in Anatolia - a Historical Perspective and Istanbul World City exhibitions, both arranged for the Habitat II Conference in collaboration with the Housing Development Administration, have raised the work begun with the Migration exhibition and the Human Rights Series to a new and higher level. The History Foundation is intent on carrying on its work in this direction.

We have taken the unusual step of publishing the World City Istanbul Catalogue after the end of the exhibition, publication at an erlier date having been prevented by lack of funds, but we are now very pleased to be able to make up a deficiency acutely felt during the exhibition itself. There are two factors which have made the publication of the catalogue after the end of the exhibition possible. One is the great support we received from the public throughout the exhibition. Indeed, one might well say that the exhibition made up the deficiency by its own success, and reached completion by itself ensuring the publication of the catalogue. The second reason is the fact that the exhibition consisted of a collage of material produced by computer technique and not merely a display of objects. Each panel, besides offering information, was in the nature of a work of art.

The production of the exhibition material in the form of a catalogue means carrying out the work right from the beginning. I therefore take great pleasure in expressing my gratitude to Prof.Dr. Afife Batur and her colleagues who have been responsible for carrying out this work, and to the Yapı Kredi Bank and its General Manager Mr. Burhan Karaçam for providing the funds necessary for the production of the catalogue after the end of the exhibition.

Chairman of the Executive Committee History Foundation

içindekiler

table of contents

sergi'den kitap'a

"Geçmişin gerçek yüzü hızla kayıp gider.
Geçmiş, ancak göze göründüğü o an, bir
daha asla geri gelmemek üzere, bir an
için parıldadığında, bir görüntü olarak yakalanabilir."
W. Benjamin*

Tarih çalışması, geçmişi, "gerçekte nasıl olduysa öyle" bilmek
iddiasında değildir. Ama "gerçekte nasıl olduysa öyle"ye en yakın bilgi
toplamına ulaşmak amacındadır. O en yakın nokta,
bir kavramsal çerçeveyi olduğu kadar zengin bir belgeler ve tanıklıklar
birikimini de gereksinir. Herşey yerine oturduğunda ve ancak, ve belki
o an, bir görüntü ve de gerçekliğe yakın bir görüntü, ışığını iletir.

Dünya Kenti İstanbul Sergisi, bu ışığı yakalama çabasının ürünü
oldu. Serginin tasarımı ve hazırlığı bir uzun mesafe koşusuydu.
Yedisi doğrudan sorumluluk taşıyan onlarca bilim insanı, genç
beyinlerden oluşan koordinasyon ekibi ve yetenekli tasarım kadrosu
o ışığı parıldatmaya gönül verdi.

Zamana karşı yarışan bir tempo ile yüzlerce yazılı, binlerce,
onbinlerce görsel belge elden geçirildi, tartışıldı, elendi ve seçildi.
Belki çoğu bilinen ama hiçbir zaman yanyana getirilmemiş, her biri
başka bir arşivin başka bir köşesinde kendi başına duran
onbinlerce belge İstanbul'un binlerce yıllık geçmişinin öyküsünü
"nasıl olduysa öyle" canlandırmak üzere bir araya getirildi. Adeta bir
tanıklık kurumu oluşturuldu. Sorumlu bilim insanları, her dönemi
kendi yazılı ve/veya görsel malzemesinin tanıklığıyla kurguladı.

İlk aşamada Darphane-i Amire'nin bir sergi için büyük zorluklar taşıyan
mekânlarını endüstriyel ve çağdaş bir strüktürle avantaja dönüştüren
tasarım kavramı, ikinci aşamada bilimsel birikimi görsel bir dünyanın
renklerine taşıdı.

O harap görünümlü tarihi mekânlara yerleşen sergi,
çarpıcı bir kontrastla ve düzeyi yüksek bir teknolojik
işlemle oluşturulmuştu.

from the exhibition to the book

*According to Walter Benjamin, the face of the past rapidly
vanishes, to be recaptured as a momentary vision only when
it flashes for a second before our eyes.*

*Historical research makes no claim to reveal the past exactly as it
was. Its aim is to collect material that will allow us to come as
close as possible to seeing the past "exactly as it was". For this a rich
collection of documents and an accumulation of evidence is just as
important as the conceptual framework. Only when everything
has been put in its place, and only at that moment, can a view,
and a view close to reality, be conveyed.*

*The Istanbul World City exhibition was the result of efforts
expended towards the attainment of this goal. The planning and
preparation of the exhibition might well be described as a
marathon. Scores of scholars, seven with direct responsibility,
a coordination team of young talents and an experienced
planning cadre devoted all their efforts to this work.*

*In this race against time, hundreds of written documents and tens
of thousands of visual materials were examined, discussed, sifted
and selected. Tens of thousands of documents, most of which may
have been known but never before brought together, were
employed to bring to life the thousand years of Istanbul's history
"exactly as it was". A sort of commission of enquiry was formed.
Each scholar responsible for the work produced a description of his
chosen period backed up by written or visual material.*

*The first stage comprised the formation of a plan by which the
rooms in the Imperial Mint, which presented very great difficulties
in the arrangement of an exhibition, could be
turned to good account by the use of industrial
and contemporary structures. The second stage
comprised the conversion of a mass of scholarly
evidence into the actual colours of a visual world.*

*The exhibition was arranged with a high techno-
logical expertise that created a striking contrast*

Görsel malzeme, çoğunlukla, olduğu gibi veya arşivlerdeki biçimiyle ve tek başına değil kurgunun içeriğini betimleyen bir kompozisyon oluşturmak üzere birleştirilerek bilgisayar ortamına taşındı. Bu ortamın sağlandığı manipülasyon olanakları kullanılarak yeni renk düzenleri, ayrıntı vurguları ve çeşitli vinyetlerle panolar yeniden yaratıldı.

Maketlerin ve videokliplerin de eşliğinde, İstanbul denilen bu eşsiz kentin, bilim insanları, sanatçılar ve kimi kent aşıkları dışında kimsenin pek bilmediği veya unutulmuş, kayıp gitmiş geçmişi, zaman tünelinde yakalanmış bir imgeler dizisinde görüntülendi.

Habitat II bitti. Sergi kapandı. Ama ışık sönmedi.

Yapı ve Kredi Bankası'nın lütufkar desteğiyle o imgeler dizisinin ışığında beliren geçmiş, yeniden yitirilmeden bu kez izleyiciden okura aktarılma olanağına kavuştu.

Sergi ve kitabın birbirinden farklı iletişim kanalları ve ortamlar olduğunun bilincinde olarak, bilgiler, malzeme ve görüntüler gözden geçirildi. Sergi ortamının gereksindiği kimi görüntüler elendi. Kitap ortamının görme ve bilgi edinme biçimine uyarlanmış yeni bir sistematik arandı. Ama sergide imgelerin dizilişinin fırça vuruşlarından oluşan "*tachiste*" dokusu korundu. İktidarın simgesi ve günlük yaşamın tanığı olan "para" figürü, yine bölüm işareti ve *leitmotiv* olarak kullanıldı.

Kitabın öngörülen hacmi ile Sergi'nin kavramsal bütünlüğü arasında kurulan denge uyarınca kronolojik bölümün sunumu ile yetinildi. Tematik özellik taşıyan "İstanbul Giysileri", "İstanbul Müzikleri" ve "15 m2 İstanbul" bölümleri kitap kapsamına alınamadı. Sergi'nin en çok ilgi çeken objeleri olmasına karşılık maketlerin de sergi içindeki görünümleriyle yetinildi. Videoklipler ise, senaryo özetleri eşliğinde altışar kareden oluşan bir görüntü dizisi olarak verildi.

Eksiklerine karşın, "Tarihten Günümüze Anadolu'da Konut ve Yerleşme" ve "Darphane'den İstanbul Müzesine" Sergileriyle birlikte tarihi Darphane-i Âmire Binalarını kent yaşamına katan Dünya Kenti İstanbul Sergisi'nin bu kataloğu, Tarih Vakfı'nın İstanbul belgeliği oluşturma çabalarının da önemli bir tanıklığı ve gösterimi oluyor.

with the old building of rather ruinous aspect in which it was set.

The visual material, mostly exactly as it was or in the form in which it was found in the archives, and combined in such a way as to illustrate the content of the subject, was then entrusted to the computer medium. By exploiting the facilities for manipulation offered by this medium, each panel was re-created using new colour arrangements, an emphasis on particular details and a variety of vignettes.

Models and videoclips accompanied the whole series of images captured in the time tunnel that served to illustrate the past history of the unique city known as Istanbul - a past history long vanished and forgotten, and known to no one save a few scholars, artists and lovers of the old city.

Habitat II is finished. The exhibition is closed. But the light has not been extinguished.

The generous support of the Yapı Kredi Bank has made it possible for the past, as depicted in that series of images, to be transferred , without any loss, from the spectator to the reader.

Facts, material and visual images have all been re-examined in the light of the obvious differences in medium and milieu between the exhibition and the book. Some images seen as necessary in the exhibition environment have been excluded, and a new method sought more suited to the visual and informative aspects of the book. But the tachiste approach employed in the arrangement of the images in the exhibition has been retained. The "coin" motif as a witness to the lives of both rulers and ordinary people, has been employed as the motto for each section and a leitmotif throughout the whole.

In view of the necessity of creating a proper balance between the dimensions of the book and the general concept of the Exhibition, we have had to be content with the inclusion of only the chronological section. Sections of a thematic nature such as "Istanbul Costumes", "Istanbul Music" and "15m2 Istanbul" have had to be omitted. Although visitors to the exhibition found the models of particular interest, these have been included only in the form of illustrations. As for the videoclips, these have been given as a series of visual composed of six frames each accompanying the scenario summaries.

Sergide olduğu gibi kitabın hazırlanmasında da bölüm sorumluluğunu yüklenen ve herbiri kendi alanının önde gelen isimleri olan bilim insanı dostlarımız, her panoyu bir sanat yapıtı kaygısıyla işleyen yaratıcı Tasarım Grubu ve videoklip görüntülerini hazırlayan Sinerji /Öykü Madeni Grubu gönüllü bir istekle çalıştılar. Pelin Derviş, bilimsel yardımcılık görevini burada da titizlik ve dikkatle sürdürdü. Vakfın yayın grubu hep arkamda oldular.

Kitabın hazırlanmasında en üzücü nokta, Geç Osmanlı ve Cumhuriyet bölümlerinin görsel malzemesi arasında yer alan bazı görüntülerin kullanılma izninin ısrarlı çabalarımıza karşın alınamaması oldu. Özellikle Meşrutiyet ve Mütareke, görüntü kayıplarıyla yayınlanıyor.

Dünya Kenti İstanbul Sergisi çapında bir projede genel koordinatörlük görevi vererek beni onurlandıran Tarih Vakfı Yönetimine ve bilgi ve yetenekleriyle önce Sergi'yi ve şimdi de kitabı yaratan ve zenginleştiren tüm çalışma arkadaşlarıma bir kez daha teşekkür ediyorum.

Yapı Kredi Bankası'nın Genel Müdürü Sayın Burhan Karaçam'a ve Yayınlar Genel Müdürü Sayın Hikmet Konuralp'e yalnız verdikleri destek için değil, gösterdikleri güven için de saygı ve teşekkür borçluyum.

Afife Batur

* W. Benjamin, *Pasajlar*, çev. A. Cemal, YKY, İstanbul 1993, s. 35

In spite of any deficiencies it may display, this catalogue, comprising the Housing and Settlement in Anatolia - A Historical Perspective and Imperial Mint to Istanbul Museum exhibitions, as well as the Istanbul World City exhibition, which served to re-introduce the old Imperial Mint buildings into the life of Istanbul, bears eloquent witness to the efforts of the History Foundation in documenting the city.

The work has been carried out with great enthusiasm by our academic colleagues, each of them a well-known figure in his or her own field, who have undertaken the same responsibility in the preparation of the various sections of the book as in the exhibition itself, the Design Group who made every effort to make each panel a work of art and, finally, Sinerji-Öykü Madeni , who prepared the videoclip sequences. Pelin Derviş carried out the work of academic assistant with great care and attention, and I myself have enjoyed the help and support of the whole publication group.

The greatest disappointment experienced in the preparation of the book was our failure, in spite of our insistent appeals, to receive permission for some items in the visual material relating to the Late Ottoman and Republican periods. Several sections, particularly the Constitution and Armistice periods, have therefore appeared in publication with a number of lacunae.

I should like to take this opportunity of once again thanking the History Foundation Administration for having honoured me with the duty of general coordinator of a project of the scale of Istanbul World City, and all my colleagues who created and enriched first the exhibition and now the book.

I also owe a debt of gratitude and respect to Mr Burhan Karaçam, General Manager of the Yapı Kredi Bank, and Mr Hikmet Konuralp, General Director of Publications, not only for their assistance but also for the trust and confidence they have displayed.

Fotoğraflar: Murat Germen Maket Fotoğrafı: Manuel Çıtak

tarihöncesinde
istanbul

istanbul
in prehistoric times

günümüzden 300.000 yıl önce/*300.000 years before present*

Kıtaları birleştiren geçiş yolu üzerindeki konumu, İstanbul için her zaman belirleyici oldu. Her yönden gelen göç ve istilalar, yeni buluş, kavram ve yaşam biçimleri İstanbul'un kültürel potasında birleşiyor ve yeni bir biçim aldıktan sonra başka bölgelere aktarılıyordu. Bu bakımdan Balkanlar, Doğu Avrupa, Anadolu ve Ege'nin tarihöncesi kültürlerini anlamada İstanbul büyük önem taşır. İstanbul bölgesinin zengin doğal çevresi çağlar boyunca sürekli değişmelere uğradı. Buzul Çağı'nda Marmara Denizi, bugüne oranla küçük bir tatlı su gölüne, zengin orman örtüsü ise kuru steplere dönüşmüştü.

The location of Istanbul at the junction of two continents has had a decisive effect upon the development of the city. Migrations and invasions arrived from all directions, and the new discoveries, ideas and ways of life that came together in Istanbul were carried, modified and re-formed, to other parts of the world. In this way, Istanbul was to play an important role in the prehistoric cultures of the Balkans, Eastern Europe, Anatolia and the Aegean. The rich natural environment of Istanbul was to undergo continual change throughout the ages. In the Ice Age the Sea of Marmara was transformed into a small fresh water lake and the rich vegetation of the surrounding region converted into dry steppe land.

İstanbul'un zengin bir doğal ortamı vardır. Kuzeyinde uzanan ormanları, özgül çiçek ve meyveleri ile av hayvanları, göçmen kuşları ve zengin su ürünleri tarih boyunca İstanbul'un çekiciliğini artıran varlıklardır. İstanbul'u diğer kentlere göre ayrıcalıklı kılan asıl özelliği, Boğaz'ın topoğrafyasının su ile oluşturduğu eşsiz uyumdur.

kara

land

Istanbul possesses a rich and varied environment. The lush forest belt to the north, the flowers and fruits, the game, migrating birds and fish have all joined in increasing the attractiveness of the region throughout history. What most clearly distinguishes Istanbul from other cities is the unique harmony between land and sea created by the topographyof the Bosphorus.

İstanbul değişik iklim bölgeleri arasındadır. Günümüzde yaz ve kışları genellikle yumuşak geçer, ama zaman zaman denizi kaplayan buzlar, boğucu sıcaklar ya da kenti basan seller görülebilir. Geçmişte dünya iklimindeki en küçük değişikliklerden bile etkilenen, kuru step ortamından sonra bitki örtüsü 10.000 yıl önce gelişmeye başlayan İstanbul, 17. yüzyıldan 20. yüzyıl başlarına kadar Haliç'i donduran soğuk kışlar yaşadı.

iklim

Istanbul lies between different climatic zones. At the present day it enjoys a temperate climate with moderately hot summers and mild winters, but one can still experience extreme cold, with ice floes covering the surface of the Bosphorus, spells of suffocating heat, torrential rain and flooding. In the past it was influenced by the slightest changes in the earth's climate, the dry steppe habitat being gradually replaced, some 10.000 years ago, by the lush vegetation of the present day. In the period between the 17th century and the beginning of the 20th, the city suffered spells of weather so cold as to freeze the waters of the Golden Horn.

climate

su

Su kaynaklarının kıt olması nedeniyle kurulduğu tarihten başlayarak İstanbul'un içme suyu hep uzaklardan taşındı. Kemerlerle çevredeki kaynaklardan kente taşınan suyun depolanması için de uygun yerlere sarnıçlar yapıldı. Su kaynaklarının kıt olmasına karşın savunmaya elverişli konumu, deniz yollarına yakınlığı ve korunaklı limanları nedeniyle kent çekirdeği, uzun yıllar yarımadadan çıkamadı.

water

From the very first days of its foundation Istanbul has been forced by the shortage of a natural water supply to bring in water from distant sources. It was only because these difficulties in the supply of drinking water were offset by such natural advantages as the easily defensible location, the proximity to the main sea routes and the availability of safe harbours that the city persisted in its original situation on the peninsula. As the population of the city increased, aqueducts were constructed to bring water in from the surrounding countryside and cisterns built in suitable places for its storage.

İstanbul'un coğrafi konumunun en olumsuz yönü, etkin bir deprem kuşağında, güneyinden geçen Kuzey Anadolu Fay Hattı üzerinde yer almasıdır. Kentin her yüzyılda güçlü bir depremle sarsıldığı yazılı kaynaklardan biliniyor. Galata surlarının bile yıkıldığı 1509 depremi, İstanbul'u Bizans kentinden Osmanlı kentine dönüştüren bir yeniden yapılanma girişimine yol açtı. Eski ahşap evler deprem korkusunun sonucu olmalıydı. 1894'teki büyük deprem bilimsel olarak belgelenmiş ilk depremdi.

deprem

Istanbul's greatest disadvantage is its location on an active earthquake belt. Written sources in   has been struck by a major earthquake every hundred years and it was the earthquake of 1590 that transformed the architectural character of the city from Byzantine to Ottoman. The old wooden houses of Ottoman Istanbul constituted a response to the ever-present danger of earthquakes.

earthquakes

M.Ö. 14.000-12.000'de buzulların erimesi sonucu sular yükselir. Birer göl olan Karadeniz ile Marmara, Boğaz yoluyla birbirine birleşir. Tatlı ve tuzlu su hareketleri de denizler arasındaki seviye farklarına neden olur... Sürecin dönüm noktalarındaki jeomorfolojik hareketler kaydırmalarla gösterilir ve Boğaza ilişkin söylence bir espri olarak bilimsel açıklamaya eklenir.

The melting of the ice that took place between 14,000 and 12,000 B.C. led to a rise in the water level. The Black Sea and the Marmara, which had existed until then in the form of lakes, were now connected by the straits of the Bosphorus. The movements of fresh and salt water caused a difference in the level of the two seas.
The geomorphological movements at the turning points of the process combine with the ancient myth of the Bosphorus.

video

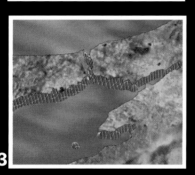

istanbul'un jeomorfolojik oluşumu

istanbul:
the geomorphological formation

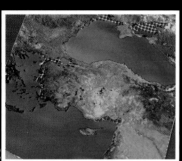

1 Zeus, karısı Hera'nın kıskançlığından korumak istediği sevgilisi İo'yu beyaz bir ineğe çevirir: Hera ise rahat etmemesi için İo'nun başına bir at sineği musallat eder. Sinekten kurtulmak için diyar diyar gezen İo'nun Kafkasya'ya giderken geçtiği boğaza da Bosporus yani İnek Geçidi denir.

Zeus transformed his beloved Io into a white heifer to protect her from the jealousy of his wife Hera. Hera, however, was determined not to leave her in peace and and sent a gnat to plague her. In trying to escape from the gnat, Io wandered from one country to another, and on her way to Caucasia she crossed the Bosporus, which thus became known as the straits of the Bosphorus or "ox ford".

2 18.000-16.000'de Kuzey yarım kürenin büyük bölümü buzlarla kaplıdır.
Deniz düzlemi bugüne göre 120 metre daha aşağıda olduğundan Marmara ve Karadeniz ayrı birer göl halindedir. Boğaz yürünerek geçilebilen bir vadidir.

From18,000 to 16,000 a large part of the northern hemisphere was covered with ice. As the sea level was 120 m lower than it is today, the Marmara and the Blaco Sea formed separate lakes. The Bosphorus was a valley which could be crossed on foot.

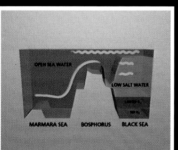

3 14.000-12.000'de Karadeniz'e inen nehirlerde buzların çözüldüğü ve su kitlelerinin Karadeniz'e aktığı görülür.

Karadeniz çanağı dolmaya başlar.

In the period between 14,000 and 12,000 the ice in the rivers flowing into the Black Sea melted, sending masses of water flowing into the Black Sea basin, which then began to fill up.

4 Çanağı dolan Karadeniz'den Marmara'ya su girişi başlar. 7.500'de bu kez Ege'den Marmara'ya su akışı başlar.

Once the Black Sea basin had filled up water began to flow into the Marmara. In 7,500 water began to enter the Marmara from the Aegean.

5 Boğazın Karadeniz çıkışında tabanda bulunan eşik, su hareketlerine yol açar. Alttan gelen Ege'nin tuzlu suları eşikten dönmekte, nehirlerle beslenen Karadeniz tarafı kabarır.

The threshold on the floor of the opening of the Bosphorus into the Black Sea opened to allow the passage of water. The salt waters of the Aegean were turned back at the threshold, and the level of the Black Sea rose, fed by a number of rivers.

6 Tatlı-tuzlu su dengeleri kurulur ve İstanbul'un günümüze ulaşan eko sistemi oluşur. Zaman sayacı 3.000'dedir.

A balance was created between the fresh and salt water levels, forming an ecological system that has survived to the present day. The time clock points to 3,000.

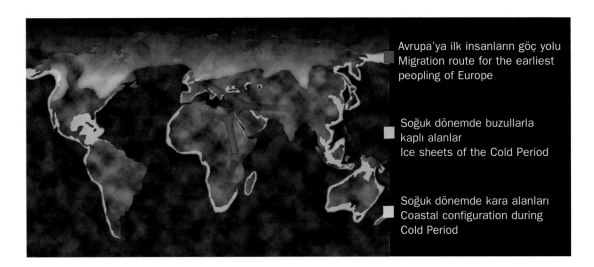

Avrupa'ya ilk insanların göç yolu
Migration route for the earliest
peopling of Europe

Soğuk dönemde buzullarla
kaplı alanlar
Ice sheets of the Cold Period

Soğuk dönemde kara alanları
Coastal configuration during
Cold Period

geçiş yolu

Bugünkü bilgilerimiz alet kullanan en eski atalarımızın 1.500.000 yıl kadar önce Doğu Afrika'dan çıkarak dünyaya yayıldığını gösteriyor. Dolayısıyla İstanbul bölgesi Avrupa'daki ilk yerleşimin zorunlu geçiş yolu üzerindeydi. "Dip Paleolitik" denen bu dönem, Yarımburgaz Mağarası ve Büyük Çekmece'deki Eskice Sırtı buluntuları ile izlenir.

Recent research has shown that our earliest tool-using ancestors originated about 1.500.000 years ago in East Africa, whence they migrated to other parts of the world. Istanbul was located on the route that took man from Africa to his first settlements in Europe, and vestiges of this period, known as "Basal Palaeolithic", are represented by the finds yielded by the Yarımburgaz Cave and the Eskice Sırtı by the side of the Büyük Çekmece lagoon.

migration route

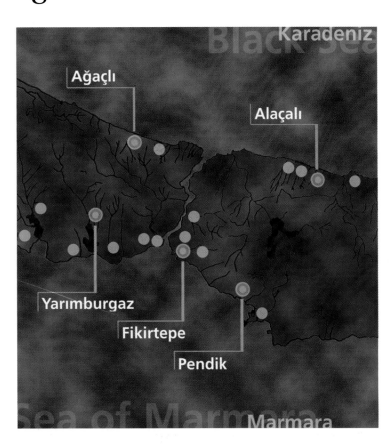

Yarımburgaz Mağarası batıdaki Küçük Çekmece Gölü kıyısındadır. Aşağı ve Yukarı Mağara olarak bilinen iki bölümden oluşur. Orta Pleyistosen'den başlayarak Bizans Dönemine değin zaman zaman insanlarca da kullanıldı. Doğal oluşum özellikleri, jeolojik katmanları ve yapı kalıntılarıyla İstanbul bölgesinin rehberi niteliğindedir.

yarımburgaz

The Yarımburgaz Cave is located beside the Küçük Çekmece Lagoon, just west of Istanbul. It consists of two chambers known as the Lower and the Upper Caves. It has been inhabited by humans at intervals from the Middle Pleistocene to Byzantine times. Yarımburgaz won due fame for characteristics of its natural formation, geological strata and architectural remains.

Aşağı Mağara yer yer küçük holleri olan 300 metrelik bir tünel görünümündedir. Girişe yakın gemi resimleri dışında, dolgular Dip Paleolitik Çağ'a aittir. Uzun süre boş kalan mağaraya yaklaşık 300.000 yıl önce basit çaytaşı ve yongalar kullanan insanlar yerleştiği biliniyor. Kazı çalışmalarında bu insanların yaşam düzlemleri ve soyu tükenmiş iri mağara ayısı (Ursus Deningeri) başta olmak üzere dönemin hayvanlarına ait kemikler bulundu.

aşağı mağara

The Lower Cave is in the shape of a 300 meters tunnel with small galleries along the way. Except the drawing of a ship near the entrance, all deposits are dated to the Basal Paleolithic. After remaining empty for a long time, the cave was inhabited by people using pebble tools and flakes about 300.000 years ago. Excavations have revealed the levels of human habitation as well as the bones of animals, the foremost being the now extinct huge cave bear called Urus Deningeri.

lower cave

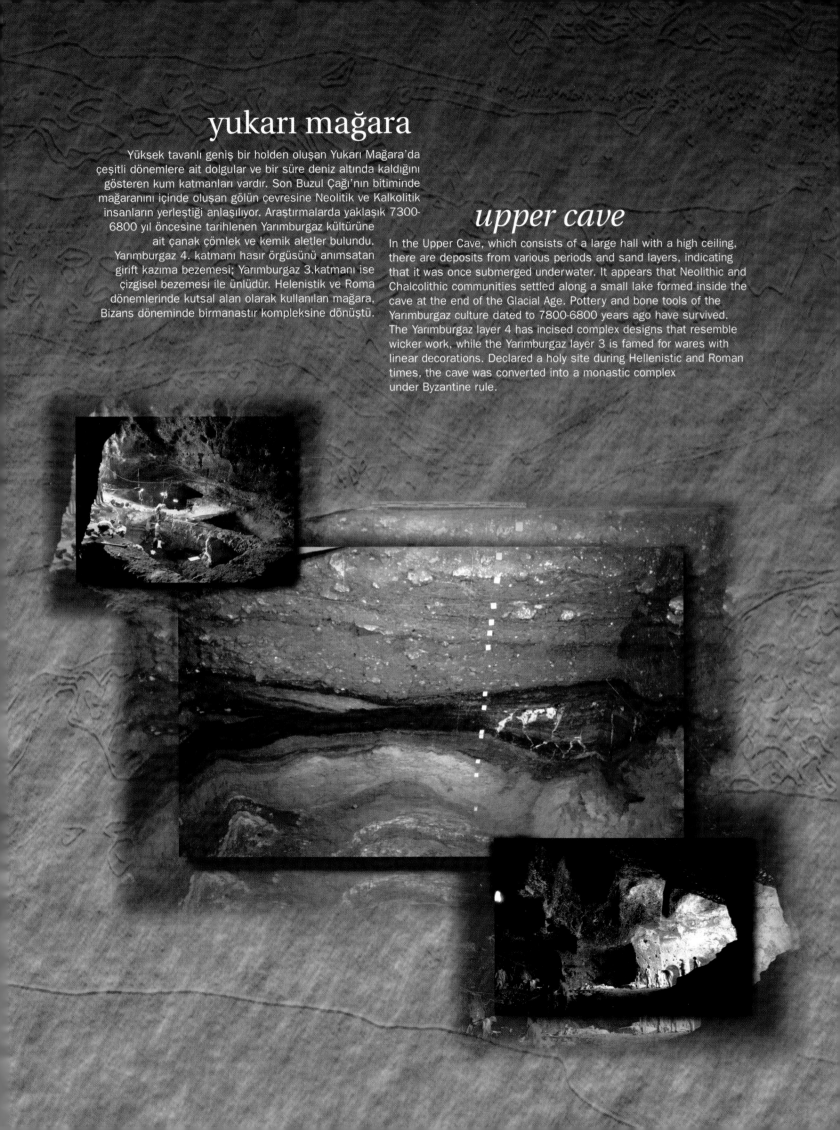

yukarı mağara

Yüksek tavanlı geniş bir holden oluşan Yukarı Mağara'da çeşitli dönemlere ait dolgular ve bir süre deniz altında kaldığını gösteren kum katmanları vardır. Son Buzul Çağı'nın bitiminde mağaranını içinde oluşan gölün çevresine Neolitik ve Kalkolitik insanların yerleştiği anlaşılıyor. Araştırmalarda yaklaşık 7300-6800 yıl öncesine tarihlenen Yarımburgaz kültürüne ait çanak çömlek ve kemik aletler bulundu. Yarımburgaz 4. katmanı hasır örgüsünü anımsatan girift kazıma bezemesi; Yarımburgaz 3.katmanı ise çizgisel bezemesi ile ünlüdür. Helenistik ve Roma dönemlerinde kutsal alan olarak kullanılan mağara, Bizans döneminde birmanastır kompleksine dönüştü.

upper cave

In the Upper Cave, which consists of a large hall with a high ceiling, there are deposits from various periods and sand layers, indicating that it was once submerged underwater. It appears that Neolithic and Chalcolithic communities settled along a small lake formed inside the cave at the end of the Glacial Age. Pottery and bone tools of the Yarımburgaz culture dated to 7800-6800 years ago have survived. The Yarımburgaz layer 4 has incised complex designs that resemble wicker work, while the Yarımburgaz layer 3 is famed for wares with linear decorations. Declared a holy site during Hellenistic and Roman times, the cave was converted into a monastic complex under Byzantine rule.

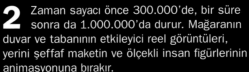

video

Yarımburgaz, 1 milyon yıldan bu yana İstanbul bölgesinin tüm ekolojisini ve erken yerleşim izlerini saklayan bir arşiv gibidir. Bu arşive iki yönlü bir zaman yolculuğu içinde bakılacaktır.

The Yarımburgaz cavern is in the nature of an archive preserving all the ecology of the Istanbul region over the last million years, together with vestiges of the earliest settlements. A round trip in time will reveal the contents of this cave.

yarımburgaz mağarası
zamanda gidiş dönüş ...

yarımburgaz cave round trip in time...

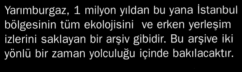

1 Bugünden hızlı geri dönüşlerle ve bildik yapılarda hızlı bir kaydırma yapılarak mağaranın içine girilir.

We enter the cavern, making a rapid journey back from the present day and moving rapidly through buildings we know.

2 Zaman sayacı önce 300.000'de, bir süre sonra da 1.000.000'da durur. Mağaranın duvar ve tabanının etkileyici reel görüntüleri, yerini şeffaf maketin ve ölçekli insan figürlerinin animasyonuna bırakır.

The time clock points first to 300,000 and then 1,000,000. The strikingly real appearance of the wall and roof of the cavern are replaced by a transparent model and animated human figures to scale.

3 Mağaranın biçimi ve gerçek derinliği şaşırtıcıdır.

The cavern is of amazing size and depth.

4 Mağaranın yüzbinlerce yıllık tarihsel katmanları, Pandora'nın kutusu gibi açılan üst üste çekmeceler biçiminde betimlenir.

The cavern's hundreds and thousands of years of historical layers can be likened to the drawers of Pandora's box opening one above the other.

5 En alttaki çekmeceden Dip Paleolitik Çağa ait çakıltaşı aleti ve diğerleri çıkar. Zaman sayacı 300.000'dedir.

From the lowest drawer emerges flint implements of the Early Palaeolithic Period. The time clock points to 300,000.

6 En üst çekmecede ise hayli geç dönemlere Fikirtepe kültürüne ve Bizans'a ait obje ve çizimler vardır.

The top drawer contains objects and drawings of comparatively recent date belonging to the Fikirtepe culture and Byzantium.

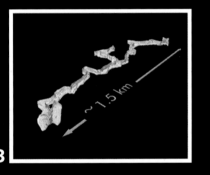

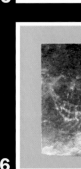

Neolithic
Chalcolithic

Neolitik - Kalkolitik

Hellenistic
Byzantine

paleolitik çağ

İstanbul bölgesinde Paleolitik Çağ boyunca sürekli yerleşim olduğu anlaşılıyor. Kazılarda Dudullu yakınlarında Alt Paleolitik Çağ'a (100.000 yıl önce) ait Acheul geleneğinde yapılmış iki yüzeyli elbaltası türü aletler bulundu. Kentin kuzeyindeki Ağaçlı yakınlarında ise Orta Paleolitik Çağ'ın Levallois Moustier gelenekli ve Üst Paleolitik Çağ'ın Aurignac gelenekli aletlerine rastlandı. Bölgenin, Epi-Paleolitik Çağ'da (14.000-7.500 yıl önce) zengin doğal kaynakları ile Epi-Gravette gelenekli minik alet kullanan topluluklara çekici bir ortam oluşturduğu Ağaçlı, Gümüşdere, Doğancalı gibi konak yerlerinden anlaşılıyor.

paleolithic age

The Istanbul region was continuously inhabited throughout the Palaeloithic Period. Implements such as the bi-facial hand axes of the Lower Palaeolithic Period (100.000 years ago) manufactured in the Acheulian tradition have been found in excavations carried out in the vicinity of Dudullu. Levallois-Moustier type implements of the Middle Palaeolithic and Aurignac type implements of the Upper Palaeolithic have been encountered in the vicinity of Ağaçlı to the north of the city. That the rich natural resources of the region during the Epi-Palaeolithic Period (14.000-7.500 years ago) formed an attractive environment for the communities employing micro-tools in the Epi-Gravellet tradition is evidenced by settlements such as those at Ağaçlı, Gümüşdere and Doğancalı.

5500
6500
7500
8000
10.000

Çiftçiliğe dayalı yerleşik yaşama geçişi sağlayan Neolitik Çağ'ın beşiği Yakındoğu'dur. Günümüz uygarlığının temelini oluşturan bu yeni yaşam biçiminin Balkanlar ve Avrupa'ya aktarılmasında İstanbul bölgesinin büyük önemi vardır. Avcılık-balıkçılıkla geçinen Ağaçlı kültürü insanları 7.500 yıl kadar önce kilden kap kacak yapımı, evcil koyun ve sığır, tarım bitkileri gibi Neolitik öğeleri Anadolulu komşularından aldılar ve Fikirtepe kültürü adı verilen bir "karma ekonomik model" oluşturdular.

tarım kültürü *agriculture*

The Near East was the cradle of the Neolithic culture which brought about the transition to a settledway of life based on agriculture.
The Istanbul region was to play a significant role in transferring to the Balkans and Europe this new way of life, which formed the basis of our present-day civilisation. 7.500 years ago, the hunting and fishing communities of the Ağaçlı culture had learned from their Anatolian neighbours the Neolithic skills for the production of clay pottery utensils, the domestication of sheep and cattle and the cultivation of crops.

Çeşitli yerleşimlerden öğrenilen Fikirtepe kültürünün özellikleri dallardan yapılmış yuvarlak kulübelerden oluşan kalabalık köyler, çizi bezemeli çanak çömlek, kemik olta, kaşık ve zıpkın gibi aletlerdi. Klasik Fikirtepe evresinin ardından Anadolu'dan gelerek Balkanlar'a geçen bir göç dalgasının yarattığı Hoca Çeşme kültürü, Avrupa'daki ilk çiftçi köy kültürünün oluşmasında önemli rol oynadı.

fikirtepe kültürü *fikirtepe culture*

The characteristic features of Fikirtepe culture, as evidenced in a number of different settlements, consisted of populous villages of round huts of wattle and daub, as well as implements such as bone fish-hooks, spatulas, harpoons and the like. The Hoca Çeşme culture, which created a wave of migration from Anatolia to the Balkans in the period following the classical Fikirtepe phase, played a significant role in the proliferation of the first agricultural village culture in Europe.

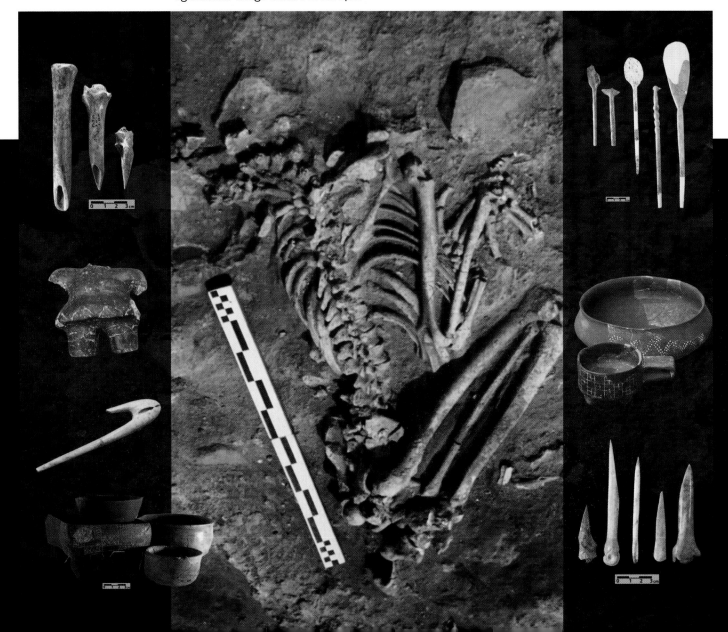

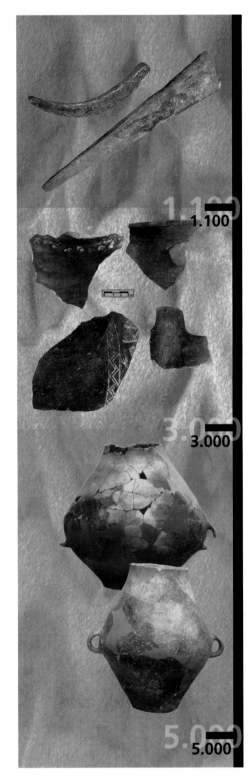

1.100

3.000

5.000

from the bronze age...

tunç çağından...

Fikirtepe kültürünü izleyen dönemde İstanbul bölgesi, Balkanlar'dan Batı Anadolu'ya kadar uzanan kültür kuşağı içinde kaldı. Özellikle Hipodrom kazılarında ortaya çıkan Kalkolitik buluntular bu dönemi simgeler. Yaklaşık 5.200 yıl önce Tunç Çağı'nın başlamasıyla Anadolu'da kent toplulukları ve Hititler gibi devletler gelişirken, Trakya'da çobanlığa dayalı bir yaşam biçimi ortaya çıktı. İki farklı sürecin sınırındaki İstanbul bölgesi önemini gittikçe yitirdi. Selimpaşa Höyüğü ve Yeşilköy Ayamama buluntularında görülen Anadolu kent kültürü etkisi bölgeyi "taşralılık"tan kurtaramadı. Günümüzden 3.100 yıl önce, (M.Ö. 1100'lerde) Karadeniz'in kuzeyinden gelen büyük göç dalgası bölgeyi etki altına aldı. Silivri-Sülüklü, Safaalanı ve Sarayburnu buluntularıyla tanıdığımız bu dönemden sonra bölge günümüzden 2.700 yıl önce (M.Ö. 7. yüzyılda) Byzantion'un kuruluşuna kadar süren karanlık bir çağa girdi.

In the period following that of the Fikirtepe culture, the Istanbul region remained in a cultural zone extending from the Balkans to Western Anatolia. The Chalcolithic finds unearthed in the Hippodrome in particular are characteristic of this period. The advent of the Bronze Age some 5.200 years ago led to the development of urban cultures in Anatolia and of states like that of the Hittites, while in Thrace a form of life emerged based on animal husbandry. Situated in the borderland between these two different zones, Istanbul gradually declined in importance. The impact of the Anatolian urban cultures, as evidenced by the finds yielded by the Selimpaşa mound and Yeşilyurt Ayamama, did nothing to free the region from its essentially "provincial" character. In 1100 B.C., 3.100 years ago, the region was affected by a major migration originating north of the Black Sea. After this period, characterised by finds discovered at Silivri-Sülüklü, Safaalanı and Sarayburnu, the region entered a Dark Age which persisted until the foundation of Byzantium 2.700 years ago, in the 7th century B.C.

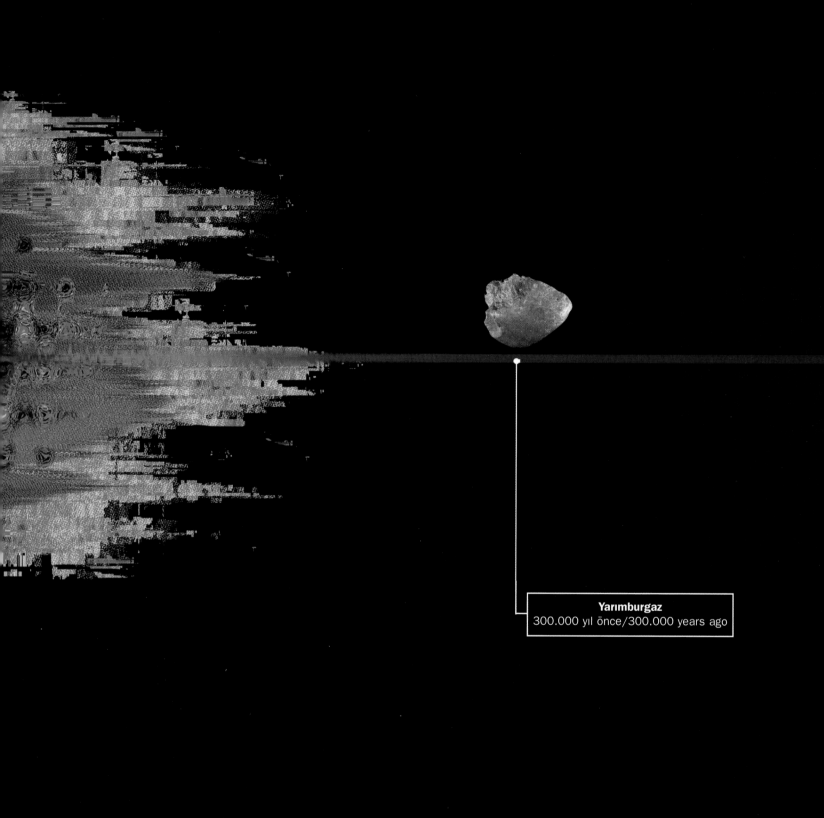

Yarımburgaz
300.000 yıl önce/300.000 years ago

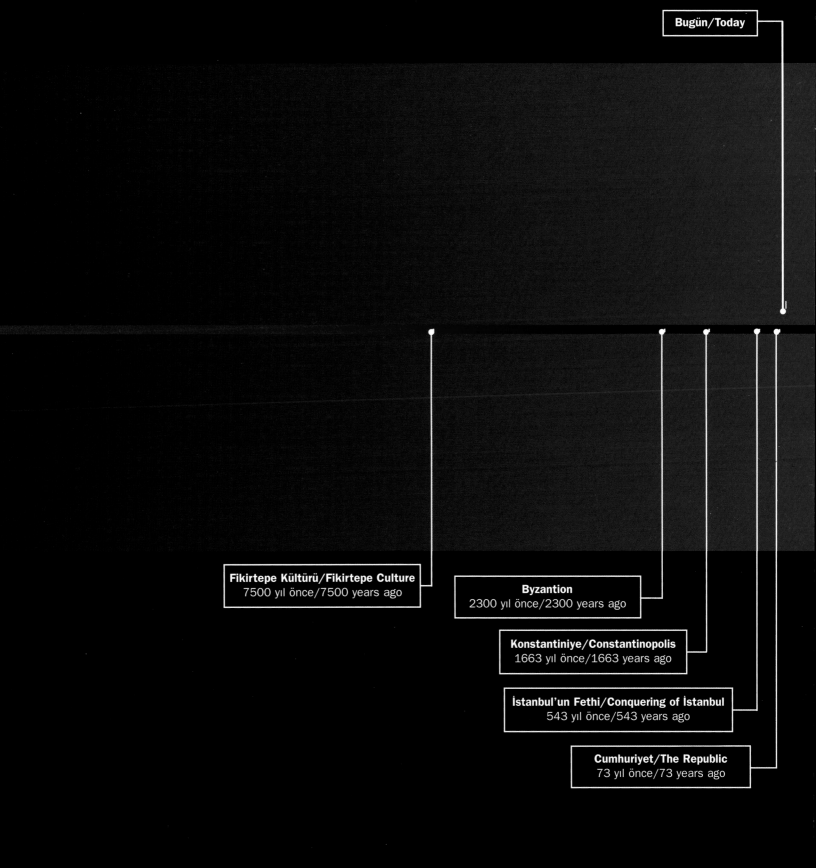

Bugün/Today

Fikirtepe Kültürü/Fikirtepe Culture
7500 yıl önce/7500 years ago

Byzantion
2300 yıl önce/2300 years ago

Konstantiniye/Constantinopolis
1663 yıl önce/1663 years ago

İstanbul'un Fethi/Conquering of İstanbul
543 yıl önce/543 years ago

Cumhuriyet/The Republic
73 yıl önce/73 years ago

byzantion
byzantion

MÖ 7.yüzyıl-MS 324 *7th century BC-324 AD*

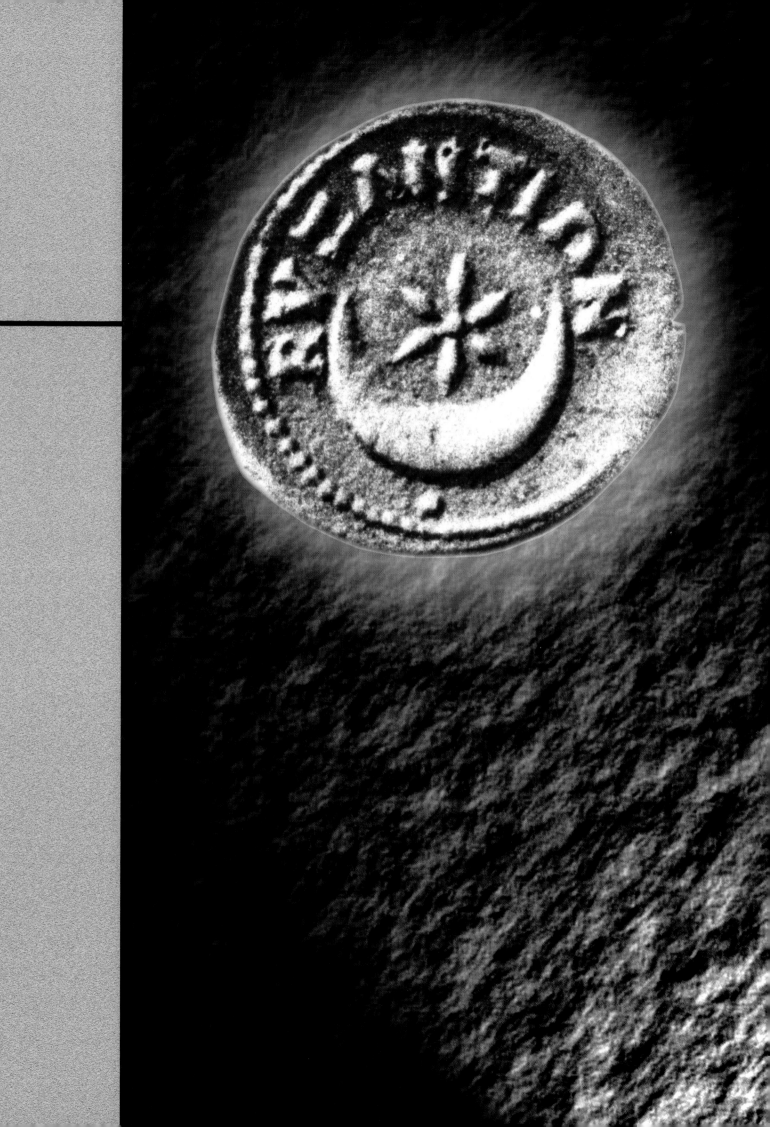

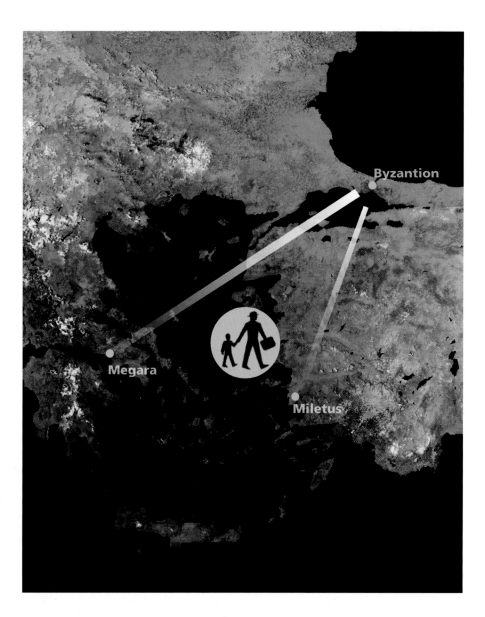

Geleneksel söyleme göre, Byzantion M.Ö. 7. yüzyıl ortalarında Orta Yunanistan'daki Megara kentinden gelen kolonistler tarafından kuruldu. Olasılıkla bu göçe Kalkhedon (Kadıköy) ve Miletos'dan (Söke-Balat) gelen kolonistler de katılmıştı.

göç

migration

The old tradition has it that Byzantium was founded by colonists from Megara in Central Greece in the middle of the 7th century B.C. It seems probable that the Megarians were joined by other colonists from Miletus (Söke-Balat) and Chalcedon (Kadıköy).

Baş tanrı Zeus, Argos Kralı'nın kızı Io'ya aşık olur. Zeus'un karısı Hera, Io'yu Zeus'tan ayırmak için türlü yollara başvurur. Zeus da sevgilisi Io'yu korumak için onu inek biçimine sokar. Bunun üzerine Hera inek biçimindeki Io'yu rahat bırakmaması için başına bir sineği bela eder. Sinek ısırdıkça, Io İstanbul Boğazı'nda bir o yana bir bu yana koşarak kaçar. Boğaz bu nedenle "İnek Geçidi" anlamına gelen "Bosporos" adını alır. Haliç'i geçtikten sonra Io'nun bir kız çocuğu olur. Keroessa adlı bu kız daha sonra Deniz Tanrısı Poseidon ile evlenir. Bu evlilikten doğan çocukları Byzas büyüyünce, doğmuş olduğu yerde bir kent kurar. Daha sonra kent, kurucusundan dolayı Byzantion olarak anılır.

kuruluş

When Zeus, the father of the Gods, fell in love with Io, the daughter of the King of Argo, Hera, his consort, had recourse to several stratagems to separate them. In order to protect his beloved, Zeus transformed her into a cow, whereupon Hera, refusing to leave Io in peace, sent gadflies to plague her. Stung by the gadflies, Io rushed off, running hither and thither in the straits of the Bosphorus, and that is how the straits got the name of "Bosporus" meaning "ox ford". After crossing the Golden Horn Io gave birth to a girl named Keroessa, who later married Poseidon, the god of the sea. When Byzas, the child of this marriage, grew up he founded a city in the land where he was born. The city was named Byzantium after its founder.

foundation

Kral Byzas'ın bugünkü Topkapı sarayının bulunduğu uçta ilk kentsel yerleşmeyi kurmasıyla İstanbul'un kent tarihi başlar. Kuruluş öyküsü, kentin tarihi ve yaşam, İlk Byzantion paralarındaki figürlerden yola çıkılarak anlatılır.

The history of the city of Istanbul begins with the foundation by King Byzas of the first centre of habitation on the promontory now occupied by Topkapı Palace. The story of the foundation, together with the history and life of the city, is represented by the figures on the first Byzantine coins.

video

byzantion

gözüaçıkların beğendiği yer

byzantion
the country chosen by the wise

1 Üzerinde yelkenli olan bir antik para dönerek ekrana gelir. Paranın üzerindeki gemi para yüzeyinden koparak canlanır ve akarak antik haritanın üzerinde Megara kentine konar.O sırada tarih sayacı İ.Ö. 700'de durmuştur.

An ancient coin with a sailing ship on it arrives twirling around on the screen. The ship breaks away from the coin, comes to life and slides away, landing on the ancient map at the city of Megara. The time clock points to 700 B.C.

2 Tekne Megara'dan hareket edip Byzantion'un kurulacağı yere gelir. Biraz geriden Miletos'tan daha küçükçe bir gemi de Byzantion'a doğru hareket eder.

The boat leaves Megara and comes to the place where Byzantium will be founded. At the same a smaller ship sets out from Miletus and makes for Byzantium.

3 Dört ila beş Byzantion sikkesinin üzerindeki gemiler paradan ayrılıp boğaz haritasına doğru kayar. Gemilerden birkaçı Boğaz'dan yukarı, birkaçı aşağı doğru seyreder. Yazı kuşağında "Byzantion, stratejik konumu yüzünden ticaretin kilit noktasıydı." yazısı belirir.

Ships represented on four or five Byzantine coins split off from their coins and slip on to the map of the Bosphorus. Some of the boats enter the Bosphorus from the top, others from the bottom. A strip appears with the words "Byzantium owed its key position in trade to its strategic location".

4 Üzerinde figürünün bulunduğu paradan canlandırılan kral Byzas, tekneden karaya ayak basar. Üstteki kuşakta "Kral Byzas bugünkü İstanbul'un

yeraldığı yarımadanın ucunda Byzantion'u kurdu" yazısı belirir. Hippodrom, Akropol, Agora gibi tipik Yunan koloni kenti binaları küçük maketler olarak kent coğrafyasının üzerine konar. Kent adına para basılır. Zaman sayacı İ.Ö. 450'dedir.

The figure of King Byzas on the coin comes to life and steps ashore from the boat. A strip above reads, "King Byzas founded Byzantium at the end of the peninsula now occupied by the city of Istanbul". Small models of buildings typical of a Greek colony, such as Hippodrome, Acropolis and Agora, alight on the map of the city. Coins are minted in the name of the city. The time clock points to 450 B.C.

5 Byzantion, stratejik konumu yüzünden ticaretin kilit noktasıydı. Gezginlere göre o zamanlar Haliç palamut balığı kaynardı. Bereket simgesi olarak buraya Altın Boynuz denirdi.

Byzantium owed its key position in trade to its strategic location. Travellers inform us that at that time the Golden Horn was swarming with tunny fish. The name Golden Horn is a reference to the old symbol of fertility and abundance.

6 Byzantion çevre kentlerle yaptığı anlaşmalarla barış içinde gelişti. O zamanlarda Byzantion sikkelerinde kullanılan bir figür yüzyıllar sonra bu topraklarda yeniden ortaya çıkacaktı.

The agreements made by Byzantium with the neighbouring cities allowed it to develop in peace and tranquillity. A figure represented on the Byzantine coins of that period was to be discovered in this same soil centuries later.

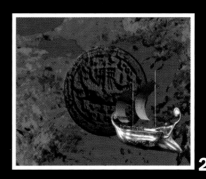

Kalkhedon'un (Kadıköy) "körler ülkesi" olarak anılması Antik Çağ'da bilinen bir öyküydü. Amasyalı coğrafyacı Strabon öyküyü şöyle aktarır:

"... bu nedenle, Kalkhedon'un Megaralılar tarafından kurulmasından kısa bir süre sonra Byzantion'u kuran insanlar Kehanet Tanrısı Apollon'a danıştıklarında, Tanrı onlara körlerin karşısındaki yere yerleşmelerini söyleyerek Kalkhedonluları 'kör' olarak adlandırmıştır. Çünkü onlar, söz konusu bölgeye daha önce gelmelerine karşın, hatalı davranarak, bütün zenginliği ile gözlerinin önünde duran bir memleket yerine, daha fakir bir memleket seçmişlerdi."

The story of Chalcedon as the Country of the Blind was well known in antiquity. The story is related as follows by the geographer Strabo, a native of Amasya:

"... hence the saying that Apollo, when the men who founded Byzantion at a time subsequent to the founding of Chalcedon by the Megarians consulted the oracle, ordered them to 'make their settlement opposite the blind' thus calling the Chalcedonians 'blind' because although they sailed regions in question at an earlier time, they failed to take possession of the country on the far side, with all its wealth, and chose the poorer country."

myth
mit

strateji

"... Deniz açısından bakıldığında Byzantion'un yeri, güvenlik ve zenginlik bakımından dünyada bildiğimiz bütün kentlerden daha elverişlidir. Fakat toprak açısından bakıldığında, gerek güvenlik, gerekse zenginlik bakımından en dezavantajlı yer de burasıdır... Çünkü deniz bakımından, Pontos'un (Karadeniz) ağzını tamamen bloke ettiğinden, hiç kimse Byzantionluların rızası olmadan ne Pontos'tan içeri girebilir, ne de dışarı çıkabilir." *Polybios*

"... The site of Byzantion is as regards the sea more favourable to security and prosperity than that of any other city in the world known to us, but as regards the land it is most disadvantageous in both respects. For, as concerning the sea, it completely blocks the mounth of the Pontus in such a manner that no one can sail in or out without the permission of the Byzantines." *Polybius*

strategy

Byzantion'da kutsanan tanrı ve tanrıçalar ile göçün kaynağı Megara'dakiler arasında bağ kurmak olasıdır. Antik kaynakların yanısıra sikkeler de bu konuda bilgi iletiyor. Şarap Tanrısı Dionysos, Haberci Tanrı Hermes, Akıl ve Zenaatın Tanrıçası Athena, Işık ve Kehanet Tanrısı Apollon, Av ve Ay Tanrıçası Artemis ve Bereket Tanrıçası Demeter, Byzantion'un Hellenistik ve Roma dönemi sikkelerinde görülüyor. Deniz Tanrısı Poseidon'un kentin sikkelerinde çok sık betimlenmiş olması ise, onun Byzantion için öneminin işareti olmalıydı.

din *religion*

It is possible to establish a link between the gods and goddesses of the Byzantines and those of the Megarians. Information on this subject can be gleaned from coins as well as from the ancient sources. Dionysus, the god of wine, Hermes, the messenger of the gods, Athena, the goddess of wisdom and the crafts, Apollo, the god of light and prophecy, Artemis, goddess of hunting and the moon and Demeter, goddess of fertility, all appear on Byzantine coins of the Hellenistic and Roman periods. The frequent appearance of Poseidon, god of the sea, on the coins of the city indicates the importance accorded to this god by the city of Byzantium.

köprü

İstanbul Boğazı'ndan ilk ve önemli geçişi Pers Kralı Dareios, M.Ö. 512'deki İskit seferi sırasında gerçekleştirdi. Tarihçi Herodotos ve diğer yazarların da söz ettiği bu köprü, kuşkusuz yan yana dizilen gemilerin üzerine kalaslar döşenerek oluşturulmuştu.

"... Denizi seyreden Dareios geriye dönerek Samos'lu Mandrokles'in yapmış olduğu köprüye doğru yelken açtı... Dareios'un Bosporos üzerine kurdurduğu köprü, Byzantion ile Karadeniz'in ağzındaki tapınağın orta yerine düşer."
Herodotos

the bridge

The first important crossing of the Bosphorus took place during the Scythian campaign of the Persian King Darius in 512 B.C. This bridge, which is mentioned by Herodotus and other authors, was undoubtedly a pontoon bridge consisting of a row of boats placed side by side. Herodotus gives the following account:
"... Having viewed the Pontus, Darius sailed back to the bridge made by Mandrocles of Samos... the place where king Darius bridged the Bosphorus was midway between Byzantion and the temple at the entrance of the sea."

ilişkiler

Sikkelerden anlaşıldığına göre Byzantion, M.Ö. 5. yüzyıl sonlarından başlayarak karşı kıyıdaki Kalkhedon (Kadıköy) ile dostça ilişkiler içine girmişti. M.Ö. 2. yüzyılda bu dostluk ilerledi ve her iki kent kendi adlarını sikke üzerine yanyana koydular. Byzantion'un barışçıl ilişkileri Roma İmparatorluk döneminde de sürdü. Nikaia (İznik) ve Bizye (Vize) ile ekonomik amaçlı ittifak/dostluk (homonoia) sikkelerinin basıldığı ve bu sikkelerin bazılarında palamut balıklarının betimlendiği görülüyor.

It would appear from the coins that by the 5th century B.C. Byzantium, had entered into close relations with Chalcedon, the city on the other side of the Bosphorus. This friendship progressed to such a degree that in the 2nd century B.C. both the two cities put their own names side by side on the coins. These peaceful relations persisted throughout the period of the Roman Empire. It would also appear that Nicaea (İznik) and Bizye (Vize in Thrace) minted homonoia coins testifying to economic union and friendship, and that some of these coins bore the representation of a tunny fish.

relations

İlk sikkeler gümüştü ve kentin kuruluşundan yaklaşık 250 yıl sonra M.Ö. 5yy. sonları ya da M.Ö. 4.yy. başları, basılmıştı. Roma İmparatorluğu döneminde de kentte sikke basımı devam etti. Byzantion balıkçılık ve tarımın yanı sıra Boğaz'dan geçen gemilerden aldığı gümrük vergileriyle de ekonomisini güçlendiriyordu. Kentin ekonomik gelişmesi bu ticaret trafiği ile doğru oranlı olarak arttı.

> "... Şurası tartışılmaz bir gerçektir ki ihtiyaç maddeleri bakımından en bol ve en iyi kalitede sığır ve köle Pontos'daki memleketlerden sağlanmaktadır. O memleketlerden gelen lüks maddeler arasında bol miktarda bal, balmumu ve kurutulmuş balık vardır; onlar da bizim memleketimizden ihtiyaç fazlası ürünlerden olan zeytinyağı ve şarap alırlar." *Polybios*

Byzantion'un, M.Ö. 5. yüzyılda dönemin en güçlü kuruluşu olan Attika-Delos Deniz Birliği'ne ödediği yüksek vergi kentin zenginliğinin bir başka kanıtıdır. Aristoteles, balıkçılar, tuz tüccarları, hokkabazlar, medyumlar ve büyücüler gibi bazı meslek gruplarının kazançlarının üçte birini vergi olarak ödediklerini söyler. İstanbul ve civarında ele geçen Hellenistik döneme ait mezar taşlarında bir astronom, bir ebe ve Byzantion'da görevli Mylasa'lı (Milas) bir yargıcın adı vardır

ekonomi

ἀνθρώποις πάντων εἰσὶ τοι
πρὸς μὲν γὰρ τὰς ἀναγκαία
θρέμματα καὶ τὸ τῶν εἰς
σωμάτων πλῆθος οἱ κατὰ
παρασκευάζουσι δαψιλέστα
ὁμολογουμένως, πρὸς δὲ
τάριχος ἀφθόνως ἡμῖν χο

economy

The earliest coins were of silver and were minted about 250 years after the foundation of the city, i.e. in the later 5th or early 4th century, and the minting of coins persisted under the Roman Empire. To fishing and agriculture, which formed the basis of the economy, were added the customs dues imposed on ships travelling through the Bosphorus. The economy of the city developed in proportion to the amount of commercial traffic passing through the straits.

> "it is an indisputed fact that the most plentiful supplies and best qualities of cattles and slaves come from the countries of Pontus. Among luxuries the same countries furnish us with abundance of honey, wax and dried fish. They buy olive-oil and wine, the superflous produce of our countries." *Polybios*

The high contribution paid by Byzantium to the Delian maritime confederacy, the most powerful organisation of the 5th century B.C., is further proof of the wealth enjoyed by the city. Aristotle tells us that various professional groups, such as fishermen, salt merchants, jugglers, charm-sellers and soothsayers had to pay as much as one third of their income in taxes. The name of an astronomer, a midwife and a judge from Mylasa (Milas) appointed to Istanbul appear on tombstones of the Hellenistic period found in Istanbul and the surrounding area.

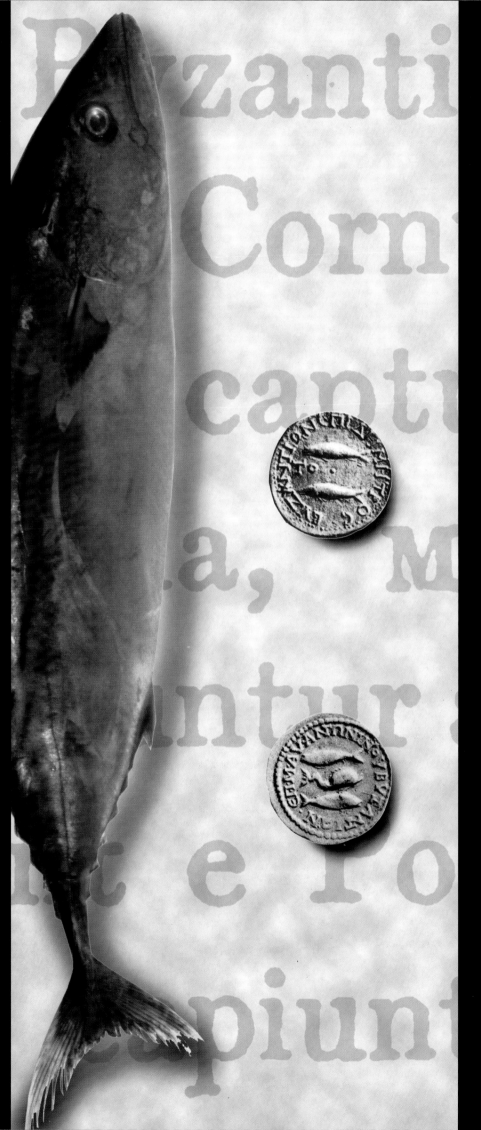

Altın Boynuz, Haliç'e Eski Çağda verilmiş bir addır. Byzantion'un en önemli doğal zenginliğini oluşturan palamut balıklarının yoğun bulunduğu ve yakalandığı yer de Altın Boynuz'du (Khrysokeras):

"... Avrupa ve Asya'yı ayıran boğazın en dar yerinde, Kalkhedon (Kadıköy) yakınında dipten yüzeye doğru suyun arasından parıldayan şahane beyazlıkta bir kara vardır. Palamutlar bu kayayı birdenbire karşılarında görünce, ürkek sürü halinde karşı taraftaki Byzantion burnuna, (Haliç'e) yönelirler. Buranın Altın Boynuz olarak anılmasının nedeni, balıkların bolluğu ve sonunda tümünün Byzantion'da yakalanmasıdır."

Amasyalı coğrafyacı Strabon da akıntının palamutları sürü halinde Haliç'e girmeye zorladığını ve dar bir bölgede elle bile yakalandığını söyler. Anlaşılan, Antik Çağ'ın içi meyve dolu bereket boynuzu (cornucopia), Byzantion'da içi palamut dolu bereket boynuzu oluvermişti.

altın boynuz

the golden horn

The Golden Horn (Khrysokeras) is the name given in Antiquity to the estuary at Haliç. This was where the tunny fish, one of the most important of the rich natural resources of Byzantium, were found and caught in abundance.

"...in the actual narrows of the channel separating Europe and Asia, near Chalcedon, there is a rock of marvellous whiteness that shines through the water from the bottom to the surface. The sudden sight of this always frightens them, and they make for the opposite promontory of Byzantion (i.e. the Golden Horn) in a headlong shoal. That is why it is called the Golden Horn. Consequently all fish get caught in Byzantion."

According to the geographer Strabo of Amasya, the tunny fish were forced by the current into the narrows, where they could even be caught by hand. In other words, cornucopia, the horn of plenty of the ancient world filled with a wealth of fruit, was transformed into the Byzantine Golden Horn, with its abundance of fish.

konstantinopolis
constantinople

324 - 1453

Nea Roma

Toprakları İspanya'dan Mezopotamya'ya kadar uzanan Roma İmparatorluğu'nun başkenti Roma, 2. yüzyıla gelindiğinde artık her yere ulaşamıyordu. İmparatorluğun özellikle doğu bölgesine egemen olmak için yeni bir yönetim merkezi aranmaya başlandı; Thessalonika (Selanik), Aleksandria (İskenderiye), Antiokhia (Antakya), İlion (Truva), Nikomedeia (İzmit)... Diocletianus bu kentlerden Nikomedeia'ya yerleşti.

nea roma

By the 2nd century AD, the capital Rome was unable to exert its authority in the far corners of of the Roman Empire with lands extending from Spain to Mesopotamia. It therefore began to search for a new seat of administration which could establish sovereignity over eastern provinces in particular. Thessalonica, Alexandria, Ilion (Troy) and Nicomedeia (İzmit) were potential candidates... Diocletian choseto settle in Nicomedeia.

Roma

Thessalonika (Selanik) 10. yüzyılda düştü.

Thessalonika fell in 10th century.

Aleksandria (İskenderiye) 641'de İslam ordusuna yenik düştü.

Alexandria fell to the Muslems in 641.

Antiokhia (Antakya) 636'da İslam ordusuna yenik düştü.

Antiokhia fell to the Muslems in 636.

İlion (Truva) 13. yüzyılda düştü.

Ilion (Troy) fell in 13th century.

Byzantion (İstanbul) 1453'de Osmanlı ordusuna yenik düştü.

Byzantion fell to the Ottomans in 1453.

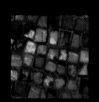

Nicomedeia (İzmit) 1339'da düştü.

Nicomedeia fell in 1339.

seçilmiş kent

I. Constantinus imparatorluk yönetimini paylaştığı Maxentius ve Licinius'u yendikten sonra, Roma topraklarını tek başına yönetmeye başladı (324). Nikomedeia'daki Diocletianus Sarayı'nda oturmakla birlikte, yönetim merkezi olarak doğu-batı ve kuzey-güney ticaret yollarının kavşağında yedi tepe üstünde kurulmuş Yunan kolonisi Byzantion'u seçti. Adı önce Konstantinopolis'e, daha sonra İstanbul'a dönüşen Byzantion 20. yüzyıla değin imparatorluklar başkenti olarak varlığını sürdürdü. Sırasıyla

Roma İmparatorluğu'nun başkenti ve Pagan kültürünün merkezi,

Doğu Roma (Bizans) İmparatorluğu'nun başkenti ve Hıristiyan kültürünün merkezi,

Osmanlı İmparatorluğu'nun başkenti ve İslam kültürünün merkezi oldu.

the chosen city

After Constantine I defeated Maxentius and Licinius, with whom he shared sovereign power, he came to rule Roman lands on his own (324). He lived in the Palace of Diocletian in Nicomedeia, but he chose the Greek colony of Byzantium -a city on seven hills and the crossroads of trade routes from east to west and from north to south- to be the seat of administration. Byzantium, whose name later became Constantinople and subsequently Istanbul, survived as the capital city of empires until the 20th century. It became,

the capital of the Roman Empire and the center of Pagan culture,

the capital of the East Roman Empire and the center of Christian culture,

the capital of the ottoman empire and the center of Islamic culture.

bir düşün gerçekleşmesi
a dream come true

Constantinus Mısır'dan tahıl getirterek halka bedava ekmek dağıtımını başlattı...

Constantine I had grain brought from Egypt and began the distribution of free bread to the people...

.. Romalı soyluları Byzantion'a çağırarak kentin Romalı nüfusunu artırdı...

...He increased the Roman population by inviting Roman nobles to settle in Byzantium...

... Merkeziyetçi bir devlet yönetimi geliştirdi ve Kilise üzerinde otorite kurdu...

... He set up a centralised system of government and established authority over the church...

... Solidus olarak bilinen para sistemini oluşturdu...

... He created the monetary system known as the solidus...

... I. Constantinus kent içi su dağıtım sisteminin temellerini attı...

... Constantine I laid the foundation of the city's water distribution system...

... Kenti savunmak için yeni bir sur yaptırdı...

... He had walls built to defend the city...

... Septimus Severus'un başlattığı Hippodrom'u tamamladı...

... He completed the Hippodrome begun by Septimus Severus...

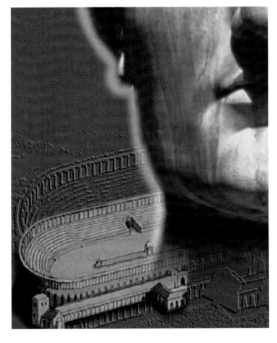

... Hippodrom'un güneyinde gelişecek olan Büyük Saray yapı topluluğunun ilk yapılarını inşa ettirdi...

... He built the first of the buildings which would eventually become the Great Palace, located to the south of the Hippodrome...

işaret

Milvian Köprüsü'nde Maxentius karşısında kazandığı zaferi daha önce düşünde görmüş olduğu labarum işaretini tılsım olarak kalkanlarında kullanmasına bağlayan I. Constantinus, bu işareti imparatorluğun kutsal sancağı olarak benimsedi. Roma İmparatorluğu'nda üç yüzyıldan beri gizlice yayılan Hıristiyanlık, Milvius zaferinin ardından yasallık kazandı (314) ve paganizmin yanı sıra gelişme olanağını buldu.

the sign

Constantine believed that his victory over Maxentius on the Bridge of Milvius was due to the influence of the sign of the labarum; which he had seen in a dream and had placed on the shields of his soldiers. He adopted the sign as the sacred emblem of the empire. Christianity, which had been clandestinely spreading for the last three centuries, found legality with the victory at Milvius and now had the chance to flourish alongside pagan belief (314).

bazilika

I. Constantinus, benimsediği Hıristiyan dini için bir ibadet yapısı yaratılmasını istedi. Bunun için geleneksel Roma toplantı salonu bazilika örnek alındı. Böylece bütün büyük Roma kentlerinde bazilika planlı kiliselerin yapımına başlandı. Konstantinopolis'te de I. Constantinus tarafından Kutsal Barış kilisesi Aya İrini, Ayios Akakios ve Ayios Mokios kiliseleri yaptırıldı.

Constantine I demanded the construction of a place of worship for the Christian faith he had embraced. The example of the basilica (the rectangular Roman conference room with an extension on the eastern side) was adopted as the basis of its construction. From then on, churches in other large Roman cities were all built on the basilica plan. Constantine I had the churches of Holy Peace (St. Irene), St. Acios and St. Mocios built in Constantinople.

the basilica

Kendi adını vererek özel bir lütufla onurlandırdığı kenti, ... görkemli tapınaklar ve din şehitlerinin mezar yapıları ile donattı. Böylece, hem din şehitlerinin anılarını onurlandırdı, hem de (kurduğu) kentini bu şehitlerin Tanrısı'na vakfetti. *Eusebius*

Honoring with special favor the city, which is called after his own name, he adorned it with many places of worship and martyrs' shrines of great size and beauty ... by which he both honored the memory of the martyrs and consecrated his city to the martyrs' God. *Eusebius*

Kent Konstantinopolis adıyla 11 Mayıs 330'da yeni başkent olarak kutsandı.

The city was blessed as Constantinople on the 11th of May, 330.

I. Constantinus imparatorluk yol ağının başlangıç noktasını Augusteion Meydanı'nın kuzeybatısına dikilen Milion taşıyla belirledi. Kentin günümüze kadar ulaşacak olan tarihi ana arteri Mese'yi (Divanyolu) 25 metre genişliğinde, arkadlı ve iki kat yüksekliğinde olmak üzere bugünkü Çemberlitaş'a kadar uzattı.

"0"

Constantine I marked the starting point of his road network by the Milion stone placed in the northeastern corner of the square known as the Augusteion. He extended the Mese (Divanyolu), the old main thoroughfare, as far as Çemberlitaş. The Mese was 25 meters in width and lined with colonnades two stories high.

Belirli noktalarda Mese, imparatorların anıt-sütunlarıyla ölümsüzleşen meydanlara açılıyordu. Bazılarının yüksekliği 50 metreyi bulan anıt-sütunlar, tıpkı günümüzün minareleri gibi, Konstantinopolis siluetinin dikey öğelerini oluşturuyordu. Kent, sayısız sütun ve antik heykelle donatılmıştı.

siluet

At certain points, the Mese opened out onto forums immortalised by the monumental columns of the emperors. These monumental columns, some as high as 50 meters, constituted the vertical elements in the city skyline, very much like the minarets of our own day. The city was adorned with innumerable columns and ancient statues.

the silhouette

... Ayrıca, muhteşem bir forum yaptırarak ortasına Thebai porfir taşından uzun, hayranlık uyandıran bir sütun dikti. Bu sütunun tepesine, başında ışın demeti olan büyük boyda kendi heykelini koydu, ki bu bronz heykeli Frigya'dan getirtmişti. ... Palladium'u, Roma'dan getirterek yaptırdığı bu foruma, ... sütunun altına yerleştirdi.
Chronicle Paschale

forum

the forum

He also constructed a big and very beautiful forum and set up in the center of it a tall column of Theban stone worthy of admiration. At the top of this column he set up a big statue of himself with rays on his head, which bronze statue he had brought from Phyrigia. ... (he) removed from Rome the ... Palladium and placed it in the forum ... underneath the column.
Chronicle Paschale

savunma

Konstantinopolis surları yaklaşık 1100 yıl boyunca Hun, Avar, Arap, Bulgar, İran, Türk saldırılarına direndi.

For 1100 years the walls of Constantinople withstood the attacks of the Huns, Avars, Russians, Arabs, Bulgarians, Persians, and Turks.

the fortifications

Anastasius'un Bulgar akınlarına karşı Karadeniz'den Marmara'ya kadar uzanan uzun Sur'u yaptırması (507-512) kentin savunmasını daha da güçlendirdi.

The defence wall, which ran from the Black Sea to the Marmara, was built by Anastasius (507-512) to defend the city against Bulgarian attacks and to strengthen the defense system.

II. Theodosius kentte hem savunma, hem de beslenme açısından gerekli olan genişlemeyi sağlamak üzere kara surlarının ilk dizisini yaptırdı (413). Daha sonra bir depremde zarar gören surlar onarıldı; ikinci bir sur dizisi ve bir hendek dizisi eklenerek savunma sistemi güçlendirildi (423-427).

The first of the series of land walls was built by Theodosius II to protect the city and to enclose the extra area necessary to feed the increasing population (413). These walls were later restored after damage caused during an earthquake. A new series of walls and moats was added and the city's defense system strengthened.

Kara surlarına ek olarak tarihi yarımada deniz boyunca da surla çevrildi.

The historical peninsula was surrounded with walls along the sea in addition to the walls on the landward side.

... Kentin savunulması için inşa etmekte olduğumuz Yeni Duvar'ın kulelerinin yapım işi tamamlandıktan sonra, ... bu duvarlar her kimin arazisi üzerinde yapılmışsa o kişilerin kullanımına verilmesini buyurduk. ... öyle ki, ... (bu kişiler) bilecekler ki, kulelerin onarımını her yıl kendi keselerinden sağlayarak yapacaklardır ve bilecekler ki bu kulelerin kullanımını almış olmaları, kamunun kendilerine özel bir lütfudur ve (bu nedenle de) bakım ve onarımların artık kendi sorumluluklarında olduğu konusunda tereddüt etmeyeceklerdir... *Theodosius*

... We command that the towers of the New Wall, which has been constructed for the fortification of this most splendid City, shall after the completion of the work, be assigned to the use of those persons through whose lands this wall was dully erected... so that the landholders shall know that each year they must provide for the repair of the towers at their own expense, and that they shall not doubt that the repair and the responsibility therefore belong to them ... *Theodosius*

su kaynakları

water supply

Yapımına I. Constantinus döneminde başlanan kentin su sistemi Vize'ye kadar uzanıyordu.

The water works of the city begun during the reign of Constantine I extended as far as Vize.

para

Anastasius altın nomisma, gümüş denarius ve bakır follis oranlarını belirleyerek sikke para sisteminde reform yaptı (498). Bu oranlar 11. yüzyıla değin sabit kaldı. Anastasius'un başta olduğu yıllar imparatorluk hazinesinin en dolu olduğu dönemdi. Günümüzün doları gibi bir konumu olan Bizans parası, ticaret piyasasında bu niteliğini 600 yıl kadar korudu.

money

Anastasius reformed the monetary system by determining the ratios of gold nomisma, the silver denarius and copper follis (498). These ratios were retained until the 11th century. The years of Anastasius's reign saw a treasury full to the brim. Byzantine currency was very much like the US dollar of our own day and maintained its position in the commercial markets for 600 years.

yeni liman

Haliç kıyısındaki eski limanlara ek olarak I. Theodosius ve Iulianus'un yaptırdıkları liman ve silolarla, kentin dış ticaret ağına Marmara kıyısı da katıldı.

the new port

In addition to the old port on the Golden Horn, the Marmara shore joined the foreign trade network as a result of the wharves and silos built by Theodosius I and Justinian, in addition to the old part of the Golden Horn.

yönetim

Konstantinopolis yönetim
açısından 14 bölgeye ayrılmıştı.

the administration

Constantinople was divided into
14 administrative regions.

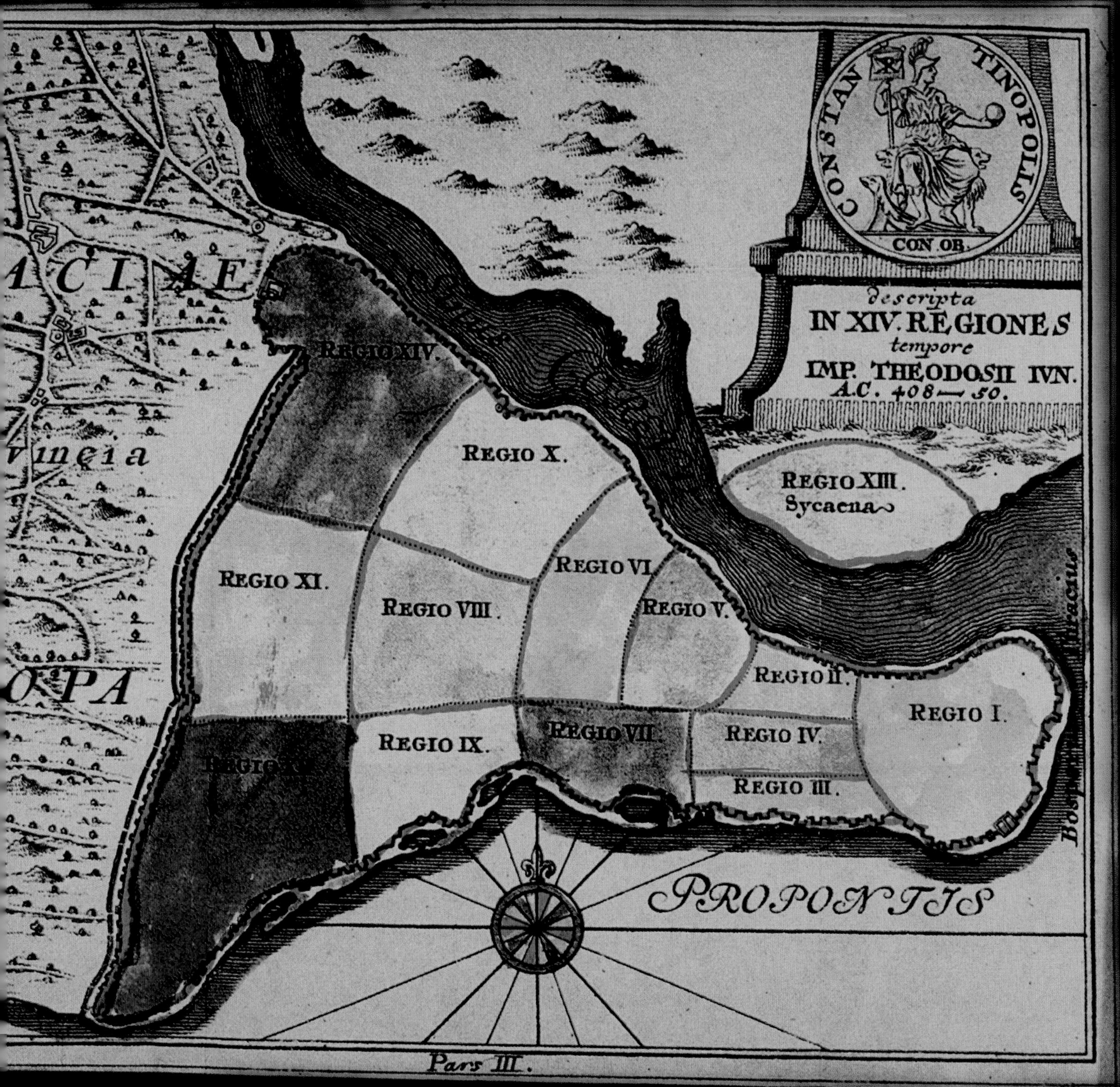

CON. OB.

CONSTAN-TINOPOLIS

descripta
IN XIV. REGIONES
tempore
IMP. THEODOSII IVN.
A.C. 408—50.

REGIO XIV.

REGIO X.

REGIO XIII.
Sycaena

REGIO XI.

REGIO VIII.

REGIO VI.

REGIO V.

REGIO II.

REGIO I.

REGIO XII.

REGIO IX.

REGIO VII.

REGIO IV.

REGIO III.

PROPONTIS

Pars III.

Hıristiyanlaşma

Paganizm ile Hiristiyanlık 4. yüzyılda karşı karşıya geldi. Bir Hıristiyan olarak yetişen I. Contantinus'un oğlu Constantius pagan geleneği olan kurban kesmeyi yasakladı. Paganizme yakınlık duyan Iulianus okullarda Hıristiyanlık eğitimini sınırladı. I. Theodosius yayınladığı emirnameyle paganizme kesin yasak getirdi (392).

Hıristiyanlığın tek din haline gelmesiyle Konstantinopolis'te Hıristiyanlaşma süreci hızlandı.

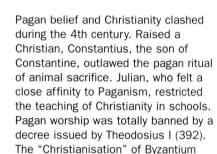

Pagan belief and Christianity clashed during the 4th century. Raised a Christian, Constantius, the son of Constantine, outlawed the pagan ritual of animal sacrifice. Julian, who felt a close affinity to Paganism, restricted the teaching of Christianity in schools. Pagan worship was totally banned by a decree issued by Theodosius I (392). The "Christianisation" of Byzantium gained in momentum following the recognition of Christianity as the sole religion.

Christianisation

kutsallığın iki kökü

Tüm insanlık için tek Tanrı (olduğu) ilan edilmişti. Aynı zamanda bir evrensel güç, Roma İmparatorluğu da doğdu ve gelişti... Tam da aynı dönemde.. aynı Tanrı'nın açık emri ile, kutsallığın iki kökü, Roma İmparatorluğu ve Hıristiyan dininin doktrini, insanlığın yararına birlikte ortaya çıktılar.
Eusebius

two roots of blessing

One god was proclaimed to all mankind. At the same time one universal power, the Roman Empire, arose and flourished ...
At the selfsame period ... by the express appointment of the same God, two roots of blessing, the Roman Empire and the doctrine of Christian piety, sprang up together for the benefit of men...
Eusebius

rölikler ve manastır sistemi

Hıristiyanlaşma sürecinin bir başka önemli yönü, röliklerin Konstantinopolis'te toplanması ve manastırların örgütlenmeye başlamasıydı. Büyük Aziz Basileios bu dünyada Tanrı'yla mistik birleşmeyi gerçekleştirmeye ve ruhani yaşamı yüceltmeye yönelik Doğu Roma manastır düzenini kurdu (379).

relics and the monastery system

Another important aspect of the process of Christianisation was the bringing of sacred relics to the city and the organisation of monasteries. The Great Saint Basil established the East Roman monastery system, striving after a mystical union with God and the elevation of human life in this world (379).

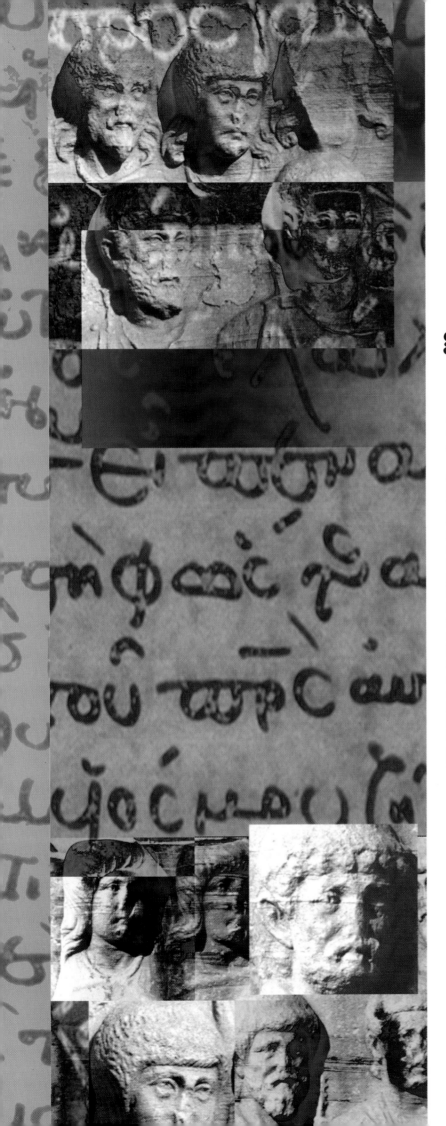

günlük yaşam
daily life

425-450 yılları arasında Konstantinopolis'in sahip oldukları		Between the years 425 and 450, Constantinople possessed:
saray	5	palaces
kilise	14	churches
halk hamamı	8	public baths
özel hamam	153	private baths
meydan	4	public squares
antrepo	5	bonded warehouses
tiyatro	2	theatres
pandomim tiyatrosu	2	mime theatres
hippodrom	1	hippodrome
sarnıç	4	cisterns
yöre (vici)	322	districts (vici)
ev	4388	houses
iskele	17	wharves
mezbaha	5	slaughterhouses
senato binası	2	senate buildings
(Augustaeum, Capitolium)		(Augustaeum, Capitolium)
kolosseum	1	colosseum
bölge idarecileri	13	curators
kolluk görevlisi	14	security guards
gönüllü itfaiye görevlisi	560	voluntary firemen
bekçi	65	night watchmen

Notitia Urbis Constantinopolitanae

ταρος ϊαμιω του ταρω αιπιω

ϋοϊτεα ο ϊτο ϋ ο ταρουϊα Θ φ ϊϊ

ειαϋπου· ϊε ε ϊεμητη· Διαϊοια

ϊα αϊληαδηδιαϊιϊω πυ

εϊ εσθωαϋτοϊε· ϊ Ϊωμϋδϊ τε

ρεα ϊ αηαλαβειη αϋτοη· ε

ρωσαιπιωη· εϊ τωϋϋδϊ ϊλ

ρ α ελει φθα· Και οϋτωςαϋτο ταρ ο οθηκ θη· εϊε ϊϊ
ϊω ϊ χϊϋ εϊ δϊ ϊϋβοσασε ο ϊοϋ κα σιϊ τοϋθρομβϊ σαϊ θϊ ταρ

ϊαϊ οεϊϊαϊϋ ϊϊωτοϊ· ε

ϊαϊ οιοσ ϊαϊ

ϊβ· ο οϋδϊ ει ταϋθ· τι αϋλιεϊε

ϊαϊ ϊ οθϊ τωη ϊ ταρω ησου·

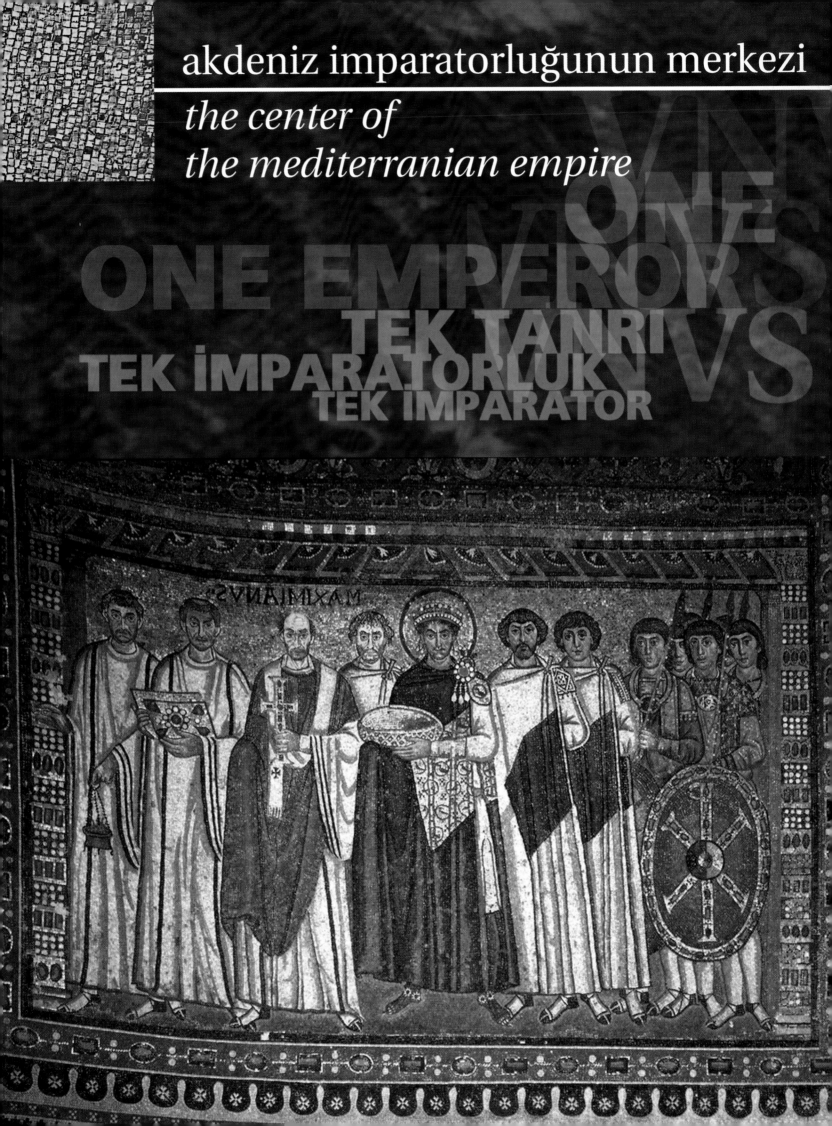

akdeniz imparatorluğunun merkezi

the center of the mediterranian empire

ONE EMPERORS

TEK TANRI

TEK İMPARATORLUK

TEK İMPARATOR

527-62 Sasaniler'le savaşlar.
532-62 Sasani I. Hüsrev
        Anuşirvan'la
        barış antlaşmaları.
529   Arap Gassaniler'inin Arap
        Lahmiler'e ve Sasaniler'e
        karşı kullanılması.
563   Gassani hükümdarı
        al-Harit'in
        Konstantinopolis'i ziyareti.
551,
558-9   Utrigur Hunları'nın Kutrigur
        Hunları'na karşı
        kullanılması.
558-9   Kutrigurlar'ın
        Konstantinopolis
        ve Balkanlar'a yönelmesi,
        Belisarius'a yenilmeleri.
        Lazlar ve Abasgiler'in
        Sasaniler'e
        karşı kullanılması.
540   Avar ve Slav saldırıları.
        Slavlar
        Konstantinopolis
        kapısında.
558   Avarlar'la diplomatik
        ilişkiler.
564   Avarlar'la antlaşma.
529-39 Samariten isyanının
        bastırılması. Sinagogların
        tahrip edilmesi.
542   Veba salgınının Mısır'dan
        yayılması.

527-62 Wars with Sassanians.
532-62 Peace Treaty with the
        Sassanian Khusrau I
        Anushirvan.
529   Ghassanid Arabs used
        against Lakhmid Arabs and
        Sassanians.
563   The Ghassanid ruler
        AlHarith's visit to
        Constantinople.
551,
558-9   The Utrigur Huns in
        alliance with
        Constantinople against
        the Kutrighur Huns.
558-9   The Kutrighurs' threat to
        Constantinople and the
        Balkans. Their defeat by
        Belisarius. The Laz and
        Abasgians against the
        Sassanians.
540   Avar and Slav attacks. The
        Slavs at the gates of
        Constantinople.
558   Diplomatic relations with
        the Avars.
564   Truce with the Avars.
529-30 Crushing of the Samaritan
        uprising. The vandalisation
        of the synagogues.
542   The spread of bubonic
        plague from Egypt.

imparatorluk başkenti
the imperial capital

527 İmparatorluk sınırları (Iustinianus öncesi) 527 Imperial territory (Before Iustinianus)

565 İmparatorluk sınırları (Iustinianus sonrası) 565 Imperial territory (After Iustinianus)

Konstantinopolis'e yönelik saldırılar Incursions to Constantinople

Ticaret Yolları Trade routes

Dini ilişkiler Religious relations

Diplomatik ilişkiler Diplomatic relations

yasama

Roma'nın devamı olan Bizans için, ortaçağda yasalara göre yönetilmek bir gurur kaynağıydı. Iustinianus imparatorluğun adil ve kararlı yönetimi için gerekli gördüğü Roma yasalarını biraraya getirmişti. Tribonianus başkanlığında bir kurulca hazırlanan ve **Corpus Iuris Civilis** olarak bilinen bu derleme **Codex Constitutionum**, **Digesta**, **Institutones** ve **Novellae** adlı dört ana kitaptan oluşuyordu. Derlemede Konstantinopolis'le ilgili maddeler de yer alıyordu.

legislation

For Byzantium, the continuation of Rome, living under laws, was a source of pride, during the middle ages. Justinian had brought together all Roman law which he regarded to be essence of just and strong rule. The compilation known as **Corpus Juris Civilis** was prepared by a council under Tribonianus and comprised four books; **Codex Constitutionum**, **Digesta**, **Institutones** and **Novellae**. There were articles in the law which also applied to Constantinople.

Tanrı'nın yardımıyla, ... halkı korumak için adil yasalar yaptık ... Gördük ki, taşra yavaş yavaş insansızlaşmakta ve bu büyük kentimiz her tür insanın, özellikle de kırsal kesimden olup ta bu kente sığınmak için kendi memleketlerini ve tarımsal uğraşlarını terkedenlerin büyük kalabalığı ile, giderek rahatsız olmaktadır.
Iustinianus,
Corpus Iuris Civilis

With the aid of God, ... to take care of the people, we have established laws of complete justice, ... We have found that little by little the provinces are becoming denuded of their inhabitants, and this great city of ours becomes disturbed by a great multitude of all kinds of people, especially those from the rural areas, who have left their own towns and their agricultural pursuits in order to take refuge here.
Iustinianus,
Corpus Iuris Civilis

Konstantinopolis'te Ayasofya Tanrı'ya, Saray imparatora, Hippodrom ise halka adanmıştı.

Hippodrom halkla imparatorun buluştuğu bir yerdi. Burada vahşi hayvan yarışları, atletik karşılaşmalar, palyaço, akrobat ve pandomim gösterilerinin yanı sıra yeni yıl şenlikleri, zafer kutlamaları, devlet ve kilise törenleri yapılıyordu. Bu yönleriyle Hippodrom imparatorluk ideolojisinin güçlendirildiği bir mekândı.

In Constantinople, the Church of Hagia Sophia was dedicated to God, the Palace to the Emperor and the Hippodrome to the people.

It was in the Hippodrome that the emperor came into contact with his subjects. Here were held the combats between wild animals, athletic contests, clowns and mimes, New Year and victory celebrations and ceremonies connected with national and religious festivals. Thus, it could be said that the Hippodrome was the place where the imperial ideology was realised in objective form.

Roma, Bizans ve Osmanlı kültürlerinin kubbeye yaklaşımları hem bir süreklilik, hem de bir farklılık içerir. Bu ilişki Roma'daki Pantheon'dan yola çıkılıp önce Ayasofya'ya, oradan da Şehzade Camisi'ne geçilerek vurgulanabilir. Süreklilik iktidar gücünün simgesi olarak kubbenin seçilmesi ve strüktür sisteminin aşamalı olarak geliştirilmesidir. Farklılık ise içeriktedir. Herbirinin kendi inançlarına yanıt verecek anıtsal merkezi mekânın yaratılmasına getirdikleri çözümdür.

The treatment of the dome in the Roman, Byzantine and Ottoman cultures displays both continuity and divergence. It may be regarded as having started out from the Pantheon in Rome and passing first to Ayasofya and then to Shehzade Mosque. The continuity arises from the ruling power's choice of the dome as a symbol of power and its gradual development as a structural system. The divergence lies in its content. Each one offered a solution to the creation of a monumental central space consonant with the prevailing beliefs.

video

üç kubbe, üç kültür
three domes, three cultures

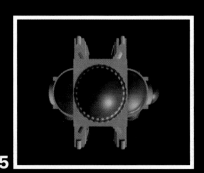

1 2. yüzyılda Akdeniz İmparatorluğu'nun merkezi olan Roma'da pagan kültürün anıtsal tapınağı Pantheon'dur. Pantheon'un iç mekânı, 43 m. çapında tek bir kubbeyle örtülüdür. Kubbe yükleri, 6 m. genişliğinde duvarla karşılanır. Duvar içindeki kemerler de yüklerin dağıtımını sağlar. Zaman sayacı İ.S. 118-128'de durmaktadır.

The Pantheon was the monumental temple of pagan culture in Rome, the centre of the Mediterranean Empire in the 2nd century. The interior of the Pantheon was surmounted by a single dome 43 m. in diameter. The weight of the dome was supported by a wall 6 m. thick, and distributed over arches built into the wall. The time clock points to 118-128 A.D.

2 6. yüzyılda Akdeniz İmparatorluğu'nun merkezi Constantinopolis'de Doğu Roma kültürünü simgeleyen yapı, Ayasofya'dır. Anıtsal yapı tasarım ve yapımında önemli bir ilerleme gözlenir. Örtüyü taşıyan sistem duvar değil tek taşıyıcı ayak, sütun ve payandalardır.

In Constantinople, the centre of the Mediterranean Empire in the 6th century, Ayaysofya stood as the symbol of the Eastern Roman culture. This monumental building displayed a great advance in both design and construction. The dome was supported, not by the walls, but solely by an arrangement of piers, columns and buttresses.

3 Tek taşıyıcılar üzerine kemerler örülür. Arches were constructed on the sole supports.

4 Katedralin batı-doğu doğrultusunda uzanan orta nefi, kemerlerle taşınan 32.81 m. çapında kubbe ve yarım kubbelerle

örtülmüş ve anıtsal bir merkezi mekân yaratılmıştır.

The central nave of the cathedral, set on a west-east alignment, is surmounted by half domes and a dome 32.81 m in diameter supported by arches, thus creating a monumental central space.

5 Yapımına basilikal planla başlanan katedral, örtüde merkezi plana uyarlanmış; kubbe imgesine dayalı Doğu Hıristiyan yapısı yaratılmıştır. Zaman sayacı, 532-537'yi gösterir.

Designed as a basilica, the cathedral was roofed in accordance with a centralized plan. An Eastern Christian monument was created based on the symbol of the dome. The time clock points to 532-537.

6 Merkezi mekân geleneği, Osmanlı dönemi İstanbul'unda doruk noktasına erişir. Yarım kubbeler doğu-batı doğrultusu dışında kuzey-güney doğrultusunda da kullanılarak, 18 m. çapındaki merkezi kubbenin iç mekândaki egemenliğinin boyutları 39 m.'ye çıkarılır. Böylece İslam inancının amaçladığı mekân birliği anıtsal boyutlara ulaştırılır. Zaman sayacı 1543-1548'i gösterir.

The centralized plan tradition reached its peak in the Istanbul of the Ottoman period. Half domes were employed both on an east-west and north-south alignment, while the central dome, with a diameter of 18 m., increased to 39 m the size of the interior space it dominated. In this way, the spatial unity aimed at by Islamic belief attained monumental proportions. The time clock points to 1543-1548.

katedral

... Her şeyin üzerinde, uçsuz bucaksız boşlukta (kubbenin) büyük miğferi yükselmekte, ışıldayan semalar gibi kilisenin üzerine eğilmiş, onu kucaklamaktadır. ... (tıpkı) boşlukta yüzen gökkubbe gibi ... Tapınağın içersindeki diğer binlerce (lamba) , zincirlerle yukarıya asılmış ... ışıldamakta ... öyle ki gece, gün ışığını küçümser gibidir. ... (bu ışık) Tanrı'ya giden yolu da göstermektedir.
Paul the Silentiary

the cathedral

... Above all rises into the immeasurable air the great helmet (of the dome), which, bending over, like the radiant heavens, embraces the church ... like the firmament which rests on air... A thousand others (lamps) within the temple show their gleaming light, hanging aloft by chains ... Thus the night seems to flout the light of day. ... (this light) shows the way to the living God.
Paul the Silentiary

O (Iustinianus) Tanrı ve azizler için Konstantinopolis'e birçok güzel ve süslü kiliseler yaptı. (Özellikle de) eşsiz büyüklükte bir anıt inşa etti ki, böylesine daha önce tanık olunmamıştı. Sözünü ettiğim, kelimelerin gücünü aşacak kadar güzel ve muhteşem (olan) Büyük Kilise.
Evagrius

He (Justinian) erected unto God and the saints many beautifully adorned churches at Constantinople.
(In particular,) he built an incomparably great pile such as has never been recorded. I mean the Great Church that is so beautiful and glorious as to exceed the power of speech.
Evagrius

Iustinianus bayındırlık çalışmalarına da önem verdi. Kente yeni inşa edilmiş ya da onarılmış 30 kadar kilise kazandırdı. Bunlardan Küçük Ayasofya, Ayasofya, Aya İrini ve Oniki Havari Kiliseleri anıtsal nitelikte yapılardı.

Justinian gave importance to public works. He is credited with 30 churches- some new, others renovations- among which are monumental churches like St.Sergius and Bacchus, Hagia Sophia, St. Irene and the Church of the Twelve Apostles.

saray

İmparator, maliyet kaygılarını dikkate almaksızın, ace-
leyle yapım işine başladı ve bütün dünyadan ustaları
topladı. ... Yapı ustalarının çalışmalarını düzenleyen ve
önceden ne inşa edileceğini tasarlayan kişi, mühendislik
(mechanike) diye adlandırılan disiplinde en bilgili kişi
(olan) Tralles'li Anthemius idi. Ortak olarak başka bir
mühendisi, Miletus'lu Isidore'u aldı...
Procopius

the palace

The Emperor, disregarding all considerations of
expense, hastened to begin construction and raised
craftsmen from the whole world. It was Anthemius of
Tralles, the most learned man in the discipline called
engineering (mechanike), ... that ministered to the
Emperor's zeal by regulating the work of the builders
and preparing in advance designs of what was going
to be built. He had as partner another engineer called
Isidore, a native of Miletus ...
Procopius

hippodrom

... her iki partiden (Yeşiller ve Maviler) ayaklanmacılar, bir araya gelerek barış anlaşması yaptılar, tutsaklar aldılar ve doğruca kent hapishanesine giderek orada ayaklanma ya da diğer yasadışı eylemlerinden ötürü hapsedilmiş olan tutsakların hepsini serbest bıraktılar. ... Uyanık olan bazı yurttaşlar karşı kıyıya kaçtılar ve kent, düşman birliklerince işgal edilmiş gibi, alevler içinde yakıldı.
Procopius

the hippodrome

... rioters of the two factions (Greens and Blues), coming together and making peace with each other, seized the prisoners and went directly to the public jail where they freed all who had been imprisoned for rioting or any other illegal act ... those citizens who kept their wits about them fled to the opposite shore, and the city was put to the torch as if occupied by enemy troops.
Procopius

Zaman zaman Hippodrom halk ayaklanmalarıyla siyasal bir arenaya da dönüşüyordu. Bunlardan en önemlisi ağır vergilere karşı girişilen Nika Ayaklanması'ydı (532).

At times, the hippodrome turned into a political arena where there were riots. The most important of these was the Nika revolt in 532 against heavy taxation.

ikon sevenler
iconodules

Eskiler, ... Tanrı'yı asla betimlememişlerdi. Ama şimdi, Tanrı bir bedene bürünmüş olarak bize göründüğünde ... ben görmüş olduğum Tanrı'nın bir imgesini yaptım. Ben maddeye tapınmıyorum, maddenin Tanrı'sına tapınıyorum, ki O, benim kurtuluşum için cisimleşti...
John of Damascus

Of old, God ... was never depicted. Now, however, when God is seen clothed in flesh, ... I make an image of the God whom I see. I do not worship matter, I worship the God of matter, who became matter for my sake...
John of Damascus

Hıristiyan dünyasında başından beri varolan belirsizlikleri gidermeye yönelik çabalar 726-843 arasında yoğunlaştı. Dönemin tartışmaları bir yandan Hıristiyan toplumu biçimlendirirken, bir yandan da Konstantinopolis'in Roma kenti kimliğinden sıyrılıp bir ortaçağ Doğu kentine dönüşmesini sağladı.

Attempts to eradicate uncertainties inherent in the Christian realm from the beginning increased during the period between 726 and 843. The arguments of the day not only shaped Christian society but effaced the Roman character of the city, and brought about changes which would make Constantinople an Eastern city during the Middle Ages.

ikon karşıtları
iconoclasts

Şeytan insanları yanılttı, böylece onlar Yaratıcı yerine yaratılmış olana tapındılar... Hıristiyanlık görüntüsü altında yavaş yavaş idolcülüğü geri getirdiler.
754 tarihli Konsül

Satan misguided men,so that they worshipped the creatureinstead of the creator. ... (they) gradually brought back idolatry under the appearance of Christianity.
Council of 754

Neden Hıristiyanlar paganların elinde bozgunun acısını çekiyorlar? Bana öyle geliyor ki, bunun nedeni ikonlara tapınılmasından başka bir şey değildir. Ve, (bu nedenle) ben, onları (ikonları) kırmaya niyetlendim.
Leo V, Incertus de Leone yazarı

Why are the Christians suffering defeat at the hands of the pagans? It seems to me it is because the icons are worshipped and nothing else. And (for this reason) I intended to destroy them (icons).
Leo V, Scriptor Incertus de Leone

İkon sorunu sonunda İmparatoriçe Theodora'nın başkanlık ettiği Ayasofya'daki konsil toplantısında çözüme bağlandı ve Ortodoksluğun zaferi ilan edildi.

A solution was found to the icon debate in a council held in Hagia Sophia which Empress Theodora personally chaired. The resolution was declared a victory for the orthodox church.

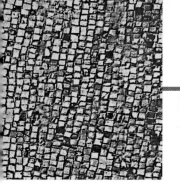

doğulu ortaçağ kenti
the medieval eastern city

Ve O'nun (Tanrı) vasıtası ile, ... göksel krallığın imgesini taşıyan ve Tanrı'nın sevgilisi
(olan) imparator. Daha Yüksek Gücün (Tanrı'nın) taklitçisi olarak dünyanın
dümenini yönetir ve onun bütün işlerini yönlendirir.
Eusebius

And it is from and through this Very One (God) ... that the emperor, the bearer of the
image of the heavenly kingdom and one dear to God, directs, in imitation
of the Higher Power, the helm of the earth and guides all its affairs.
Eusebius

iktidar
state power

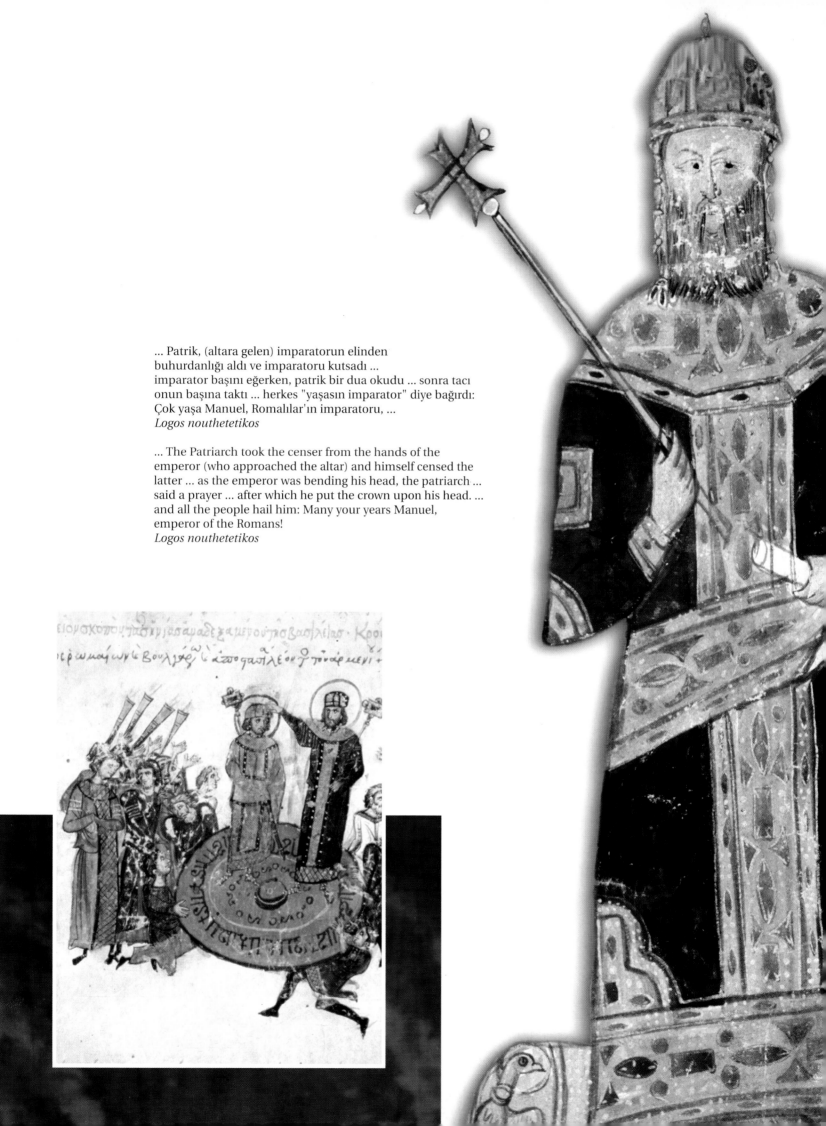

... Patrik, (altara gelen) imparatorun elinden
buhurdanlığı aldı ve imparatoru kutsadı ...
imparator başını eğerken, patrik bir dua okudu ... sonra tacı
onun başına taktı ... herkes "yaşasın imparator" diye bağırdı:
Çok yaşa Manuel, Romalılar'ın imparatoru, ...
Logos nouthetetikos

... The Patriarch took the censer from the hands of the
emperor (who approached the altar) and himself censed the
latter ... as the emperor was bending his head, the patriarch ...
said a prayer ... after which he put the crown upon his head. ...
and all the people hail him: Many your years Manuel,
emperor of the Romans!
Logos nouthetetikos

sarayda yaşam

life in the palace

Altın kaplamalı bronz bir ağaç, imparatorun tahtının yanında duruyordu ve altın kaplama kuşlar, dallarını doldurmuş, (gerçek) kuşlar gibi ötmekteydiler. ... Taht, çok büyük boyutlardaydı... Altın kaplama aslanlar, ... ağızlarını açıp dillerini oynatarak kükreme sesi çıkartıyorlardı. ... Ben ... secdeye varıp başımı kaldırdığımda, az önce yerden çok az yüksekte duran (tahtında) oturan imparatorun, şimdi ... tavana yakın bir yükseklikte oturmakta olduğunu gördüm.
Liudprand

A certain tree, bronze but covered over with gold, stood in front of the emperor's throne, and birds, ... of gilded gold, filled its branches and uttered the cries of (real) birds, ... The throne was of immense size, ... Lions covered with gold ... produced a roar with mouths open and tongues moving ... prostrating myself before the emperor, I raised my head, and him whom I had just seen sitting elevated only a little above the ground I now saw ... seated just below the level of the ceiling.
Liudprand

törenler
rituals

... övgüye değer törenler sayesinde, imparatorluk gücü daha heybetli görünür, saygınlığı artar, ve aynı zamanda gerek yabancıların, gerekse kendi tebaamızın hayranlığı kazanılır.
Konstantinos VII Porphyrogenitos

... thanks to the praise worthy ritual, the imperial power appears more majestic, grows in prestige, and at the same time evokes the admiration both of strangers and of own.
Konstantinos VII Porphyrogenitos

inançlı imparator

Ben, ... Romalılar'ın hükümdarı, inançlı imparator, kendi (ağzımla) beyan ederim ki: Tek Tanrı'ya inanırım ... Dahası, havariler dönemi ve kutsal gelenekler (olduğu) gibi, yedi ökümenik Konsil'in ve dönem dönem toplanan yerel sinodların ve kutsallar kutsalı Tanrı'nın büyük Kilisesi'nin ayrıcalık ve geleneklerini de kabul eder ve onaylarım.
İmparatorluk yemini

faithful emperor

I, ... faithful Emperor and Autocrator of the Romans, with my own hand set forth: I believe in one God ...Further, I embrace and confess and confirm as well as the apostolic and divine traditions the constitutions and decrees of the seven ecumenical councils and of local synods from time to time convened and, moreover, the privileges and customs of the most holy Great Church of God.
Imperial Oath to Preserve the Orthodox Faith

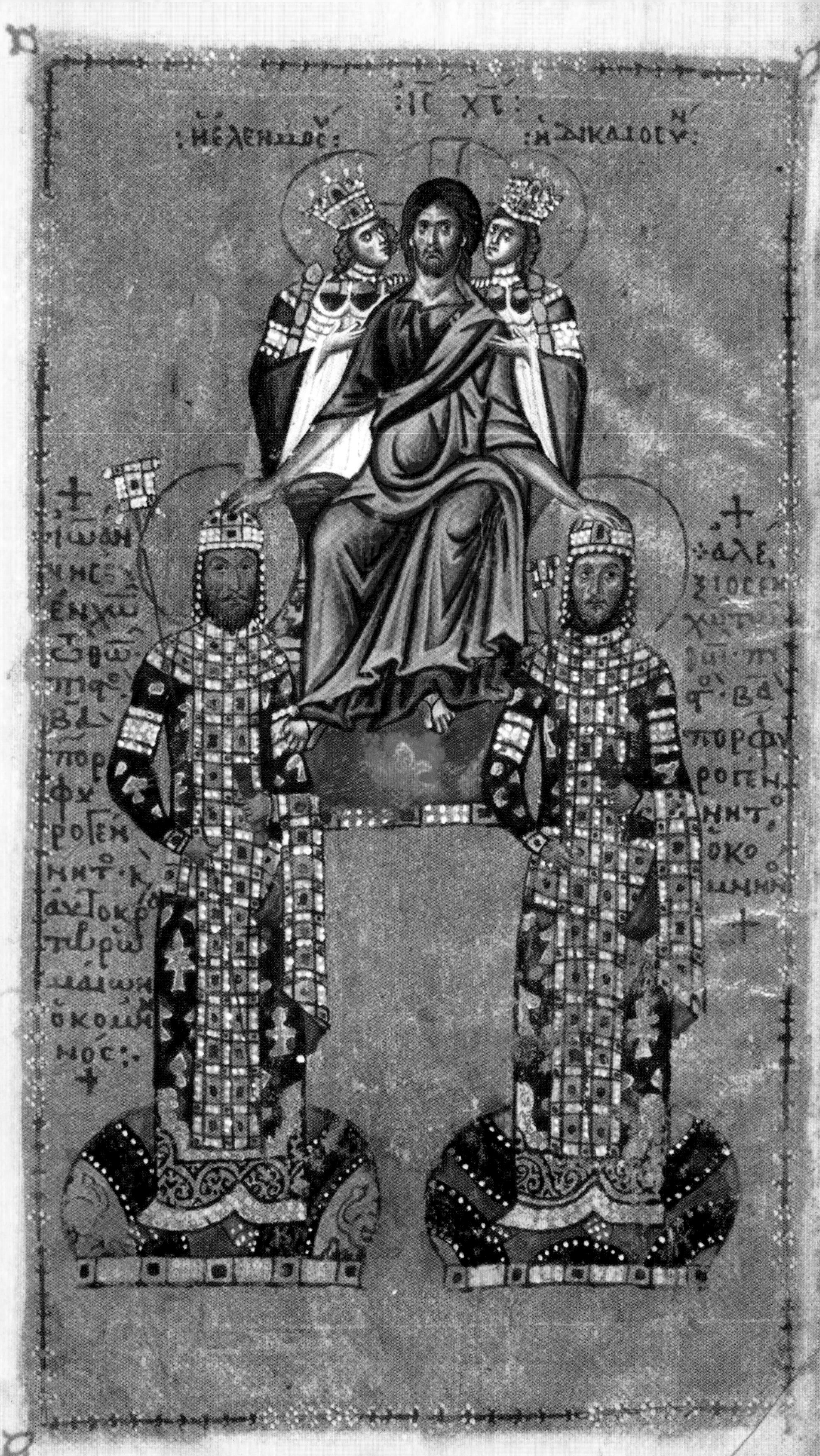
IC XC
Η ΕΛΕΗΜΟΣΥΝΗ
Η ΔΙΚΑΙΟΣΥΝΗ

İmparator Heraclius, ... kutsal evlerin (kiliseler) servetlerine ödünç olarak el koydu, ve kaynaklarının yetersiz olmasının zorlamasıyla, Büyük Kilise'nin (Ayasofya) bile altın ve gümüş şamdanlarını ve diğer malzemesini aldı, ve altın sikke ile birçok gümüş para (miliaressia) bastırdı.
Theophanes

Emperor Heraclius, ... seized the possessions of the blessed houses (churches) in Ioan, and, impelled by his lack of resources, he even took the many candles (gold and silver candlesticks) and other serviceable implements of the Great Church (Hagia Sophia) itself, and struck gold coins and very many miliaresia (silver coins).
Theophanes

din

Konstantinopolis röliklerin toplandığı bir kentti. Bu nedenle de hacıların akın ettiği bir dinsel merkezdi.

Constantinople was the city where relics were gathered and was thus a religious center flooded with pilgrims.

religion

10. yüzyıldan başlayarak Kilise, ikonoklazm sonrası gelişen dogma doğrultusunda örgütlendi. Konstantinopolis'teki manastırların sayısı giderek arttı. Manastır kiliseleri, Yunan haçı mimari ve bezemeleriyle ilahi imparatorluğun yeryüzündeki simgesiydi. İnsanlığın kurtarıcısı İsa, Pantokrator İsa görünümündeydi.

kilise

the church

As from the 10th century, the Church organized itself around the dogma that took shape in the iconoclastic period. The ornamented monastery churches built on the Greek Cross plan were the earthly symbols of the heavenly empire. Christ was depicted as Jesus, the Pantocrator.

Her tür tüccar, Babil ve Şhin'ar'dan, İran ve Medea'dan, Mısır'ın bütün krallıklarından, Kenan ülkesinden, Rusya krallığından, Macaristan'dan, Peçenek ülkesinden, Hazar'dan, Lombard ülkesinden ve İspanya'dan (Konstantinopolis'e) gelirdi. Burası çok gürültülü-patırdılı bir kent. ... Dünya'da Bağdat ... dışında, buna benzer bir kent yok ... Konstantinopolis'te sayısız yapı var. Yıl be yıl, bütün Bizans topraklarından buraya vergi getirilir, ki bununla kaleler, mor ve altın (renkli) ipek giysilerle dolardı. Bu binalar, bu zenginlik, imparatorluğun hiçbir yerinde görülemez. Diyorlar ki, kentin günlük geliri, dükkanlardan ve pazarlardan gelen kira, deniz ve kara yoluyla gelen tüccarlardan alınan gümrük vergisi, yirmibin altına ulaşmaktadır.
Tudela'lı Benjamin

ticaret
trade

All kinds of merchants come (to Constantinople) from Babylon and Shin'ar, from Persia and Medea, from all the kingdoms of Egypt, from the land of Canaan, from the kingdom of Russia, from Hungary, from the land of the Petchenegs, from Khazaria, from Lombardy and from Spain. It is a tumultuous city; ... There is none like it in all the world except for Baghdad, ... Constantinople has countless buildings. Year by year tribute is brought to it from all the land of Greece, whereby castles are filled with garments of silk, purple and gold. Such buildings, such riches can be seen nowhere else in Greece. They say that the city's income, what with the rent from shops and markets and what with the customs levied on merchants coming by sea and by land, reaches twenty thousand gold pieces.
Benjamin of Tudela

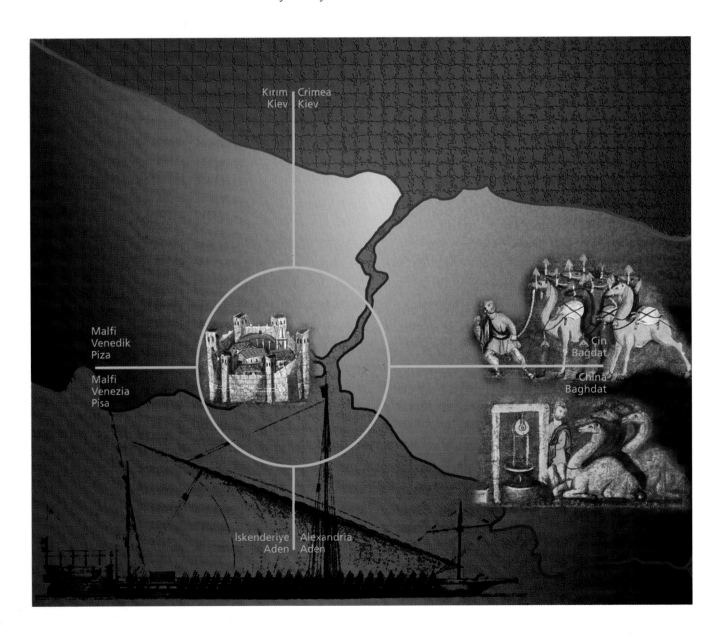

Tanrı'nın Romalılar'a verdiği gücün bir başka işareti daha vardır. Sözünü ettiğim gerçek, bütün uluslar, dünyanın bir ucundan öteki ucuna (kadar) yürüttükleri ticareti, (Romalılar'ın) parasını kullanarak yapıyorlar. Bu para, hangi krallığa ait olursa olsun bütün insanlar tarafından hayranlıkla kabul görürdü, çünkü onun benzerinin var olduğu hiçbir başka ülke yoktur.
Cosmas Indicopleustes

"emporium"

There is yet another sign of the power which God has accorded to the Romans. I refer to the fact it is with their coinage that all the nations carry on trade from one extremity of the earth to the other. This money is regarded with admiration by all men to whatever kingdom they belong, since there is no other country in which the like of it exists.
Cosmas Indicopleustes

... Cenevizliler ... büyük bir zenginlik ve güce ulaştılar ... dolaşım serbestisini ve deniz ticaretinin neredeyse bütün vergilerini ele geçirmekle kalmayıp, Hazine'ye para getiren ... birçok kamu işlerini de ele geçirdiler. Böylece, (Galata'da) yılda yaklaşık 200.000 hyperpyra toplamında bir vergi geliri toplanırken, Byzantium'da bu, yılda en çok 30.000 idi.
Nikephoras Gregoras

... The Genoese ... achieved great wealth and power ... they took over not only facility of movement ... and almost all the duties from the sea (trade), but also many public functions ... that brought money to the treasury. Thus there (in Galata) the sum of approximately 200.000 hyperpyra in duties is collected every year, while in Byzantium barely 30.000 a year.
Nikephoras Gregoras

(Ruslar şu maddeleri önerdi:) Buraya gelen Ruslar istedikleri kadar tahıl alabilecekler. Her kim tüccar olarak gelirse, ekmek, şarap, et, balık ve meyvadan oluşan altı aylık erzak alacaktır...
(Bizanslılar şunları ilan etti:) ... (Ruslar) St. Mamas bölgesinde kalacaklar, ... isimleri kaydedilecek, ve sonra aylık erzaklarını alacaklardır ... Kente ... silahsız olarak, bir seferde en fazla elli kişi olarak ve İmparator temsilcisi eşliğinde girecekler ... ticaretlerini ... vergiden muaf yürüteceklerdir.
Russian Primary Chronicle

(The Russians proposed the following terms:) The Russians who come hither shall receive as much grain as they require. Whosoever comes as merchants shall receive supplies for six months, including bread, wine, meat, fish, and fruit. ...
(The Greeks declared:) The Russians ... shall dwell in the St. Mamas quarter ... record their names, and they shall then receive their monthly allowance, ... They shall enter the city ... unarmed and fifty at a time, escorted by an agent of the emperor. They may conduct business ... without payment of taxes.
Russian Primary Chronicle

İpek tüccarları, (yalnızca) ipek giyecek alımı ile uğraşacaklardır . ... "yabancılara" ... mor boya ile onu oluşturan renkli boyaları, bunların İmparatorluk dışına çıkartılmasına engel olmak amacıyla, satamayacaklardır. ... İpek tüccarları loncasına kabul edilmek için, meslekteki beş üyenin ... (referansı) gerekmektedir. ... ipek taciri dükkanı edinme lisansı için on nomismata vergi ödenecektir. ... (Ham ipek tüccarları) bu ticaretlerini kendilerine ayrılan kamu yerlerinde ve herkese açık bir biçimde yapacaklardır. ... Bir (tüccar) ham ipeğin fiyatını bir hile ile artırmaya çalışırsa, ...cezalandırılacaktır. ... Ham ipek tüccarlarının ipek giyinmesine izin verilmeyecektir. ... İpek boyayanların ... mor boyaları yapmaları yasaktır.
Leon VI

ipek *silk*

The silk merchants will be concerned (only) in the purchase of silk garments. ... They are ... forbidden to resell to ... "strangers" ... purple of the distinctive dyes ... in order to prevent exportation of these out of the Empire.... To obtain admittance to the guild of silk merchants five members of the craft must testify ... that (he) is a person worthy to exercise the craft. ... To obtain a licence to acquire the workshop of a silk merchant the tax is ten nomismata. ... (Raw silk merchants) ... are limited to exercising their trade ... so publicly in the public places ... assigned to them ... Anyone who by means of a trick tries to raise the price of raw silk ... shall be condemned... The raw silk merchants shall not be permitted to wear silk... Dyers are forbidden to make up the purple ... *Leon VI*

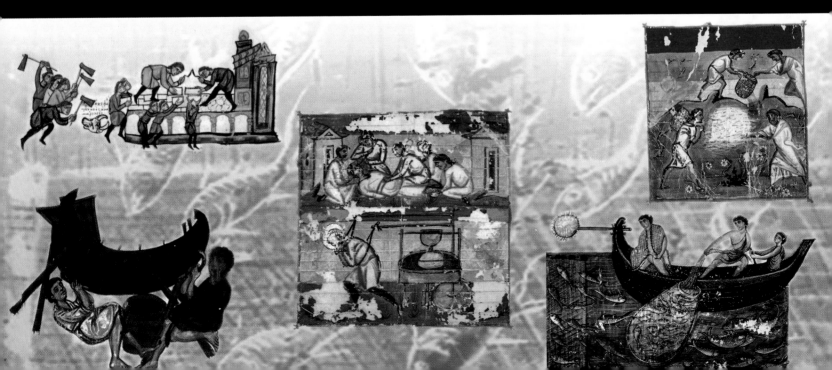

... Taktik geri çekilme ya da ani saldırılar karşısında düzenleri kolayca bozulmaktadır. ... Bu nedenle savaşta onlara karşı açık tertiple (cepheden) ilerlemek yerine, ... gizlilik ve kurnazlıktan yararlanmak gerek...
Maurice

... Their ranks are broken easily through the tactics of feigned withdrawal and sudden attacks. ... Therefore, in battle one must... not advance against them in open formation, ... but rather utilize ... stealth and cunning. ...
Maurice

ordu

Roma mirasına dayanan Bizans ordusunun komutanı imparatordu. Konstantinopolis 11. yüzyılda Avrupa ve Batı Asya'nın en güçlü ordusuna sahipti.

The supreme commander of the Byzantine army, which was based on its Roman legacy, was the Emperor himself. In the 11th century Constantinople had the strongest army in Europe and Western Asia.

the army

Konstantinopolis kendini Bizans diplomasisiyle de savunuyordu. Bu diplomasinin başlıca unsurları evlilik, hediye gönderme, casusluk, misyonerlik ve ticari ilişkilerdi.

Constantinople defended itself through the exercise of Byzantine diplomacy. The main features of this diplomacy were arranged marriages, gifts, espionage, missonary activities and trade relations.

Theophanes (Bizanslı komutan) onları Rum Ateşi olan gemilerle izledi, ve Rus gemilerine borulardan (ateş) fırlattı. ... Alevleri görünce Ruslar kendilerini denize attılar ... (Sağ kalanlar ülkelerine dönünce) ... Bizanslıların "göklerin şimşeğine" sahip olduklarını ve onu püskürterek (Rusların gemilerini) yaktıklarını ... (anlattılar).
Russian Primary Chronicle

Theophanes (the Byzantine commander) pursued them in boats with Greek fire, and dropped it through pipes upon the Russian ships ... Upon seeing the flames, the Russians cast themselves into the sea ... (the survivors, describing this, said that) the Greeks had in their posession "lightning from heaven" and set them on fire by pouring it forth.
Russian Primary Chronicle

sanat *art*

Neden canlı bir at ... gördüğümüzde onun güzelliği karşısında ... hayranlık duymayız da ... (bu atın) resmini gördüğümüzde ... etkileniriz? ... varolan modellerin güzelliklerini görmezlikten geliriz de, onların betimlerine hayranlık duyarız? ... (Bunun nedeni) imgelerde bedenin güzelliğine değil, onu yapanın aklının güzelliğine hayranlık duyarız ... sanatçı, sanatsal taklit ile ... maddeye biçim verir ve (maddede) ruhun duygularını görünür kılar ... (sanatçı) kendi duygularını (çalıştığı) maddeye işler.
Manuel Chrysolaras

Why is it that when we see a live horse ... we are not roused to admiration ... by its beauty ... but when we see the picture of a horse ... we are greatly moved by (this)? ... we neglect the existing models for all their beauty, while we admire their representations ... (the reason for this) is that in images we are admiring the beauty not of the bodies, but of the maker's mind ... the artist by means of artful simulation fashions the ... substance ... and makes the emotions of the soul visible in these (materials) ... he impresses these emotions upon his materials.
Manuel Chrysolaras

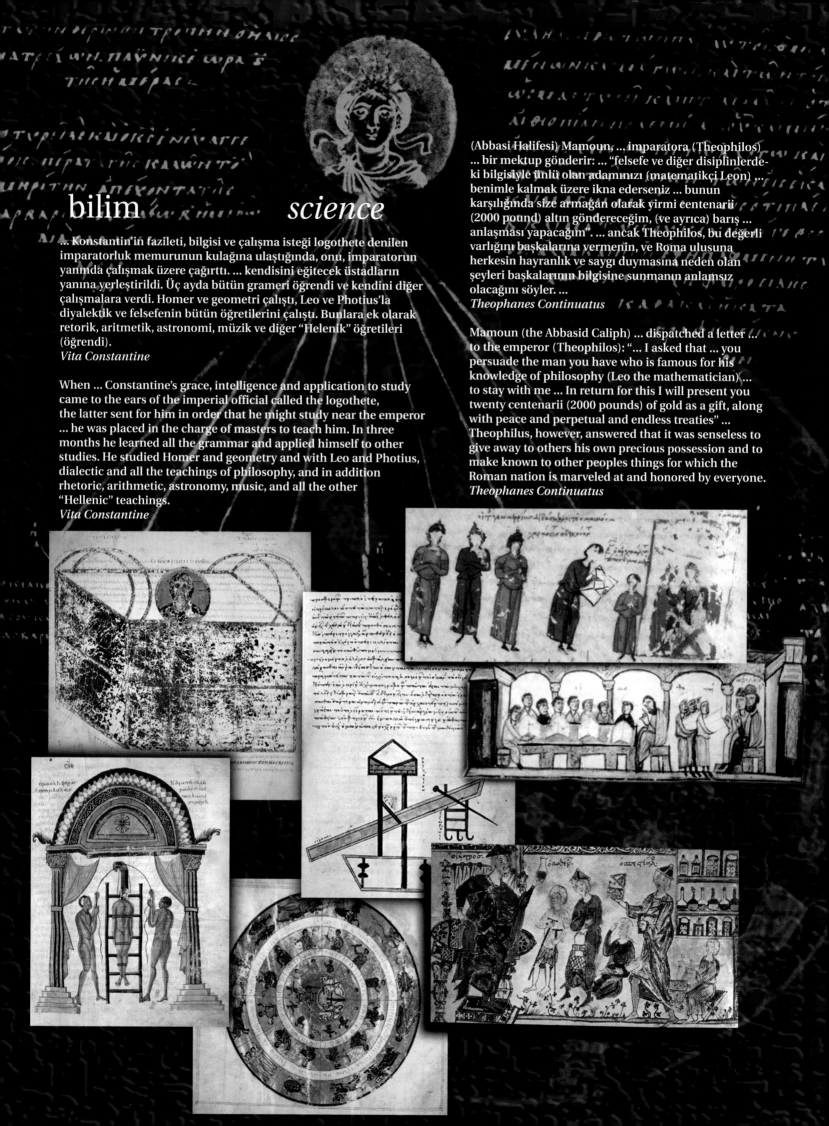

bilim   *science*

... Konstantin'in fazileti, bilgisi ve çalışma isteği logothete denilen imparatorluk memurunun kulağına ulaştığında, onu, imparatorun yanında çalışmak üzere çağırttı. ... kendisini eğitecek üstadların yanına yerleştirildi. Üç ayda bütün grameri öğrendi ve kendini diğer çalışmalara verdi. Homer ve geometri çalıştı, Leo ve Photius'la diyalektik ve felsefenin bütün öğretilerini çalıştı. Bunlara ek olarak retorik, aritmetik, astronomi, müzik ve diğer "Helenik" öğretileri (öğrendi).
Vita Constantine

When ... Constantine's grace, intelligence and application to study came to the ears of the imperial official called the logothete, the latter sent for him in order that he might study near the emperor ... he was placed in the charge of masters to teach him. In three months he learned all the grammar and applied himself to other studies. He studied Homer and geometry and with Leo and Photius, dialectic and all the teachings of philosophy, and in addition rhetoric, arithmetic, astronomy, music, and all the other "Hellenic" teachings.
Vita Constantine

(Abbasi Halifesi) Mamoun, ... imparatora (Theophilos) ... bir mektup gönderir: ... "felsefe ve diğer disiplinlerdeki bilgisiyle ünlü olan adamınızı (matematikçi Leon) ... benimle kalmak üzere ikna ederseniz ... bunun karşılığında size armağan olarak yirmi centenarii (2000 pound) altın göndereceğim, (ve ayrıca) barış ... anlaşması yapacağım". ... ancak Theophilos, bu değerli varlığını başkalarına vermenin, ve Roma ulusuna herkesin hayranlık ve saygı duymasına neden olan şeyleri başkalarının bilgisine sunmanın anlamsız olacağını söyler. ...
Theophanes Continuatus

Mamoun (the Abbasid Caliph) ... dispatched a letter ... to the emperor (Theophilos): "... I asked that ... you persuade the man you have who is famous for his knowledge of philosophy (Leo the mathematician) ... to stay with me ... In return for this I will present you twenty centenarii (2000 pounds) of gold as a gift, along with peace and perpetual and endless treaties" ... Theophilus, however, answered that it was senseless to give away to others his own precious possession and to make known to other peoples things for which the Roman nation is marveled at and honored by everyone.
Theophanes Continuatus

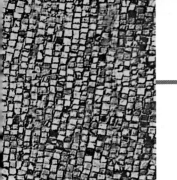

latinleşme
latinization

doğu batı ayırımı *the east-west split*

Bizans'ın Batı dünyasıyla ilişkileri sorunluydu. Kimi zaman ortak mirasa dayalı bir kültürel ve siyasal birlik sağlanırken, kimi zaman da anlaşmazlıklar yaşanıyordu. Özellikle öne çıkan bir nokta Hıristiyan inancının farklı yorumlanmasıydı. Daha 10. yüzyılda siyasal, dinsel ve ekonomik nedenler Konstantinopolis ile Roma'yı birbirinden ayırdı. Haçlılar bu Doğu-Batı ayrımını daha da derinleştirdi. Haçlı seferlerinin temel amacından sapmasıyla, Konstantinopolis hedef haline geldi. IV. Haçlı Seferi'ne katılan kuvvetler 1204'te kenti ele geçirdikten sonra yakıp yıktılar ve yağmaladılar.

Byzantine's relations with the West were laden with problems. At times, a cultural and political harmony based on a common heritage appeared while at other times disagreements prevailed. The religious divide caused by the differences in interpreting Christian belief was among the foremost causes of discord. Rome and Constantinople were torn apart as early as the 10th century by political, religious and economic factors. The Crusades widened the gap between East and West and, as the Crusades lost their initial purpose, Constantinople became their target, and the city was exposed on several occasions tothreats of occupation. Forces participating in the Crusades captured Constantinople in 1204 and the city looted and burnt down.

Eğer bizim papazlarımız bir Grek sunağında ayin yaparsa, Grekler, sanki sunak kirletilmiş gibi onu kefaret sunuları ve yıkama ile temizlerlerdi. ... bizim adamlarımızdan birinin evlenme töreni varsa, ve o adam Roma (kilisesine) göre vaftiz edilmişse, evlilik işleminden önce onu yeniden vaftiz etmekteydiler. ... onların başka sapkınlıkları da var. ... Bu nedenlerden ötürü onlar Hıristiyan olarak değerlendirilmezler ... ve yağma ve zoralımdan muaf tutulmaları güçtür ...
Deuil'li Odo

If our priests celebrated mass on Greek altars, the Greeks afterwards purified them with propitiatory offerings and ablutions, as if they had been defiled... Every time they celebrate the marriage of one of our men, if he has been baptised in the Roman way, they rebaptize him before to make the pact. We know other heresies of theirs ... Because of this they were judged not to be Christians... and hence could with more difficulty be restrained from pillage and plundering.
Odo of Deuil

Bir Latin kilisesine girdiğimde, oradaki azizlerin (imgeleri) hiç birine saygı gösterisinde bulunmuyorum, çünkü hiç birini tanıyamıyorum. En fazla İsa'yı tanıyabiliyorum, ama ona da (saygı) göstermiyorum, çünkü ne olarak çizildiğini bilmiyorum. Bu nedenle bir haç işareti yapıyor ve kendi yaptığım bu işarete saygı gösterisinde bulunuyorum, gördüğüm başka hiçbir şeye değil.
Sylvester Syropoulos

When I enter a Latin church, I do not revere any of the (images of) saints that are there because I do not recognize any of them. At the most, I recognise Christ, but I do not revere him either, since I do not know in what terms he is inscribed. So I make the sign of the cross and I revere this sign that I have made myself, and not anything that I see there.
Sylvester Syropoulos

karşıtlıklar   *conflicts*

tahrip

Ve böylece bütün sokaklar, iki ve üç katlı evler, kutsal yerler, manastırlar, rahip ve rahibelerin evleri, kutsal kiliseler, hatta Büyük Kilise ve imparatorluk sarayı bile, düşmanlarla dolmuştu; hepsi savaş nedeniyle çıldırmış ve cani ruhlu (insanlardı); hepsi zırhlarla kuşanmış, mızrak ve kılıç taşıyor; okçular ve süvariler, kutsal yerleri kuşattıkça ve kutsal şeyleri ayaklar altında çiğnedikçe, kutsal kaplara kontrolsüzce saldırdıkça, dehşetli övünüyor, Cerberus gibi havlıyor ve Charon gibi soluyorlardı. ... çocukları analarından, anaları çocuklarından zorla koparıp alıyorlar, bakireleri kutsal şapellerde kirletiyorlardı. ...
A.Heisenberg

And so the streets, squares, houses of two and three storeys, sacred places, nunnaries, houses for nuns and monks, sacred churches, even the Great Church of God and the imperial palace, were filled with men of the enemy, all of them maddened by war and murderous in spirit, all clad in armor and bearing spears, swords and lances, archers and horsemen boasting terribly, barking like Cerberus and exhaling like Charon, as they sacked the sacred places and trampled on the divine things (and) ran riot over the holy vessels ... they tore children from their mothers and mothers from their children, and they defiled the virgins in the holy chapels...
A.Heisenberg

plague

ukırbaçladıkları kamçı

bağlandığı sütün

na giydirdikleri al giysi

wood of the cross
the crown of thorn.

most precious relics of the Lo

beş somun ekmek

ona taktıkları dikenli taç

kayıplar

Villehardouin'li Goeffrey, ...dünya kurulduğundan beri hiçbir kentte bu denli büyük bir ganimetin ele geçirilmemiş olduğuna tanık oldu....kiliselere getirilenler bir arada toplandı Franklarla Venedikliler arasında eşit olarak paylaşıldı...
Villehardouin'li Goeffrey

losses

... Goeffrey of Villehardouin bear witness, that never, since the world was created, had so much booty been captured in any city. ...that which was brought to the churches was gathered together and divided into equal parts between the Franks and the Venetians...
Goeffrey of Villehardouin

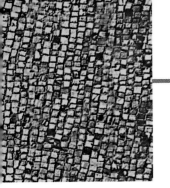

son toparlanış
the last recovery

Osmanlı Türklerinin Küçük Asya ve Balkan Yarımadası'nda ilerlemeleri üzerine Konstantinopolis ve Roma arasında önce 1274'de Lyon'da daha sonra 1438-39'da Floransa'da dinsel birlik bildirgesi imzalandı. İmparator, kimi soylular ve kilise ileri gelenleri tarafından benimsenmesine karşın Bizans halkının çoğunluğu karşı olduğundan birleşme başarısızlıkla sonuçlandı.

A treaty of religious union between Constantinople and Rome against the advance of the Ottoman Turks through Asia Minor and the Balkan peninsula was signed first at Lyon in 1274, and then at Florence in 1438-39. Despite the support of the Emperor, certain nobles and high church officials, the union failed because of the opposition of the bulk of the Byzantine populace.

birlik   *unity*

... Konsilin (Floransa) kurumsal tanımlanmasını kınadılar. Tanrı'nın Anası'nın (Hodegetria) ikonuna yalvarmak üzere kadeh kaldırdılar. Daha önce Hüsrev Kağan ve Araplara yaptığı gibi bu kez de kenti Mehmed'den koruması ve yardım etmesi için yalvardılar. Ne Latinlerin yardımlarına ne de Birleşme Bildirgesi'ne gereksinimiz yok. Hamursuz ekmeğe inananlardan bizi uzak tutun.
Ducas

... They condemned the doctrinal definition of the council (of Florence)... drank to the intercession of the icon of the Mother of God (the Hodegetria) They beseched her to guard and aid the city now against Mehmed as she formerly done against Chosroes Kaghan and the Arabs. We need either the aid of the Latins nor any Union. Keep the worship of the azymites far from us.
Ducas

(İmparator'un) kentteki ilk işi, daha önce ... kaçan insanları geri getirterek yerleştirmek olmuştu; ikinci olarak da kentin içinde ya da dışında olanlara (kura ile) tarım için toprak dağıtmak olmuştu. ... üçüncü olarak da kalabalık bir biçimde bir arada yaşayanlara, ev yapmaları için yer verdi.
Pachymeres

The first task (of the emperor) within the city was to bring in and settle those people who had fled earlier... and second to distribute (by lot) to those outside and inside the city, lands for cultivation. ... and third, for those who were (living) crowded together, to provide a place on which they could build.
Pachymeres

kimlik   *identity*

Bizans halkında kimlik arayışı başladı. Antik Yunan mirasına yönelme isteği doğdu. Bu yöneliş bir bakıma Roma geçmişinden sıyrılma eğilimini yansıtıyordu. Kurumlaşmada Romalılık sürerken, Batı skolastisizminin etkileri görülmeye başladı. Yunan kültürüne ilginin arttığı bu dönemde yaşayan Büyük Logothete Metokites gerçek bir hümanistti. Khora manastır kilisesini mozaik ve fresklerle donattı.

The people of Constantinople started to seek an identity. There was a strong tendency to lean towards the legacy of Ancient Greece. This also meant a desire to shake off Roman influences and the Roman past. Institutions were still based on their Roman models and the effects of scholasticism were still felt. The Great Logothete Metokites, who lived at a time when interest in Greek culture was at its height, was a true humanist who embellished the Khora monastery church with mosaics and frescoes.

imparatorlar, başkentlerine altın kapıdan girerler

1 Zaferden dönen imparator Altın Kapı'da büyük bir törenle karşılanır.

On his return from a victorious campaign the Emperor was met at the Golden Gate with a great ceremony.

2 Altın Kapı'nın restitüsyon çizimi, kapının 6. yüzyıldaki görüntüsünü verir.

A drawing of the Golden Gate as it appeared in the 6th century.

3 Altın Kapı'nın bugünü, reel görüntülerle verilir.

The Golden Gate at the present day together with real scenes.

video

6. yüzyılda Million'dan başlayıp Altın Kapı'ya uzanan kentin ana arteri Mese, günümüze kadar ulaştı. Bu İmparator yolu üzerindeki fiziksel yapılanma bugünkü görüntülerle karşılaştırmalı olarak verilir.

The Mese, the main thoroughfare which, in the 6th century, started out from the Milion and ended at the Golden Gate, still survives.

4 Altın Kapı'dan kent merkezine uzanan imparator yolu hem sivil hem de dinsel tören yoludur.

The imperial road leading from the Golden Gate into the centre of the city was the scene of both civil and religious ceremonies.

5 Makette Mese üzerinde ilerlenirken zaman zaman aynı doğrultuda ve aynı hızda Divanyolu'nun reel görüntülerine, ağır miks'le havadan ve kısa cut'larla yer düzeyinden çekimlere geçilir. Revaklı yol boyunca büyük coşkuyla karşılanan İmparator sarayına geçmeden kentin katedrali Ayasofya'ya gider.

Now and again, as we proceeed along the Mese on the model, a number of real scenes pass in the same direction and at the same speed, blending with pictures from the air and short cuts from ground level. Before entering the palace, the Emperor, having been enthusiastically acclaimed the whole length of the colonnaded street, makes his way into the cathedral of Ayasofya.

6 Ayasofya maketinden bugünkü Ayasofya görüntüsüne geçilir.

We pass from the model of Ayasofya to the Ayasofya of the present day.

the emperors enter the city through the golden gate

Konstantinopolis Moskova'dan Madrid'e kadar uzanan geniş bir etki çemberi oluşturmuştu. Manuel Khrysoloras hümanizm hareketinin önemli temsilcilerinden biriydi. Yunanlı Theophanes resimde Rus ressam Andrey Rublev'i derinden etkiledi. Domenikos Theotokopulos Bizans biçemini İspanya'ya taşıdı. Bizans biçeminin izleri İspanya'nın yanı sıra Balkan Yarımadası'nda İtalya'daki Venedik ve Siena okullarında da görülür.

Constantinople had a circle of influence with a radius extending from Madrid to Moscow. Manuel Khrysoloras was an influential leader of the Humanist movement; the Greek Theophanes influenced the Russan painter Andrey Rublev; and Domenikos Theotokopulos carried the elements of the Byzantine style to Spain. Byzantine influences can be seen in the works of the artists of the Venetian and Siennese schools of art.

etki çemberi
the circle of influence

imparatorluk kentinden kent imparatorluğuna

560

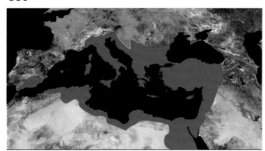

709 - 750

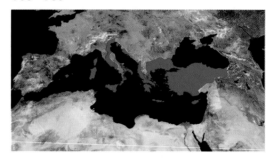

9. yüzyıl   9th century

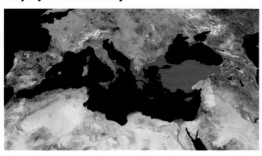

1040

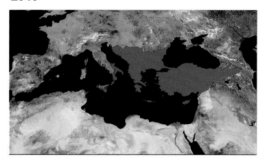

12. yüzyıl   12th century

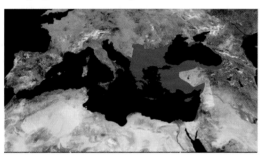

1214

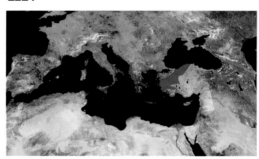

15. yüzyıl   15th century

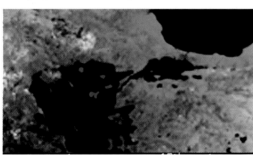

from the imperial city to the city empire

Bizans Imparatorluk sınırları	Imperial territory of Byzantium

fetihten önce   *before the conquest*

Böylesine büyük bir orduya (Türkler) karşı koymak üzere kentin
içindeki adamların sayısı, sayıları kabaca ikibin civarında olan
yabancılar dışında dörtbindokuzyüzyetmişüçtü.
George Sphrantzes

The number of men who were in the city to oppose such a great
(Turkish) army were four thousand, nine-hundred and seventy-
three, without the foreigners who numbered barely two
thousand men.
George Sphrantzes

osmanlı dönemi
istanbul'u

istanbul
in the ottoman period

1453 - 1700

Murad Han'ın oğlu Sultan Mehmed,
Allah onu aziz yardımları ile galip kılsın.
885 yılında Konstantiniyye'de darp edildi.

Sultan Mehmed, son of Murad Khan,
may his victory be glorious.
Struck (in) Constantinople in the year 885.

Ὦ Πόλις, Πόλις,
πόλεων πασῶν κεφαλή·
ὦ Πόλις, Πόλις, κέντρον τῶν τεσσάρων
τοῦ κόσμου μερῶν· ὦ Πόλις, Πόλις,
χριστιανῶν καύχημα καὶ βαρβάρων
ἀφανισμός·

Ey Şehir, Şehir, bütün şehirlerin başı!
Ey Şehir, Şehir, dünyanın dört bucağının merkezi!
Ey Şehir, Şehir, Hıristiyanların iftiharı ve barbarların kıyameti.
Ducas

O City, City, head of all cities!
O City, City, the center of the four corners of the world!
O City, City, the pride of Christians and the ruin of barbarians!
Ducas

كافرة قيامت ٨٥٧ه

857
Kâfire kıyâmet

1453
Disaster upon the infidels

kentin
yeniden imarı

rebuilding the city

Evvela vezirlerine ve emirlerine ve kullarına ilam ve ilan etti ki, bundan böyle tahtım İstanbul'dur; ... kendi istirahati ve seçkinlerle kölelerinin rahatı için, uygun ve hoş saraylar ve köşkler tertib etti ... büyük bedesten ve çarşılar ve pazar yerleri ve gelip gidenler için geniş kervansaraylar yaptırdı. ... suyu cennet benzeri sarayına ve hamamlara ve mahallelere taksim etti. Ve uygun bir yerde, bir kemerde kırk çeşme etti. Ve o yerde, Ayasofya şaheseri resminde bir ulu cami bina etti ... Ve camiin bazı taraflarına, parlak bir konum ve en güzel şekilde, sekiz medrese yaptırdı. ... Ve dahi bir tarafına halktan ve seçkinlerden hastalar için darüşşifa yaptırdı ... Ve bir yanında büyük imaret yaptırdı ...

Tursun Bey

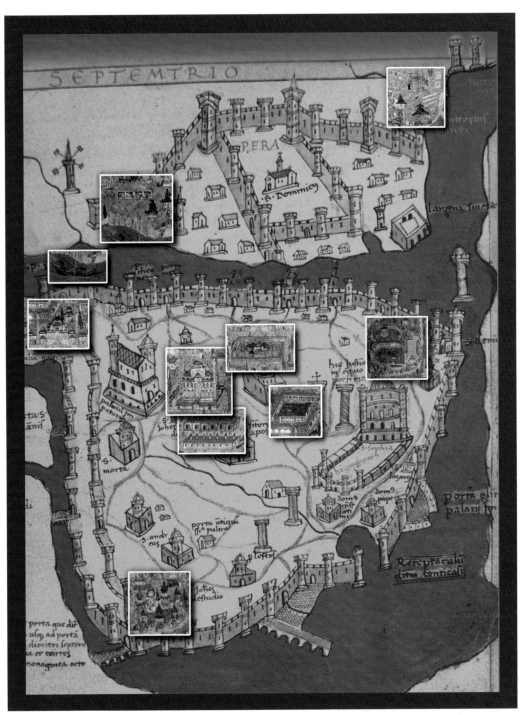

He first announced and notified his vizirs, his emirs and his servants that from then on Istanbul would be his throne; ... for his own residence and for the comfort of his closest and his slaves, he built palaces and kiosks ... he had a great bedesten and bazaars and market places established and spacious kervansarays for those who came and went. ... he divided water among his palace, the baths and the quarters. And in a suitable place, he built the forty fountains (Kırkçeşme) by an aqueduct. And in that location, he built a great mosque in the image of the masterpiece of Hagia Sophia ... And on several sides of the mosque he had eight medreses built in a most brilliant and beautiful way. ... And on one side of it he had a hospital (darüşşifa) built for patients from among the lowest and the highest alike ... And on one side he had a great imaret (soup kitchen) built ...

Tursun Bey

dengeler

Galata zimmilerin ahidnamesidir Ebu'l-feth Sultan Han İstanbul'u feth eyledikde vermişdir. Rumca yazılub üzerine tuğra çekilmişdir.

Ben ulu Padişah ve ulu Şehinşah Sultan Mehmed Han bin Sultan Murad'ım yemin ederim ki yeri göğü yaradan Perverdigâr hakkıyçün ve Hazret-i Resul'un aleyhi salavat ves selem pak münevver mutahher ruhıyçün ve yedi mushaf hakkıyçün ve yüz yirmi dört bin peygamberler hakkıyçün ve dedem ruhıyçün ve babam ruhıyçün benim başım için ve oğlanlarım başıyçün ve kuşandığım kılınç hakkıyçün şimdiki halde Galata halkı ve merdümzadeleri atebe-i ulyama dostluk için Babilan Paravizin ve Markiz de Franko ve drağmanları (tercümanları) Nikoroz Babuco ile kal'a-i mezkûrenin miftahın (anahtarını) gönderüb bana kul olmağa itaat ve inkiyad göstermişler bendahi kabul eyledim ki kendülerin ayinleri ve erkânları ne vechile cari olagelirse yine ol üslub üzere âdetlerin ve erkânların yerine getüreler. Bendahi üzerlerine varub kal'alarını yıkub harab etmeyem. Buyurdum ki kendülerin malları ve rızkları ve mülkleri ve mahzenleri ve bağları ve değirmenleri ve gemileri ve sandalları ve bilcümle metaları ve avretleri ve oğlancıkları ve kulları ve cariyeleri kendülerin (ellerinde mukarrer olub)

balance

The capitulations of the non Muslims of Galata (which) were granted by the Sultan Mehmed Han the Conqueror when he conquered Istanbul. They are written in Greek with a tuğra (imperial monogram) on top.

I the great King and the great King of Kings Mehmed Han, son of Sultan Murad, swear for the sake of the Creator of the earth and heavens, and on the glorious, pure and immaculate soul of the Prophet and on the seven mushaf and the hundred and twenty-four thousand prophets and on the souls of my grandfather and my father and on my own head and on those of my sons and for the sake of the sword I have girded that presently the people and nobles of Galata have sent the keys of their city to my most exalted threshold with Babilan Paravizin and Marchese di Franco and their dragoman (interpreter) Nikoroz Papuccio and have accepted and presented me with their total submission and I in return have accepted that they maintain their customs and principles as they have always practiced them. And I will not attack them and I will not destroy their walls. I have ordered that (they should preserve) their goods and livelihood and property and storehouses and vineyards and mills and ships and boats and all their commodi-

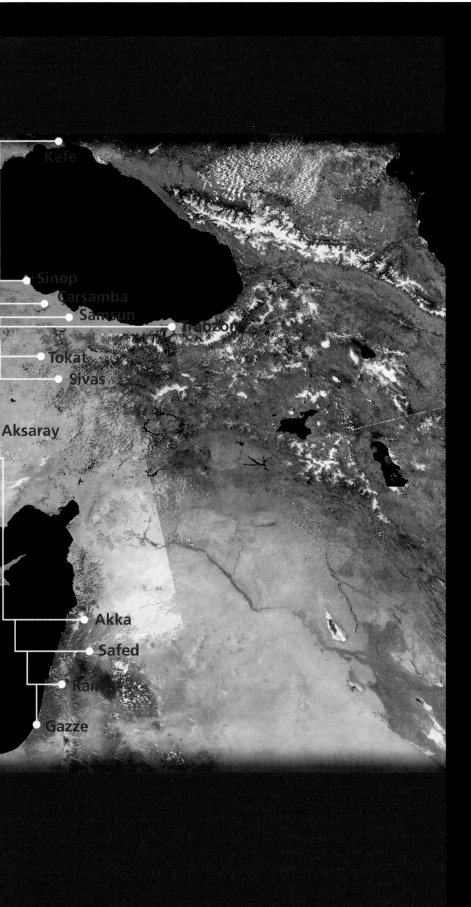

kentin
şenlendirilmesi

Doğu ve Batı vilayetlerinden beş bin aile kaydedildikten sonra, Mehmed bunlara ve bütün hane halklarına Eylül'e kadar Şehre yerleşmeleri emrini ölümle tehdit ederek verdi.
Doukas

reviving the city

After five thousand families were registered from both the eastern and western provinces, Mehmed instructed them and their entire households to take up residence in the City by September on penalty of death.
Doukas

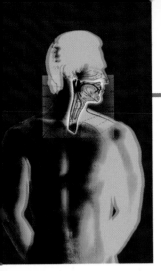

liman
port

liman, gemiler, insanlar
harbour, ships, men

On passe de Constantinople à Galata dans des bateaux qu'on appelle Permes, ou dans des Caiques. Les premiers approchent assez des Gondolles de Venise; les Caiques sont plus commodes. Le Port est couvert de ces sortes de batimens, et le trajet qui est d'environ mil pas coûte très-peu.
Jean - Baptiste Labat

İstanbul'dan Galata'ya Pereme veya Kayık adı verilen teknelerle geçiliyor. Birincileri Venedik gondollerine epey benziyor; kayıklar ise daha rahattır. Liman bu tür teknelerle kaplıdır ve bu yaklaşık bin adımlık mesafeye çok az para ödenir.
Jean - Baptiste Labat

One crosses from Constantinople to Galata in boats called Peramas, or in Caiks. The former look a lot like Venetian Gondollas; the Caiks are more comfortable. The harbour is covered with these kinds of boats and the crossing of approximately one thousand paces costs very little.
Jean - Baptiste Labat

Cet immense et tranquille bassin où tout la marine de l'Empire, et plus de mille vaisseaux étrangers, peuvent être à l'ancre dans la plus grande sécurité.
J. Griffiths

İmparatorluğun bütün donanmasının ve binin üstünde yabancı geminin demirleyebildiği bu muazzam ve sakin liman.
J. Griffiths

This broad, sheltered harbour where the entire Imperial navy and more than a thousand foreign ships can lie at anchor in full security.
J. Griffiths

Constantinopoli ha un porto bellissimo et felicissimo, porto vivo fondito, che fino apresso le mure della terra le grosse nave se ligano.
Catharin Zen

İstanbul'un limanı çok güzel, rahat ve derindir, o kadar ki büyük gemiler karadaki surlara kadar yaklaşarak bağlanabilirler.
Catharin Zen

Constantinople has a very beautiful and very prosperous harbour, a very deep one too, where big ships can belay just by the city walls.
Catharin Zen

ayna	mirrors
baharat	spices
bakır	copper
bal	honey
balmumu	wax
boya maddeleri	dyestuffs
buğday	wheat
cam	glass
çelik	steel
çini	tiles
çuka	broadcloth
demir	iron
deri	hides
et	meat
gümüş	silver
inci	pearls
inşaat	construction
malzemesi	materials
ipek	silk
kağıt	paper
kahve	coffee
kalay	tin
katran	tar
kenevir	hemp
kereste	timber
keten	flax
köle	slaves
kömür	coal
kumaş	fabrics
kurşun	lead
kürk	furs
mermer	marble
meyva	fruit
Mısır hasırı	Egyptian rush mats
odun	wood
pamuk	cotton
pamuklu	cotton fabrics
pekmez	molasses
pirinç	rice
porselen	porcelain
reçine	resin
sabun	soap
sarmısak	garlic
sebze	vegetables
serpuş	headgear
simli kumaş	precious fabrics
sof	camelot
soğan	onions
şap	alum
şarap	wine
şeker	sugar
tavuk	poultry
tiftik	mohair
tütün	tobacco
urgan	rope
yağ	oil
yelken bezi	sailcloth
yumurta	eggs
yün	wool

kenti beslemek

feeding the city

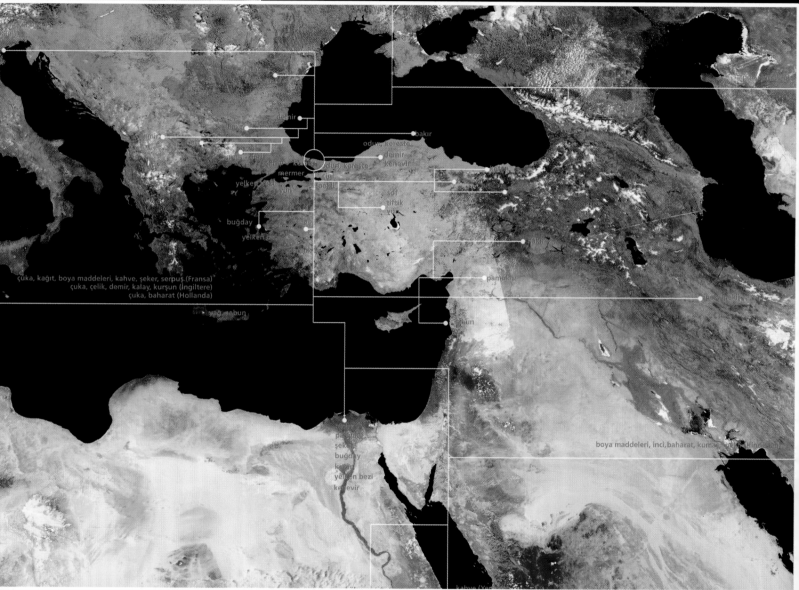

çuka, kağıt, boya maddeleri, kahve, şeker, serpuş (Fransa)
çuka, çelik, demir, kalay, kurşun (İngiltere)
çuka, baharat (Hollanda)

boya maddeleri, inci, baharat, kumaş

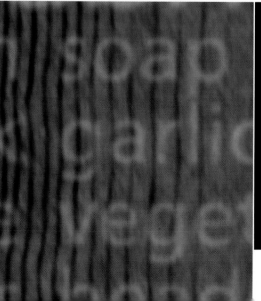

*In questa città per mar et
per terra concorre mercanti,
et merce de tutto il mundo.*
Catharin Zen

Bu şehre denizden ve karadan dünyanın dört
bucağından tüccar ve mallar akar.
Catharin Zen

From sea and land, merchants and goods from
all over the world pour into this city.
Catharin Zen

... on peut attacher à la côte les plus grands navires déchargez à Gallata, où ils ont toujours plusieurs brasses d'eau sous la Quille, & j'ay veu plusieurs Vaisseaux Marchands si proche de la côte, qu'on entroit de la terre dans leur bord avec une planche.
George Wheler

gemiler insanlar ve mallar

... Galata'da yük boşaltan gemiler bağlandıktan sonra bile hâla omurga altında birkaç kulaç su kalır. Gördüğüm birkaç tüccar gemisi sahile o kadar yanaşmıştı ki karadan içlerine bir tahta üzerinden geçilebiliyordu.
George Wheler

ships, men and goods

... the greatest ships unloaded at Galata can be moored to the shore and still have several fathoms of water under their keel, and I have seen several merchant ships so close to the shore that one could board them from the land by using a plank.
George Wheler

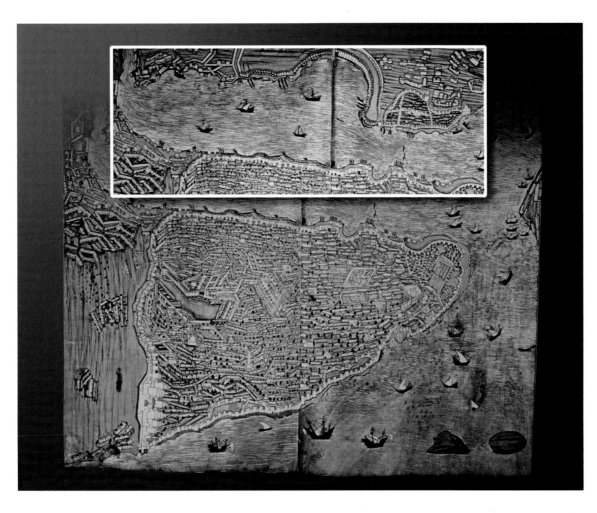

L'arsenal ... ha 113 volti, et nel mezo è coperto, molto atto a tenere galere, et cosi tutti li ditti volti coperti a la testa da mare; ha un magazzeno de monitionj, come vele, sarte, ferramenti et altre robbe; li remi li tengono sotto li volti apresso le galere.
Catharin Zen

Tersane'nin ... 113 kemeri vardır ve ortasında üstü örtülü olup kadırga tutmaya çok elverişlidir ve böylece söz konusu bütün kemerlerin üstü deniz tarafında örtülüdür; yelken, halat, hırdavat ve diğer mallar için malzeme deposu vardır; kürekler kemerlerin altında kadırgaların yanında tutulmaktadır.
Catharin Zen

The arsenal ... has 113 vaults, and in the middle is covered, very well suited to hold galleys, and thus all the said vaults (are) covered towards the sea; it has a storehouse for provisions such as sails, shrouds, ironwares and other goods; the oars are kept under the vaults by the galleys.
Catharin Zen

donanma, tersane, esirler

navy, arsenal, slaves

Padişahın kölelerinin hapsedildiği Banyo veya Hapishane [Kasımpaşa'dan] pek uzakta değildir. Geniş olması bu yeri daha hoş kılmıyor: tam tersine, burası dehşetin hakim olduğu ve zincire vurulmuş, angaryaların altında inleyen, kötü beslenen ve çok kötü muamele gören binlerce zavallının bulunduğu bir yerdir. Çektiklerini hafifletebilecek tek şey Banyo Gardiyanına verilen küçük bir ödeme karşılığında kendi hesaplarına çalışabilmeleri ve bazen de kaçabilip, onları milliyetlerine bakmaksızın kabul eden ve özgürlüklerine kavuşturan Hıristiyan gemilerine binebilmeleridir.
Jean-Baptiste Labat

The Bagno or Prison where the Slaves of the Grand Signor are confined is not far [from Kasımpaşa]. Its vast size makes it none the more pleasant: quite on the contrary, it is a place of horror, where one sees a multitude of unfortunate men in chains, overburdened with work, badly fed and cruelly ill-treated: the only consolation they have in their misery is that for a small payment to the warden of the Bagno they can work on their own and sometimes find a way to escape by boarding Christian ships which receive them without any distinction of nationality and set them free.
Jean-Baptiste Labat

Le Baigne ou la Prison où l'on renferme les Esclaves du Grand Seigneur n'est pas éloigné [de Cassem-Pacha]. Il est vaste, et n'en est pas plus agréable: au contraire, c'est un lieu d'horreur, où l'on voit une multitude de malheureux dans les fers, surchargés de travaux, mal nourris et extrêmement maltraites: ce qu'ils ont de bon pour soulager leur misere, c'est que moyennant une petite rétribution qu'ils payent au Gardien du Baigne, ils vont travailler pour leur compte, et trouvent quelque-fois le moyen de s'echapper, et de se sauver dans les Vaisseaux Chrétiens, qui les recoivent sans distinction de Nation, et les mettent ainsi en liberté.

Jean-Baptiste Labat

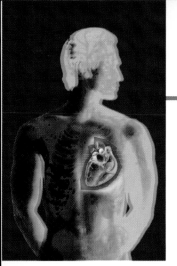

ticaret
trade

hanlar,
pazarlar, çarşılar

*hans,
markets, bazaars*

İstanbul Doğu (Levant) ticaretinin, özellikle ithalat açısından, en önemli merkezlerinden biridir; Avrupa malları tüketimi çok fazladır; bu ticarette emin ve devamlı artan bir pazar bulan şehrin büyük tüccarı, diğer önemli şehirlerdeki gibi hemen hemen iç ticaretle yetinirler; ihracat ise önemsizdir.
Desolneux

Constantinople is one of the most important centers of the Levant trade, especially for imports; its consumption of all sorts of European goods is enormous; therefore traders of this city finding there a safe and ever growing market, limit themselves, as in all important cities, solely to domestic trade; and exports are not very important.
Desolneux

Constantinople est une des places les plus importantes du commerce du Levant, particulièrement pour l'importation; sa consommation en toutes sortes de marchandises d'Europe est immense; aussi les négocians de cette ville y trouvant un débit assuré, et toujours renaissant, se bornent, comme dans toutes les villes considérables, presqu'au seul commerce intérieur; et l'exportation y est peu importante.
Desolneux

İstanbul'da ve bütün Osmanlı topraklarında konaklama yerleri olarak Kervansaray veya Han ismini verdikleri umumi binalar vardır. Bunlar şehrin bazı yerlerinde Pazarlar veya birçok malın satıldığı alanlar için inşa edilmişlerdir. Her türden ve nitelikten, her seviye ve milletten ve dinden insanlar burada ağırlanır; fakirlere kalmak için bir oda verilir, zenginlere de fazlası değil; öyle ki sokakta kalmamak için veya bazı hanlarda Odabaşının vermekle yükümlü olduğu hasırda yatmak istenmiyorsa, yatak ve iaşesini yanında getirmek gerekir.
George Wheler

There are in Constantinople and in all of Turkey some public buildings providing public accommodation which they call Caravanserais or Hans, built in several parts of the city as markets or public places where a variety of commodities are sold. All sorts of people from all walks of life and from all countries are received there; the poor man being given a room in which to lodge and the rich man having little more, so that one has to bring one's own bed and provisions if one doesn't want to sleep in the streets, or at the most on a straw-mat which in some hans the Porter is obliged to provide.
George Wheler

Ilya à Constantinople & dans toute la Turquie des batimens publics au lieu d'hôtelleries, qu'ils appellent Karavan Serais, ou Kans, érigez en divers lieux de la Ville pour les Marchés, & places publiques où l'on vend diverses commoditez. On y reçoit toutes sortes de gens, de toutes qualitez, & conditions, de tous pays, & de toutes Religions; les pauvres y ont une chambre pour loger, & les riches pas plus, en sorte qu'il faut porter son lit & sa provision, si on ne veut coucher sur le pavé, ou tout au plus sur une nate, que le Concierge est obligé de fournir dans quelques Kans.
George Wheler

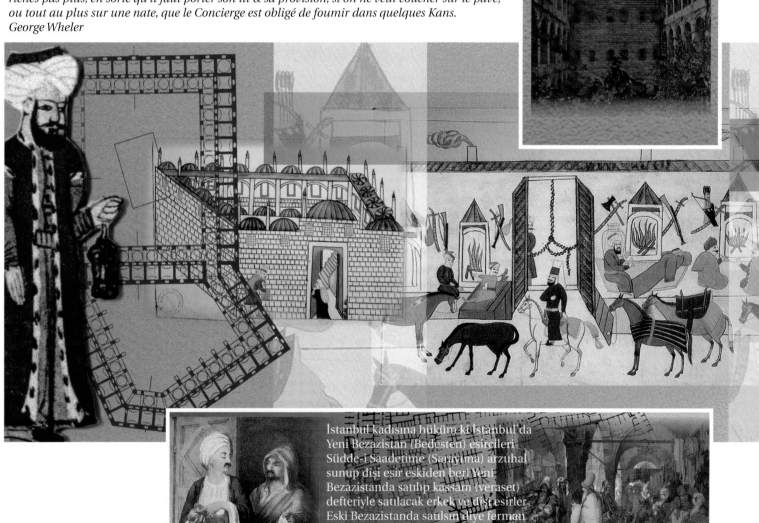

İstanbul kadısına hüküm ki İstanbul'da Yeni Bezazistan (Bedesten) esircileri Südde-i Saadetime (Sarayıma) arzuhal sunup dişi esir eskiden beri Yeni Bezazistanda satılıp kassam (veraset) defteriyle satılacak erkek ve dişi esirler Eski Bezazistanda satılsın diye ferman olunmuş iken...

The Bezazistan (Covered Bazaar) slave-traders having presented a request at my Threshold of Felicity and while from times of yore female slaves have been sold in the New Bezazistan and while it was decreed that male and female slaves sold according to the Kassam (inheritance) register should be sold in the old Bezazistan...

La Bourse, qu'ils appellent Bazar, ou Bezestan, est aussi un beau bâtiment, couvert de Domes, couverts de plomb, soutenus par plusieurs arcades & pilastres au dedans, elle est située du côté Occidental de la Ville. Le principal traffic qui s'y fait consiste en robes fourées, en vestes, en belles selles de Cheval, brides, Cimeterres & autres armes.
George Wheler

Pazar veya Bedesten dedikleri Borsa da kurşun kaplı ve içeride kemer ve sütunlar üzerine oturan kubbelerle örtülü, şehrin Batı tarafında bulunan güzel bir binadır. Buradaki ticaret esas olarak kürklü entariler, mintanlar, güzel at eyerleri, dizginler, palalar ve diğer silahlar üzerinedir.
George Wheler

The Market, which they call Bazar (Pazar) or Bezestan (Bedesten), is also a beautiful building, roofed with domes covered in lead, supported by several colonnades and pillars within, located in the western part of the City. The main trading done there is in furred robes, jackets, beautiful horse saddles, bridles, scimitars and other arms.
George Wheler

On y porte une prodigieuse quantité de draps de tous les pays et de toute qualité; mais plus particulièrement des draps du midi de la France, des pays réunis de Hollande, et d'Angleterre.
Desolneux

Her memleketten ve her cinsten muazzam miktarlarda çuha buraya getirilir; fakat bu çuha, özellikle Fransa'nın güneyinden, Hollanda Birleşmiş Eyaletleri'nden ve İngiltere'den geliyor.
Desolneux

Enormous quantities of cloth of all qualities and provenance are brought here; but come more specifically from southern France, from the United Provinces of Holland and from England.
Desolneux

MANUFACTURE ROYALE DE LA TRIVALE,
LONDRINS PREMIERS.

... genellikle ticaretimizi Türklerle yapmayız, satın alan veya satanlar onlar değildir; daha çok Yahudiler, Ermeniler ve Rumlardır ...
Fransız Doğu ticareti üzerine bir layiha

... we do not ordinarily conduct trade with Turks, who are neither buyers or sellers, but rather the Jews, the Armenians and the Greeks ...
Report on French trade in the Levant

... ce n'est pas ordinairement vis-à-vis du Turc que nous commerçons, ce n'est pas luy qui achète, ce n'est pas luy qui vend, c'est le Juif, c'est l'Arménien, c'est le Grec ...
Mémoire sur le commerce françois du Levant

tacirler ve mallar
traders and goods

Her gün şehrin bir yerinde pazar kurulur; ama Cuma günleri üç yerde kurulur, bunların en önemlisi her gün ve özellikle Çarşamba, Perşembe ve Cuma günleri kurulup Schibazar (Eski Pazar) yani eski eşya pazarı denilenidir. Her zaman büyük miktarda para karşılığında satılan muhtelif mallar bulunur ve etrafta iki binin üstünde eski eşya dükkanı vardır.
Domenico Hierosolimitano

Everyday a market is held in some part of the city and on Friday in three places, the most important being the market held everyday, and particularly on Wednesdays, Thursdays and Fridays called Schibazar (Eski Pazar), or market for old goods, and one can find a great many goods being sold every day for great sums of money, and there are more than two thousand such shops in the vicinity.
Domenico Hierosolimitano

Ogni giorno si fà mercato in qualche parte della città, ma il Venerdi si fà in tre lochi, e il principale è quello-che si fà ogni giorno, et in particolare mercore, giobbia et venere detto Schibazar, che vuol dir mercato di cose usate, et giornalmente s'incontrano robbe diverse di grosse somme de denari, et vi sono sopra a 2 m. botteghe attorno tutte di robbe vecchie.
Domenico Hierosolimitano

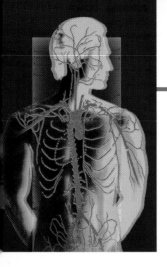

para
money

İmparatorluğun başkentinde hepsi haraçgüzar (gayrı Müslim) olan üç tür banker veya sarraf mevcuttur:
1) poliçeler vasıtasıyla Avrupa ile para ticareti yapanlar ... ;
2) sikke değişimi için tezgâhı olanlar ve
3) kapitalistler yani kredi verenler.
Mouradgea d'Ohsson

There are in the capital of the Empire three kinds of bankers, or money-changers, all of them tribute-paying subjects (non-Muslims):
1) those who conduct a trade in money with Europe through bills of exchange ... ;
2) those who have a shop for money-changing and
3) the capitalists, or givers of credit.
Mouradgea d'Ohsson

Il y a dans la capitale de l'Empire trois sortes de banquiers, sarraf, tous sujets tributaires:
1) ceux qui font commerce d'argent avec l'Europe, au moyen des lettres-de-change; ...
2) ceux qui tiennent des comptoirs pour le change des monnaies; et
3) les capitalistes, bailleurs de fonds.
Mouradgea d'Ohsson

Perşembe 11 Şubat 1672
Akçelerin kurunun tekrar eski haline getirildiğini ve bu arada Galata'daki bir ekmekçi fırınına ekmek almaya giden bir yeniçerinin, ekmekçi akçelerini gereken ayarda olmadıklarını söyleyerek redd etmesi üzerine, Padişahın yaşaması için ona verdiği parayı neden kabul etmediğini sorup onu iki hançer darbesiyle öldürdüğünü duydum.
Antoine Galland

Thursday, February 11, 1672
I was told that the rate of the asper had been restored to its previous rate (and how), upon this occasion, a Janissary who, having gone to a baker in Galata for bread and finding his aspers refused on the ground that they were not of the required standard, after demanding to know why the baker refused to accept coins that the Grand Signor had given him for his livelihood, slew him with two strokes of his dagger.
Antoine Galland

Jeudi 11 février 1672
J'ay sceu qu'on avoit remis les cours des aspres de mesme qu'il estoit auparavant, à ceste occasion qu'un Janissaire estant allé chez un boulanger dans Galata pour achepter du pain, et le boulanger refusant ses aspres parce qu'il disoit n'estre pas de la qualité requise, le Janissaire le tua de deux coups de cangiar, après luy avoir demandé pourquoy il faisoit difficulté de recevoir l'argent que le Grand Seigneur luy donnoit pour vivre.
Antoine Galland

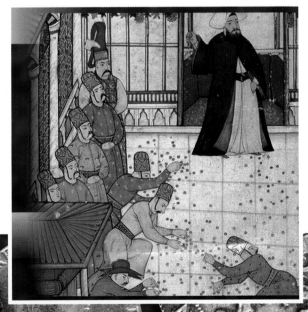

iktidar

state power

saray *the palace*

üçüncü avlu: iktidarın mahremiyeti

the third courtyard: the privacy of power

Sarayı, ikinci avluya
girebilen yabancıların
görebildikleri kadar
görebildim ... içini ise
(üçüncü avluyu)
görmedim; fakat
hükümdarlarından
korkularını
gösterircesine inanılmaz
bir sessizlik ve saygı içinde
sonsuz bir
görevliler ve yardımcılar
kalabalığı ile karşılaştım.

The Seraglio I saw as farre
as Strangers use, having
accesse into the second
Court ... the inside (the third court) I saw not, but an infinite
swarme of officers and attendants I found, with a
silence, and reverence, so wonderful, as shew'd in what
awe they stand of their soverayne.
Henry Blunt

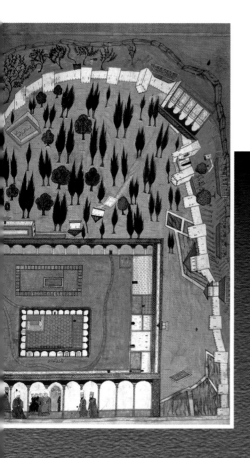

Rûhşâhım Hamîdin sana kurbân ola Cenâb-ı Hallâk-ı âlem cemi-i mahlûkatın hâlikidir bir kusûr ile azab eylemez. Efendim sana bend olmuş bir kulunum, ister beni darb eyle, ister öldür. Sana teslîmim. Bu gece gel, niyâzımdır. Billahi sebeb-i illetim ve belki mevtim olursun. Ayağın altına yüzüm gözüm sürerek rica ederim. Kendimi zabt edemiyorum billahi'l azîm.
I. Abdülhamid

My Rûhşâh, your Hamid is yours to dispose of. The Lord Creator of the Universe is the Creator of all beings and would never torment a man for a single fault. I am your bound slave, beat me or kill me if you wish. I surrender myself utterly to you. Please come tonight I beg of you. I swear you will be the cause of my illness, perhaps even of my death. I beg you, wiping the soles of your feet with my face and eyes. I swear to God Almighty, I can no longer control myself.
Abdülhamid I.

video

Kurgu, Osmanlı siyasi dünyasının İmparatorluk düzeyinde bir satranç oyununa benzetilmesinden yola çıkarak, iktidar oyuncularını dönemin minyatürlerinin animasyonuna ve çözülüp birleştirilmesine dayanarak anlatıyor. Saraydan sefere çıkan ordu, seferde elde edilen ganimetin İstanbul'a getirilmesi, bu ganimetin bir kısmının saray içinde dağıtılması, gittikçe daralan ordu-divan-padişah eksenini takip ederek devlet hiyerarşisinin tanıtılması ve nihayet payitahtı içinde alay düzenleyerek Osmanlı ideolojisinin adalet/dağıtım söyleminin simgeselliğinin gösterilmesi ile iktidar ilişkileri dile getiriliyor.

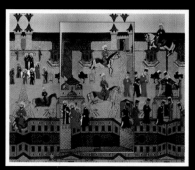

The video begins by a comparison of the Ottoman political world to a game of chess played on an imperial plane, using miniatures of the period to present the players in the power game. Power relations are demonstrated by showing the army that had set out from the palace returning to Istanbul with the booty they had acquired on campaign, the distribution of part of this booty within the palace, the state hierachy based on an ever-narrowing axis of army-imperial council-Sultan, and finally the procession arranged in the capital symbolising the justice/distribution discourse of Ottoman ideology.

satranç

chess

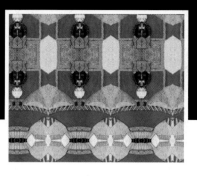

Tout le monde peut entrer dans la
premiere cour du Serrail,
les domestiques
& les esclaves des Pachas
& des Agas qui ont affaire à la Cour,
y restent pour attendre leurs maîtres ...
Pitton de Tournefort

Sarayın birinci avlusuna herkes girebilir
ve Sarayda işi olan bütün Paşa ve
Ağaların hizmetçi ve köleleri burada
efendilerini beklerler.
Pitton de Tournefort

Anyone can enter the first courtyard of
the Palace, and it is here that the
servants and slaves of Pashas and
Aghas who have business at court wait
for their masters.
Pitton de Tournefort

Tous les Bachas à qui le Grand Seigneur donne des Gouvernemens, & generalement tous ceux qui sortent du Serrail pour avoir des charges, sont tenus avant que d'en prendre possession de lui faire des presens, chacun selon la qualité du bien-fait qu'il reçoit du Prince.
Jean-Baptiste Tavernier

Padişahın valilik tevdi ettiği bütün Paşalar ve genel olarak bir vazifeyi devralmak için Saraydan çıkanlar, bu vazifeyi teslim almadan önce, almış oldukları ihsanla orantılı olarak Efendilerine hediyeler vermek mecburiyetindedirler.
Jean-Baptiste Tavernier

All the Pashas upon whom the Grand Signor bestows governorships and in general all who leave the Seraglio to take up a post are obliged, before undertaking their duties, to present their Lord with gifts proportional to the benefits they have received.
Jean-Baptiste Tavernier

Nous trouuasmes (dans la première cour du Serrail) quelques compagnies de Spahis à Cheual, rangez en haye d'un costé & de l'autre. Quoy qu'lis n'y fussent pas tous, quelqu'vn me dit qu'ils estoient bien cinq cens ... Sous les portiques à main droite en entrant estoient rangez par files en bon ordre, & auec grande modestie et silence, quatre mille Janissaires ...
Pietro della Valle

(Sarayın birinci avlusunda) iki yanda dizilmiş birkaç atlı Sipahi taburuna rastladık. Hepsi orada olmadığı halde, biri bana en azından beşyüz kadar olduklarını söyledi. Girince sağdaki eyvanların altında, saygılı ve sessiz bir şekilde dört bin yeniçeri düzenli bir şekilde sıralanmışlardı.
Pietro della Valle

We found (in the first courtyard of the Palace) some companies of Sipahis on horseback, lined up on both sides. Although they were not all present, I was told that there were at least some five hundred of them. Under the porticos to the right of the entrance four thousand janissaries were lined up in orderly ranks in great respect and complete silence.
Pietro della Valle

törenler ve simgeler

ceremonies and symbols

De (la première) cour on entre dans vne plus grande dont la porte est gardée avec plus de soin & elle conduit au Diuan par une belle allée d'Arbres, Le tresor du Grand Seigneur est à main gauches & de ce coste mesme est Vne Fontaine, où l'on fait coupper la teste à tous les Bachas que le Grand Seigneur fait mourir publiquement ...
Du Loir

Birinci avludan, kapısı daha iyi korunan ve daha geniş bir avluya girilir. Bu avludaki güzel bir ağaçlı yol Divan Odasına götürür. Solda Padişahın Hazinesi ve aynı tarafta Padişahın alenen öldürtmek istediği Paşaların kellelerinin uçurulduğu bir çeşme bulunmaktadır.
Du Loir

A gate opens from the first courtyard into a larger and better protected courtyard. In this courtyard a beautiful avenue lined with trees leads to the Divan Odası (Council Chamber). To the left is the Treasury of the Grand Signor as well as a fountain where Pashas whom the Sultan has decided should be publicly executed are beheaded.
Du Loir

Divan, kubbeyle örtülü bir şapele benzeyen ve kiliselerimizdeki gibi bir parmaklıkla kapanmış bir odadan başka bir şey değildir. Duvarlar arabesk motiflerle bezelidir. Yanıbaşında divana giremeyen görevlilerin bekleştikleri diğer bir oda görülür.
Dominique Sestini

Le divan n'est autre chose qu'une chambre qui ressemble à une chapelle voûtée en dôme, qui est fermée par une grille pareille à celles que l'on voit dans nos Eglises. Les murs sont peints en arabesques. On voit tout à côte une autre chambre, où restent les Officiers qui n'ont point entrée ou divan.
Dominique Sestini

The divan is merely a room resembling a chapel with arch and dome and screened by means of a grill similar to those seen in our Churches. The walls are painted with arabesque motifs. Immediately beside it is another room where officials not admitted to the divan remain.
Dominique Sestini

the second courtyard: the administration of power

Mr. Watson, bize İmparatorluk'larında olan her şeyi ve komşu ülkelerle olan savaşlarını kaydettikleri yıllık defterleri olduğunu ve bu kayıtların beş altı ciltlik bir kopyasını iki yüz *écus* karşılığında elde edebileceğimizi ve Sarayda yazmaları için maaş alan vak'anüvisler veya kâtipler olduğunu söyledi.
George Wheler

Mr. Watson assured us they kept annals for all that takes place throughout their Empire and of the wars they wage against their neighbours, and that one could have a copy of these Chronicles in five or six large volumes for two hundred crowns; and that there are in the Seraglio Historians or Scribes payed to do this.
George Wheler

bilim

Mr. Watson nous assûra qu'ils gardent des Registres annuels de tout ce qui se passe dans l'étendue de leur Empire, & des guerres qu'ils ont avec les pays voisins, & qu'on pourroit avoir une Copie des ces Annales en cinq ou six gros volumes pour deux cens écus; & qu'il y a dans le Serrail des Historiens ou des Ecrivains gagez pour écrire.
George Wheler

science

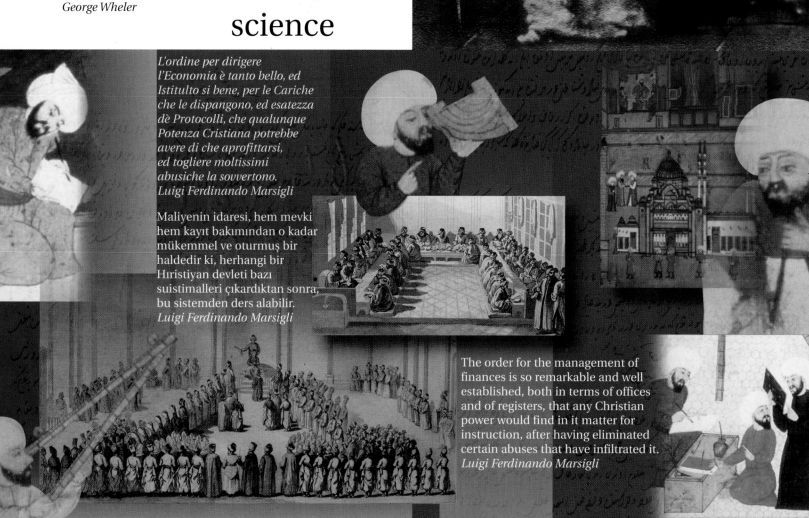

L'ordine per dirigere l'Economia è tanto bello, ed Istitulto si bene, per le Cariche che le dispangono, ed esatezza dè Protocolli, che qualunque Potenza Cristiana potrebbe avere di che aprofittarsi, ed togliere moltissimi abusiche la sovvertono.
Luigi Ferdinando Marsigli

Maliyenin idaresi, hem mevki hem kayıt bakımından o kadar mükemmel ve oturmuş bir haldedir ki, herhangi bir Hıristiyan devleti bazı suistimalleri çıkardıktan sonra, bu sistemden ders alabilir.
Luigi Ferdinando Marsigli

The order for the management of finances is so remarkable and well established, both in terms of offices and of registers, that any Christian power would find in it matter for instruction, after having eliminated certain abuses that have infiltrated it.
Luigi Ferdinando Marsigli

Sefir, bu maiyetle Arz Odası'na birkaç Harem
Ağasının eşliğindeki Kapı Ağası veya Mabeynci
tarafından götürülür; kapıya vardığında iki Vezir onu
alır ve Padişahın eteğini öpmesi gereken yere kadar
yanında yürürler.
Jean-Baptiste Tavernier

The Ambassador is escorted to the Audience
Chamber by the Kapı Ağası (Chief White Eunuch)
assisted by several black eunuchs. On reaching the
door, two vizirs receive him and walk by his side
until he arrives at the place where he has to kiss the
robe of the Grand Signor.
Jean-Baptiste Tavernier

diplomasi

*Dans cet équipage l'Ambassadeur est conduit à la
Sale Audience par le Capi Aga, Grand Maître des
ceremonies, qui est assisté de plusieurs eunuques;
& quand il est à la porte, deux Visirs le viennent
prendre, & marchent à côtes jusqu'au lieu où il doit
s'incliner pour baiser la robe du Grand Seigneur.
Jean-Baptiste Tavernier*

diplomacy

imar

urban development

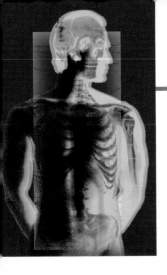

ticaret

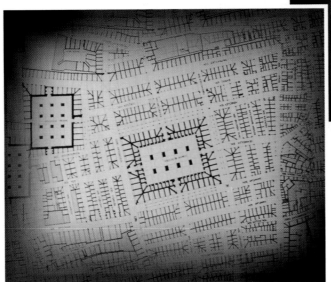

trade

Les grandes mosquées, les mosquées impériales, ne sont pas seulement des édifices consacrés à la piere; la munificence et la piété des fondateurs en ont agrandi en quelque sorte la destination par les établissemens qui s'y trouvent réunis. Chacune des principales mosquées a son médrèse ou collége, et sa bibliothèque, car le Coran a dit que la guerre faite à l'ignorance est la grande guerre sainte. La plupart ont aussi un hospice dans lequel on reçoit les malades, un imaret qui nourrit la classe misérable du peuple: le temple de la Divinité, dans l'opinion des musulmans, doit être l'asile de tous ceux qui souffrent, et la maison des pauvres doit faire partie de la maison de Dieu. Ajoutez à cela que les sultans qui ont fondé des mosquées ont voulu que leur tombeau et celui de leur famille fussent placés auprès de ces monumens. Vous jugez par là quel espace les mosquées doivent occuper dans la capitale, combien d'édifices en font partie, quels souvenirs s'y rattachent, quels intérêts sacrés leur sont confiés.
M. Michaud et M. Poujoulat

Büyük camiler, Selâtin camileri, sadece duaya ayrılmış binalar değildir; banilerinin cömertlik ve dindarlığı, barındırdıkları kurumlarla kullanım amaçlarını bir anlamda genişletmiştir. Belli başlı camilerin her birinin medresesi ve kütüphanesi vardır, çünkü Kur'an cehalete açılan savaşın büyük cihad olduğunu söylemiştir. Çoğunun ayrıca hastaların kabul edildiği bir hastanesi, halkın sefil takımını besleyen bir imareti vardır: Tanrının mabedi, Müslümanlara göre bütün mazlumların sığınağı olmalı ve fakirlerin evi Allah'ın evinin bir parçası olmalıdır. Buna cami inşa ettiren Padişahların kendilerinin ve ailelerinin türbelerinin bu camilerin yakınına kurulmalarını istediklerini ekleyin. Böylece bu camilerin başkentte işgal ettikleri yeri, içerdikleri binaların adedini, çağrıştırdıkları hatıraları ve üstlendikleri kutsal görevleri anlayabilirsiniz.
M. Michaud ve M. Poujoulat

The great mosques, the Imperial mosques, are not only buildings dedicated to worship; the generosity and piety of the founders have in a certain sense enlarged the purpose of the institutions they include. Each of the principal mosques has its own medresseh or college and library, for the Koran has said that war waged against ignorance is the greatest holy war. Most of them also have a hospital which welcomes the sick, an imaret which feeds the poverty stricken: the temple of God, according to Muslims must also be the asylum for all who suffer and the home of the poor should be part of the house of God. To this you should add that the Sultans who founded these mosques wished that their own tombs and those of their relatives should be located near these monuments. You can thus appreciate the amount of space that these mosques occupy in the capital, the number of buildings they include, the memories they bear and what sacred duties they are entrusted with.
M. Michaud and M. Poujoulat

din
religion

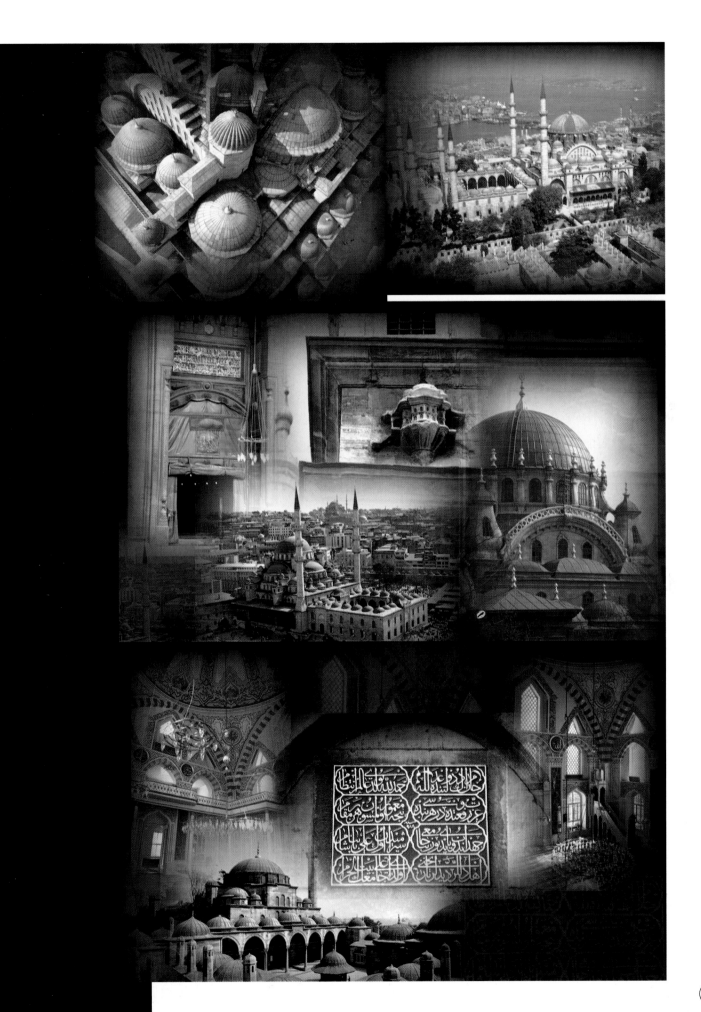

eğitim
education

Ci sono più di ottanta spedali ma li piu grandi sono nove attacati alle Moschee regali. Vi sono 120 Collegii che vi stanno molti scolari chiamati Softha che vuol dire sapienti studenti, alli quali gl'è dato in esso Colleggio a ciascun scolaro una camera con 2 store et un tappeto con dui vestiti l'anno, et quatro pani al giorno et una minestra et una candila d'alume.
Domenico Hierosolimitano

sağlık ve sosyal hizmetler

Hastaneler seksenden fazladır fakat en büyükleri Selâtin camilerine bağlı olan dokuzudur. 120 Medrese vardır ve içlerinde Softa yani bilgili öğrenci adı verilen birçok talebe bulunur ki her birine bu Medreselerde iki hasır ve bir halılı birer oda, ve senede iki elbise ve günde dört ekmek ve bir çorba ve bir şap mumu verilmektedir.
Domenico Hierosolimitano

There are more than eighty hospitals but the largest are the nine attached to the royal Mosques. There are 120 Colleges with many scholars called Softa, meaning wise student, each of whom is given one room in the College with two mats and a carpet, as well as two garments a year and four loaves of bread per day and one bowl of soup and one candle of alum.
Domenico Hierosolimitano

health and welfare services

su

Car l'eau est menée de ceste façon par une infinité de valléls et montagnes, et est cet aqueduct de telle commodité à Constantinople que quasi à touts les carrefours y a une fontaine où chacun peut boire dans des vaisseaux des fer blanc qui y sont attachés avec des chaisnes de fer.
"Le voyage de Pierre Lescalopier, Parisien"

Zira su bu şekilde sayısız vadi ve dağlardan getirilmekte ve bu su kemeri İstanbul için öylesine bir rahatlıktır ki hemen hemen her yol ağzında herkesin demir zincirle bağlı teneke kaplardan su içebildiği bir çeşme mevcuttur.
"Le voyage de Pierre Lescalopier, Parisien"

For the water is brought by this means through a multitude of valleys and mountains, and this aqueduct is of such convenience in Constatinople that at almost all intersectons there is a fountain where one can drink from tin vessels attached to it with iron chains.
"Le voyage de Pierre Lescalopier, Parisien"

water

Bu sular Şehre getirildikten sonra birkaç büyük sarnıçta tutulup oradan da toprak künklerle bazı mahallelerdeki özel evlere ve Şehrin kamu binalarına dağıtılmaktadır ...
George Wheler

This water being brought to the City is then collected in several large cisterns, and from there distributed through earthen pipes into private homes in various districts and into the public buildings of the City ...
George Wheler

Ces eaux étant portées dans la Ville sont ensuite rassemblées dans plusieurs grandes citernes, & de la dispersées par des canaux de terre en divers quaitiers dans les maison particulieres dans les édifices publics de la Ville ...
George Wheler

Les riches ont souvent bains à leur maison, autrement les bains communs & publiques sont les plus beaus, grans, & braves edifices, apres les esglises ou musquette, qui soient en Turquie, gr, s corps de logis tout a une voute haute toute ronde, sans pilliers, couvers de plomb. chrestiens, luifs, tout le morde y est receu & traitté esgallement.
Guillaume Postel

Zenginlerin evlerinde çoğu zaman hamam mevcuttur, bunun dışında genel ve kamuya ait hamamlar Türkiye'de kilise veya camilerden sonra en güzel, büyük ve sağlam binalardır. Kurşunla kaplı, sütunsuz yüksek ve yuvarlak tek bir kubbe altında büyük odalardan (oluşurlar). Hıristiyan olsun, Musevi olsun, herkes buraya kabul edilir ve eşit muamele görür.
Guillaume Postel

The rich often have baths at home, otherwise common and public baths are the most beautiful, as well as the largest and most solid buildings in Turkey after the churches or mosques, with grand suites of rooms under a single and elevated pillarless circular vault, its dome covered in lead. Christians, Jews, everyone is admitted and treated equally.
Guillaume Postel

su dağıtım sistemi
water supply system

çeşme ve hamam / fountains & baths

su terazisi ve maksem
water towers & distribution basins

Kırkçeşme su yolları Kırkçeşme water network	**(Byz.)+ 1453 -1463**	■ ●
Halkalı su yolları Halkalı water network	**(Byz.)+ 1453 -1755**	■ ●
Taksim suyu Taksim water network	**1731 -1839**	■ ●

1450 -1550

sağlık ve sosyal hizmet
health & welfare

din / religion

ticaret / trade

su / water

eğitim ve kültür
education & culture

imar
urban development

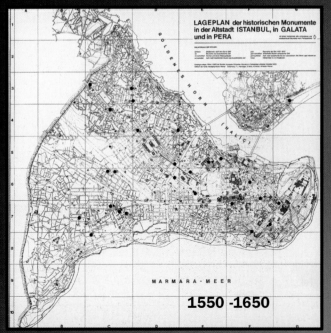

1550 -1650

1650 +

İstanbul'un bayındırılmasını betimlemeye yönelik kurguda, devletin ve elitin hizmet ve asgarî ihtiyaçları karşılama yükümlülüğünün fizikî mekâna yansıması olan altyapı çalışma ve katkıları işlevsel ayırımları takip ederek görselleştiriliyor. Bu anlamda, su dağıtımı, iaşe, din hizmetleri, eğitim, sağlık gibi başlıca hizmetler, kemer, çeşme, hamam, çarşı, han, cami, külliye, kütüphane, medres, darüşşifa, imaret türünden yapıların bugünkü görüntüleriyle canlandırılıyor.

This video, which is used to reinforce the presentation on the urban development panel, shows the responsibility of the state and the élite in meeting minimum needs and requirements by following the functional division of infrastructure work and contributions reflected in the physical sphere. This is all brought to life by scenes showing present-day pictures of buildings such as aqueducts, fountains, baths, markets, hans, mosques, complexes, libraries, medressehs, hospitals and hospices that met the public need for water distribution, food supply, religious, educational and health services.

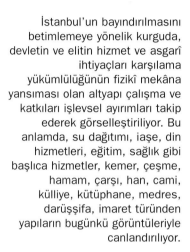

imar

*urban
development*

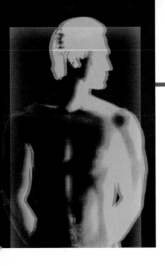

yaşam
life

sokaklar ve evler
streets and houses

İstanbul'un güzelliği ve limanının ihtişamından şaşkın kaldıktan sonra, şehrin içine dalan gözlemcinin ruhunu farklı hisler kaplamaya başlar. Uzaktan o kadar güzel görünen yamaçlarının engebelerinden yorgun düşerek, daracık, kaldırımsız, toz veya çamurla kaplı sokaklarla karşılaşır; her yerde kapalı kapılar ve halkın ve çalışma gürültüsünün bile bozmadığı şaşırtıcı bir sessizlik.
F.C.H.L. Poucqueville

After being struck by the beauty of Constantinople and the magnificence of its harbour, different feelings surface in the soul of the observer the moment he steps into the inner parts of the city. Exhausted by the unevenness of the soil of its amphitheatres so beautiful from a distance, he will find only narrow and unpaved streets, covered with dust or with mud; closed doors everywhere and a striking silence, never interrupted by the shouts of the people and the noise of their activities.
F.C.H.L. Poucqueville

Etonné de la beauté de Constantinople et de a magnificence de son port, d'autres sentimens s'élèvent dans l'âme de l'observateur, dès qu'il pénètre dans son intérieur. Fatigué de l'inégalité du terrain de ses amphithéâtres si beaux en perspective, il ne trouve que des rues étroites, sans pavé, remplies des poussière ou de boue; par-tout des portes fermées et un silence étonnant, que les cris du peuple ou de l'industrie ne viennent point interrompre.
F.C.H.L. Poucqueville

Bu başkentte yangınların ne kadar sık olduğu
bilinir; hiçbir sene yoktur ki şehrin bir kısmı
alevlerin altında kalmasın.
M. Michaud et M. Poujoulat

Everybody knows how frequent fires are in this
capital; there is no single year during which some
part of the city is not devoured by the flames.
M. Michaud et M. Poujoulat

*On sait combien les incendies sont fréquens dans
cette capitale; il ne se passe pas d'année où quelque
partie de la ville ne soit dévorée par les flammes.*
M. Michaud et M. Poujoulat

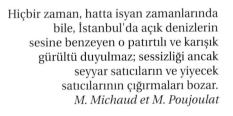

Hiçbir zaman, hatta isyan zamanlarında
bile, İstanbul'da açık denizlerin
sesine benzeyen o patırtılı ve karışık
gürültü duyulmaz; sessizliği ancak
seyyar satıcıların ve yiyecek
satıcılarının çığırmaları bozar.
M. Michaud et M. Poujoulat

Never, even during days of rebellion,
does one hear from Istanbul those
tumultuous and confused noises
resembling the sound of the open sea, the
silence being broken only by the shouts
of the hucksters and food vendors.
M. Michaud et M. Poujoulat

*Jamais, même aux jours de la sédition il ne sort de Stamboul ces bruits tumultueux et
confus qui ressemblent à la voix des grandes mers, le silence n'y est interrompu que par
les cris des revendeurs et des marchands de comestibles.*
M. Michaud et M. Poujoulat

hayatın iç mekanları
domestic interiors

Türklerin yatakları bizim Chartreux'lerinkilere benzer ve sandıklara kaldırılır. Polonya'da hâlâ yapıldığı gibi üstlerine çarşafları diktikleri şilteler kullanırlar ve bizimkilere benzer pamuklu battaniyelerle örtünürler.
Dominique Sestini

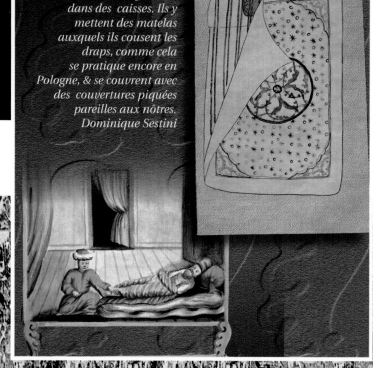

Les lits des Turcs ressemblent à ceux de nos Chartreux, & se ferment dans des caisses. Ils y mettent des matelas auxquels ils cousent les draps, comme cela se pratique encore en Pologne, & se couvrent avec des couvertures piquées pareilles aux nôtres.
Dominique Sestini

The beds of the Turks resemble those of our Chartreux and are put away in chests. They use quilts to which sheets are sewn, as is still the custom in Poland, and cover themselves with cotton blankets identical to ours.
Dominique Sestini

Yatak, masa, büfe, iskemle, tabure gibi mobilya kullanmazlar fakat odacıklarının yeri halı kaplı olup uyumak için üzerine şilte ve battaniyelerini yayarlar ve duvara doğru toplarlar ve oturmak ve genelde bağdaş kurup sakladıkları ayaklarını rahatlatmak için alçak tabure veya puflar kullanırlar.
Pierre Lescalopier

Ilz n'usent d'aucuns meubles comme lict, table, buffet, chaise, forme, escabelle, mais leurs chambrettes sont tapissées par bas où ils estendent leurs matelats et couvertures pour dormir et les retroussent contre le mur et quelque tabouret ou peloton basset pour se soir et soulager leurs pieds qu'ilz tiennent néantmoins croizés et cachés.
Pierre Lescalopier

They do not use any furniture such as beds, tables, dressers, chairs or stools, but their small rooms have carpeting on the floor upon which they spread quilts and blankets on which they sleep or roll up against the wall when not in use, and some low stools or pouffes on which they sit cross-legged in order to rest their feet.
Pierre Lescalopier

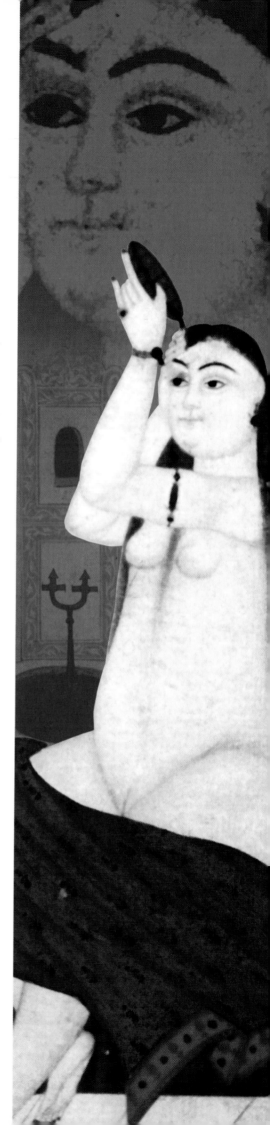

su *water*

Dünyadaki bütün milletler arasında, Osmanlı olsun, İranlı olsun, Müslümanlar kadar temizliğe önem veren yoktur. ... Dolayısıyla, vücutlarını tamamen yıkayabilecekleri birçok bina inşa etmeye mecbur kalmışlardır. ...
Grelot

Of all nations of the world none accord such importance to cleanliness as the Muslims, whether they be Ottomans or Persians (...) Hence they have been forced to construct a great number of buildings in which they can wash their bodies completely.
Grelot

De toutes les nations du monde, il n'y en a point qui affecte si fort la netteté que le fait la Mahometane, tant parmy les Ottomans que chez les Persans. ... Cela fait qu'ils ont été obligez de bâtir quantité de lieux destinez pour des bains dans lesquels ils puissent se laver entierement le corps. ...
Grelot

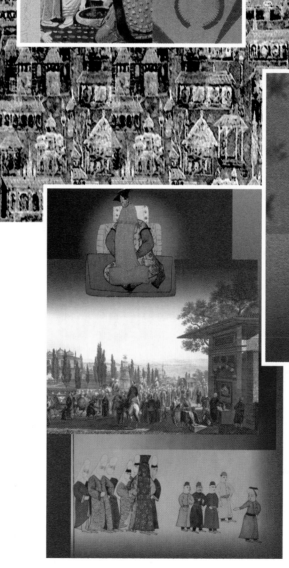

hayatın evreleri
stages of life

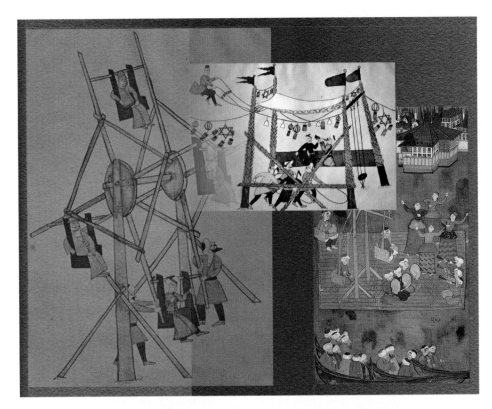

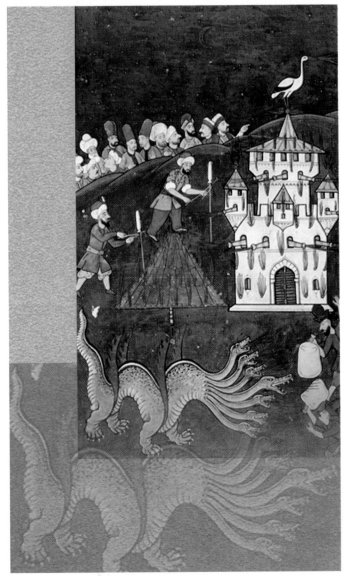

hayatın eğlenceleri
pleasures of life

... burada mezarlıkların süsü için çok çaba harcanıyor; ölüler için ağaçlar dikiliyor ve yaşayanlar bunlardan yararlanıyor.
M. Michaud et M. Poujoulat

... a lot is done here for the decoration of cemeteries; trees are planted for the dead and the living benefit from them.
M. Michaud et M. Poujoulat

... on fait beaucoup ici pour l'ornement des cimetières; on a planté des arbres pour les morts, et les vivants en profitent.
M. Michaud et M. Poujoulat

Dükkânında bulunduğumuzda biraz önce *Afyon* adını verdikleri haşhaş hapı almış olan birkaç Türk gördük. Bunu herhangi bir hazırlığa tabi tutmadan alıyorlar. Bu, haşhaş çiçeğinin güneşte kurutulmuş saf suyundan ibarettir ...   *George Wheler*

While we were at his shop, we saw some Turks who had just taken pills of opium which they call *Afion*. They consume it without any preparation; it consists of the raw juice of the poppy dried under the sun ...   *George Wheler*

Şarap, yasak olduğu için biraz pahalıdır. Şehirde satılması yasak olmakla beraber, Galata'da bütün Türkiye'de olduğu gibi tartılarak satıldığı bazı Hıristiyan meyhaneleri mevcuttur.   *George Wheler*

Wine is a bit expensive because it is forbidden. But although it is illegal to sell it in the City, there are several Christian taverns in Galata where it is sold by weight as in all of Turkey.   *George Wheler*

İstanbul kahvehaneleri işsiz takımının buluşma yeridir;

The coffeehouses of Constantinople are the meeting places of the idle;

Les cafés de Constantinople sont le rendez-vous de la classe oisive;
J. Griffiths

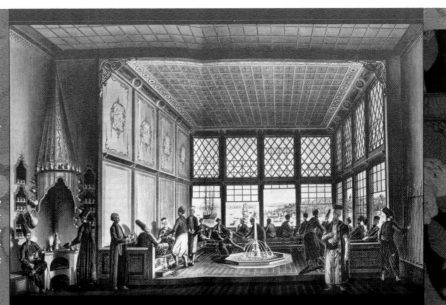

İzmir'de bana en çarpıcı gelen dört farklı milletin tek bir şehirde birlikteliği ve karışımıydı; burada da aynı sahneyi görüyorum, ve bu sahne imparatorluğun başkentinde daha da çarpıcı gözüküyor. Türkler nüfusun ancak yarısını oluştururken, diğer yarısı Rum, Ermeni ve Musevilerden oluşuyor.
M. Michaud et M.Poujoulat

What had struck me most in Smyrna was the merging and mixing of four different peoples in one single city; I have here the same spectacle, and this spectacle is even more striking in the capital of the Empire. The Turks constitute a mere half of the population; the other half consists of Greeks, Armenians and Jews.
M. Michaud et M.Poujoulat

Ce qui m'avait le plus frappé à Smyrne, c'est la réunion et le mélange de quatre peuples différens dans une cité; j'ai ici le même spectacle, ce spectacle est bien plus frappant encore dans la capitale de l'empire. Les Turcs y forment à peine la moitié de la population; l'autre moitié se compose de Grecs, d'Arméniens et de Juifs.
M. Michaud et M.Poujoulat

(Kasap esnafı) tahtırevân üzerinde kırkar ellişer kıyye (60-70 kg.) gelen Karaman, Türkmen, Mihaliç, Bursa'da Osmancık koyunlarından semiz ve olağanüstü koyunları kelle ve paçalarıyla yüzüp vücutlarına beyaz yağ üzerine lal gibi güller, sarı zaferanlar ile nakşedib boynuzlarını gümüş varak ve halis altın varak ile süsleyip ellerinde satırları ve sarı pirinç kefeli terazileri ile et tartarak çok hareketlilik ve hay huy ile geçerler ki görmeye değer.
Evliyâ Çelebi

(The guild of butchers) march with great activity and pomp, with fat and extraordinary sheep from Karaman, Türkmen, Mihaliç and Osmancık in Bursa, weighing each forty or fifty okkas (60-70 kg.) laid out on a palanquin, skinned with their heads and trotters, their bodies decorated with white grease and with ruby-like roses and yellow saffron, their horns decorated with silver and pure gold sheets, holding their chopping knives, weighing meat in their yellow brass scales. The sight is indeed worth seeing.
Evliyâ Çelebi

hayatını kazanmak

making a living

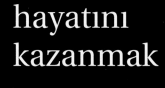

(Bozacılar) Tekirdağı darısından beyaz süt gibi bir nevi boza yaparlar ki güyâ bir kâse hazmı kolay gülâbdır. Pek katı olur nice kere tecrübe için makramalara komuşlar ise de bir damla akmamıştır. … Beyaz üstü kaymaklı bozalardır ki içen hayat bulur. On çömçe içilse yine sarhoşluk vermez. Karın ağrımaz.
Evliyâ Çelebi

[The boza (fermented millet beverage) vendors] use millet from Tekirdağ to make a sort of boza as white as milk which is like a cup of rosewater, so agreeable it is to swallow. It is very thick (and) although some have tried to filter it through handkerchiefs, never has even a droplet seeped through. … These are white bozas with cream on top and which give life to whomever drinks some. Even ten ladles won't cause drunkenness. Nor will they give stomach aches.
Evliyâ Çelebi

Dükkânların tek süsü oraya yerleştirilen ve her zaman zevkle düzenlenmiş olan eşyadan ibarettir.
M. Michaud et M. Poujoulat

The shops have no other ornament than the commodities which are laid in it and are always artfully arranged.
M. Michaud et M. Poujoulat

Les boutiques n'ont d'autre ornement que les marchandises qu'on y étale et qui sont toujours disposées avec art.
M. Michaud et M. Poujoulat

devletle yaşamak
dealing with the state

maddenin ötesinde
hayat; din ve eğitim
*spiritual life;
religion and education*

Bu video, anıtsallık ve devlet hiyerarşisinin görselliğinin gölgesinde seyr eden günlük yaşamdan kesitlerin minyatür ve gravürlerden yararlanarak görüntülenmesine dayanıyor. Özellikle düzensiz olarak düşünülmüş kurguya, bazı süreklilikleri vurgulamak amacıyla, minyatürlerdeki görüntülerle paralellik gösteren günümüz İstanbul'unun günlük yaşamından sahneler eklendi.

In this video, old miniatures and engravings are employed to present a cross-section of everyday life lived in the shadow of the monumentality and splendour of the state hierarchy. The whole is presented in an apparently unsystematic fashion, using scenes from the daily life on present-day Istanbul characterised by a certain parallelism with the scenes depicted in the miniatures in order to stress the underlying continuity.

video

günlük hayat
daily life

geç osmanlı
istanbul'u

istanbul
in the late ottoman period

1700-1920

Osmanlı siyaset geleneği, içerde hükümdarın ve merkezin gücüne, dışarıya dönük olarak da genişleme ve fetih kavramlarına dayanıyordu. Akıncı ve savaşçı çekirdekten çıkmış bir devlet yapısının biçimlendirdiği bu öğeler, öncelikle de yayılmacı gelenek, 18. yüzyıla gelindiğinde değişime uğradı. Rönesans'la başlayan gelişmelerin dışında kalan ve güçlenen Avrupa karşısında zorlanan Osmanlı İmparatorluğu artık batı sınırlarındaki yeni dengeleri gözetmek zorundaydı. Sonuçsuz kalan Viyana Kuşatması (1683) yeni bir dengenin habercisiydi. Genişleme dönemi kapanırken cihat ve fetih kavramlarına oturan dünya görüşü yerini barış yanlısı bir siyasete ve diplomasi ağırlıklı bir yaklaşıma bıraktı. 18. yüzyılda başlayan ve kesintilerle 200 yıl kadar süren modernleşme süreci, bazı yanlışlarına ve tartışılabilir sonuçlarına karşın, Osmanlıların kendilerini dünyadaki yeni dengelere uyarlama çabası ve bir varolma savaşı olarak değerlendirilebilir.

yeni siyasal dengeler

video

Fetihlerin yerini siyasi denge oyunlarına bıraktığı 18. Yüzyıldan başlayarak Cumhuriyet'e kadar süren değişim ve yenileşme süreci, dönemin belirleyici tonudur. Bu karmaşık ve sancılı süreç, hızlı bir kurguyla duygu olarak izleyene geçirilmeye çalışılır.

Alıcı, Tarihi Yarımada'nın siluetini yavaşça tarar, Pera'ya döner, 18. yüzyıl yapıları üzerinde durur. Zaman sayacı 1700'ü gösterir, bundan sonra sürekli dönerek 1900'lere gelecektir. Gravür, fotoğraf, resim ve belgelerle modernleşme hareketleri ardarda görüntüye girer. Eskinin üzerine sürekli olarak yeninin görüntüleri biner. Eski bir iki kare yeniden gözükse de sonunda yeni egemen olacaktır. 28 Mehmet Çelebi'nin Avrupa gezisi ve "diplomasi/diplomacy" sözcüğü ile başlayan görüntü dizisi, Taksim Cumhuriyet Anıtı'ndaki kadın figürü ve "Kurtuluş/Liberation" sözcüğü ile sona erer.

çağdaşlaşma

The Ottoman political tradition was based on the power of the ruler and the central authority at home and expansion and conquest abroad. These elements, shaped by a government structure stemming from an aggressive, warlike tradition, underwent a number of changes in the course of the 18th century. The Ottoman Empire, which had been unaffected by the Renaissance and now found itself confronted by a Europe of steadily increasing power, was obliged to envisage a new system of balances on its western frontiers. The abortive Siege of Vienna (1683) was the harbinger of a new balance of power. As the era of expansion closed, a world outlook based on conquest was replaced by an approach characterised by a policy of peaceful diplomacy. The process of modernisation, which began in the 18th century and was to proceed sporadically for the next two hundred years, may well be regarded, in spite of certain errors and doubtful results, as an endeavour on the part of the Ottomans to realise a new system of balances in the world and, at the same time, as a struggle for survival.

new balance of pow

reshuffle of p

merging political platform

wish of the Su

lomatic effort

peaceful politi

The whole character of the period was determined by the process of change and renewal that continued from the 18th century, when conquest gave way to the play of political forces, right up to the Republican period.

The camera moves slowly over the sky-line of the historical peninsula. Now it turns to Pera, dwelling on the 18th century buildings. The time clock points to 1700. After this it will turn slowly until it points to the 1900s. The modernizing activities are shown one after another on the screen in engravings, photographs, pictures and documents. The modern scenes are continually shown on top of the old. Although one or two old scenes appear they are finally dominated by the new. The European tour beginning with Yirmi-Sekiz Mehmet Çelebi and the series of scenes beginning with the word "diplomacy" will end with the female figure on the Monument of the Republic in Taksim Square and the word "Liberation".

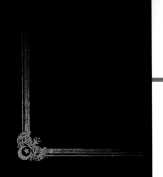

Barış yanlısı kadronun ve anlayışın güçlenmesi, Avrupa'ya dönük bir ilginin ilk işaretlerini verdi. Diplomatik ilişkiler kurulmaya başlandı. Bu konuda Yirmisekiz Çelebi Mehmet Efendi'nin Sultan'ın (III. Ahmet) özel elçisi olarak 1721-22'de Fransa'yı ziyareti başlangıç sayılır. Mehmet Efendi, parlak törenler ve ağırlamalarla karşılandığı Paris'te sarayları gezmiş; askeri birliklerin, topçuların talimlerini izlemiş; tiyatro ve operalara, özel olarak düzenlenen konserlere gitmiş ve ressamlara poz vermişti. Çelebi'nin gezisi, yalnızca bir diplomatik etkinlik olarak kalmadı. Orduda ve ordunun eğitim ve donatısında yenilenme düşüncesi filizlenirken derinlemesine etki kültürel alanda oldu. 18. Yüzyıl boyunca diplomatik ilişkiler geçici misyonlarla sürdürüldü. Sait Paşa'nın Paris (1742), Kozbekçi Mustafa'nın İsveç, Ahmet Resmi Efendi'nin Berlin (1763), Yusuf Agah Efendi'nin Londra (1792), Seyyid Ali Efendi'nin Paris (1789) elçilikleri, diplomatik ve kültürel ilişkiler açısından en önemli bağlantılar oldu. Yine de sürekli ve düzenli ilişkilerin yararlarını önemsemekte geciken Osmanlı Devleti ancak 1792'de ikamet elçileri atayıp 1835'te daimi elçilik kurumunu oluşturabildi.

diplomasi

elçilikler
embassies

Avrupa ülkeleri daimi elçilik konusunda öncelik sahibi idi: Venedik 1479,Polonya 1475, Rusya 1699, İsveç 1735, Fransa 1525, Avusturya 1538, İngiltere 1583'ten başlayarak İstanbul'da daimi elçi bulundurmaktaydı. Elçilik binaları daha 16. yüzyıldan başlayarak Perabağlarına, bugünkü Beyoğlu bölgesine yerleşti.

The European countries had led the way in this. Permanent embassies had been established in Istanbul by Venice in 1479, Poland in 1475, Russia in 1699, Sweden in 1735, France in 1525, Austria in 1538 and England in 1583. From the beginning of the 16th century embassy buildings had begun to be constructed in the vineyards of Pera, in the district now known as Beyoğlu.

The increasingly powerful role played by the peaceful approach and its supporters in the government constituted the first sign of an interest in Europe. Diplomatic relations now began to be established. Yirmisekiz Çelebi Mehmet Efendi's visit to France as special envoy of Sultan Ahmet III in 1721-22 may be regarded as the first step in this process. While in Paris, Mehmet Efendi visited the palaces, where he was welcomed with great pomp and circumstance, observed the training of infantry and artillery units, attended concerts specially arranged in his honour and sat to artists for his portrait. Çelebi's visit was of more than purely diplomatic significance. It was also of great significance in the cultural sphere in strengthening the new ideas, then just appearing, on the training and equipment of the army. Throughout the 18th century, diplomatic relations were carried on by means of temporary missions. Although the official visits paid by Sait Paşa to Paris (1742), Kozbekçi Mustafa to Sweden, Ahmet Resmi Efendi to Berlin (1763), Yusuf Agah to London (1792) and by Seyyid Ali Efendi to Paris (1789) were of great importance from the point of view of diplomatic and cultural relations, the Ottoman State was slow to realise the importance of permanent relations, and it was only in 1792 that the first permanent ambassador was appointed and not until 1835 that the idea of permanent embassies was adopted.

diplomacy

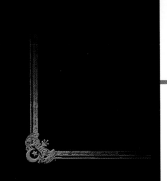

tanzimat
reform

tanzimat'a doğru

III. Selim (1789-1809) - Osmanlı ıslahat geleneğini çağdaşlaştırma programlarına çevirme çabasına giren ve bu kapsamda Nizam-ı Cedid ordusunu, Selimiye, Levend, Humbaracı, Lağımcı ve Tophane kışlalarını yaptıran ve Mühendishane-i Berr-i Hümayun'un kurulmasını sağlayan kişilik. Ayrıca yetkin bir besteci ve müzisyen. Kabakçı İsyanı'nın ardından öldürüldü.

Sultan Selim III (1789-1809) was responsible for the conversion of the Ottoman reform tradition into actual programmes with the creation of the Nizam-ı Cedid (New Order) Army, the foundation of the School for Artillery Officers and the construction of the Selimiye, Levend, Humabaracı, Lağımcı and Tophane barracks. He was also an accomplished composer and musician. He was assassinated in the Kabakçı Mutiny.

towards reform

II.Mahmud (1808-1839)-Islahat geleneğinin en köktenci kişiliği. Her yeniliği zorbalıkla engelleyen Yeniçeriliğin (Rusya'da strelsi'ler ve Japonya'da samurai'ler gibi) kanlı ve zor bir operasyonla kaldırılması ve Asakir-i Mansure-i Muhammediye adıyla çağdaş eğitim alan yeni bir ordu kurulması çok önemli bir adımdı. II. Mahmud köktenciliğinin çarpıcı bir gösterimi de kıyafet reformuydu. Yalnız ordu mensupları değil ulema dışında siviller için de setre-pantolon zorunlu oldu. Mahmud'un kendisi, Avrupa hükümdarları gibi doğum ve cülus günlerini kutlamaya, elçilik davetlerine gitmeye, yurt içi inceleme gezilerine çıkmaya başladı. İlk kez portresini yaptırarak devlet dairelerine astıran ve yine portresinin bulunduğu Tasvir-i Hümayun nişanını ihdas eden de II. Mahmud idi.

Sultan Mahmud II (1808-1839) was the most radical of the figures in the reform tradition. He took a number of very important steps, such as the difficult and bloody suppression of the Janissary Corps, which had strenuousy opposed all attempts at reform, and the creation of a new army known as the Asakir-i Mansure-i Muhammediye trained on modern lines. Another of Mahmud II's radical reforms was the introduction of a new dress code, by which not only the military but also all civilians apart from the ulema (doctors of theology) were obliged to adopt modern forms of dress. Mahmud II also began to imitate the European rulers in celebrating birthdays and anniversaries of his accession, in attending receptions at the Embassies and in undertaking tours of inspection throughout the country. He was the first Sultan to have his portrait painted and hung up in government offices. He also created the Tasvir-i Hümayûn medal, which contained his portrait.

tanzimat

Tanzimat, 18. yüzyılda başlayan değişim sürecinin en önemli tarihi ve Osmanlı modernleşmesinin dönüm noktasıdır. Sözcük karşılığı "düzenlemeler" demek olan Tanzimat, tüm devlet kurumlarında bir yenilemeyi ve yeniden örgütlenmeyi ve hukuki yapının kurumlaşmasını öngören bir beyandı. Sultan'ın imzaladığı Tanzimat Fermanı bir kanun devleti olma ve hükümdarın mutlak haklarını kısıtlama projesiydi. "Uyrukların mal ve can güvenliği, vergilerin kanuniliği, ..., her din mensubunun kanun önünde eşitliği" gibi yeni kavramlar getiriyordu.

the reform decree

The Reform Decree was a turning-point in the process of change which had begun in the 18th century and in the modernization of Ottoman society. The Decree envisaged the modernization and reorganization of all official bodies and the institutionalization of the legal system. In signing the Reform Decree, the Sultan was introducing the rule of law, with severe restrictions on the royal prerogative. New concepts were introduced, such as the granting of security of life and property to subjects of all races, and equality before the law for members of all religious beliefs.

tanzimat'tan sonra

Değişim ve Batılılaşma çabalarının ikinci evresi Kırım Savaşı, 1853-1855, ile başladı. Tuna Eyaletini işgal eden ve Sinop'u topa tutan Rusya'ya karşı Fransa ve İngiltere'nin de Osmanlılar yanında savaşa girmesi, önemli sonuçlar getiren bir ittifak oldu. Savaş alanına gitmek üzere binlerce Fransız ve İngiliz askerinin İstanbul'a gelişi, yaralıların hastaneye dönüştürülen kışlalarda tedavi edilişi kent yaşamında yepyeni olgulardı.İki yıl süren savaşın bitiminde toplanan ve dünya siyasetinde yeni bir dengenin kuruluşunu simgeleyen Paris Kongresi'nde, 1856, ise tüm ülkelerin Osmanlı Devleti'nin toprak bütünlüğüne uymayı kabul etmeleri sağlandı. Osmanlı Devleti'nin Avrupa Camiasına(Concert) girmesi ve Avrupa genel hukukundan yararlanması kabul edildi. Osmanlı diplomasisi bir yüzyılda önemli bir mesafe almıştı.

The second phase in the process of change and Westernisation began in 1853, with the outbreak of the Crimean War. The entry of France and Britain on the Ottoman side against Russia, following its invasion of the Danube Province and the bombardment of Sinop, led to an alliance that was to produce results of the greatest importance. The arrival of thousands of French and British troops in Istanbul on their way to the front and the treatment of the wounded in barracks converted into a hospital was something quite unprecedented in the life of the city. At the Paris Congress, which met at the end of the war and symbolised the establishment of a completely new balance of power in world politics, an agreement was reached by all the countries represented to recognise the integrity of the Ottoman state. It was also agreed that the Ottoman State should enter the Concert of Europe and benefit from general European law. Ottoman diplomacy had undoubtedly made great strides in the course of a century.

after reform

L'UNION DES SOUVERAINS

Paris Kongresi ve Osmanlı Devleti'nin Avrupa Camiası'na girmesi anısına yapılmış olan tablo, İstanbul geleneği üzere ipek mendile basılıp yüksek yöneticilere hediye edildi.

In accordance with Istanbul tradition, the picture painted as a memorial of the Paris Congress and the Ottoman entry into the Concert of Europe was printed on silk handkerchiefs and these distributed to the higher functionaries.

osmanlı devleti avrupa'da

the ottoman state in europe

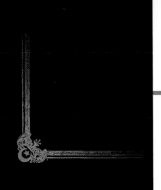

orduda çağdaşlaşma
modernization of the army

yeni düzen

Değişim orduda başladı. Batıdaki örnekleri izleyen disiplinli ve eğitimli modern ordu 18. yüzyıl sonunda kuruldu. Bu orduya Nizam-ı Cedid (Yeni Düzen) adının verilmesi, yenileşme yönündeki güçlü eğilimi simgeliyordu. Ordunun modernleşmesi, kente kışla yapımlarıyla yansıdı. Kışlalar, genellikle o günkü kent alanlarının dışına veya sınırına yapılan ve kentsel mekan değişmelerini başlatan uygulamalardı. Tümü kent ölçeğini değiştiren boyutlarıyla etkili anıtlardı.

Reform began in the army. A modern, well-disciplined and well-trained army on the Western model was established in the 18th century. The name Nizam-ı Cedid (New Order) given to this army symbolised the powerful trend towards reform. The modernisation of the army was reflected in the construction of barracks. These barracks, generally sited outside the urban areas or on the city boundaries, led to changes in the urban layout. The immense size of buildings such as the Selimiye Barracks brought about a radical change in the whole urban scale.

the new order

...ve selimiye
...and selimiye

Anıtsal kitlesiyle kent fizyonomisinde özel bir yeri olan kışla ile cami, mektep, subay konutları, matbaa vb. yapılardan oluşan Selimiye, İstanbul'da ilk planlı yerleşme birimiydi.

The monumental Selimiye complex, which, with its mosque, school, officers'quarters, printing house, etc., changed the whole face of Istanbul, was the first planned urban unit in the city.

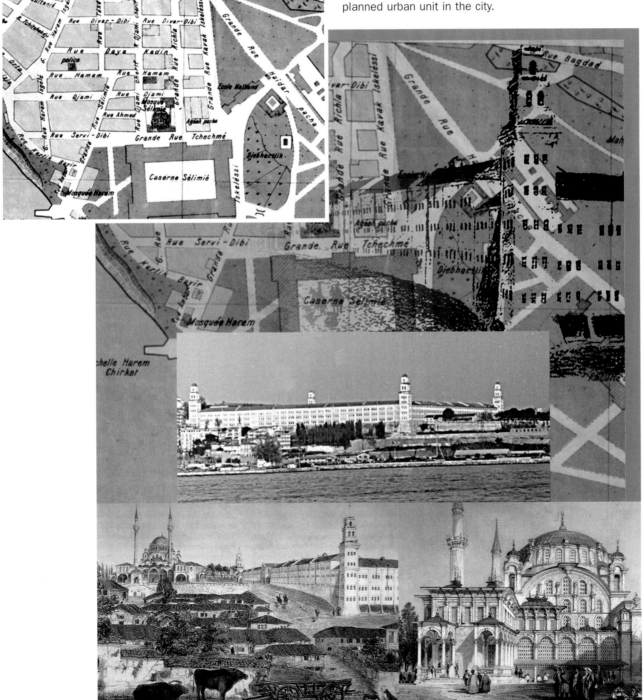

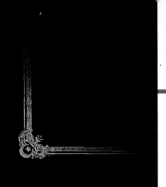

eğitimde çağdaşlaşma
modernization in education

askeri okullar

Bilimsel düşüncenin gelişmesinde ve yenileşme programlarının uygulanmasında 18. yüzyıl sonunda açılan mühendishanelerin önemli bir rolü oldu. Paris Politeknik Okulu modelinde kurulan bu okulların anıtsal yapıları kentsel doku değişimlerini başlatan uygulamalardı. Mühendishane-i Bahri-i Hümayun'daki eğitim ve Haliç Tersanesi'nin modern ekipmanla güçlendirilmesi Osmanlı donanması için yeni bir ivmeydi. İlk buharlı gemi 1848 yılında törenle denize indirildi.Osmanlı gemi mühendisliği 19. yüzyıl ortalarında önemli bir düzeye ulaşmıştı.

The schools of engineering established at the end of the 18th century played an important role in the development of scientific thought and the implementation of programmes of reform. The monumental dimensions of these schools, based on the model of the Paris Polytechnic, initiated significant changes in the urban fabric. New momentum was given to the Ottoman navy by the education provided in the Imperial School of Naval Engineering and the equipment of the Golden Horn dockyards with up-to-date machinery. The first steamboat was launched with great ceremony in 1848, and by the middle of the 19th century Ottoman nautical engineering had attained a very high level of competence.

military schools

II. Mahmud zamanında Harbiye, 1834, ve Tıbbiye-i Şahane, 1827, açıldı. Bu okullarda Fransızca olan eğitim dilinin Türkçe'ye dönüşmesi ancak otuz yıllık bir sürede gerçekleşti. Yeni okullar erkek çocuklar için zorunlu sayıldı. Medrese dışı okullar açıldı. Avrupa'ya öğrenci gönderilmeye başlandı.

The reign of Mahmud II saw the opening of the Military Academy in 1834 and the Imperial School of Medicine in 1827. Over the next thirty years Turkish gradually replaced French as the medium employed in these schools. Primary school education was made compulsory for all boys in Istanbul. Schools were opened side by side with the old medressehs (religious colleges) and the first students sent to Europe.

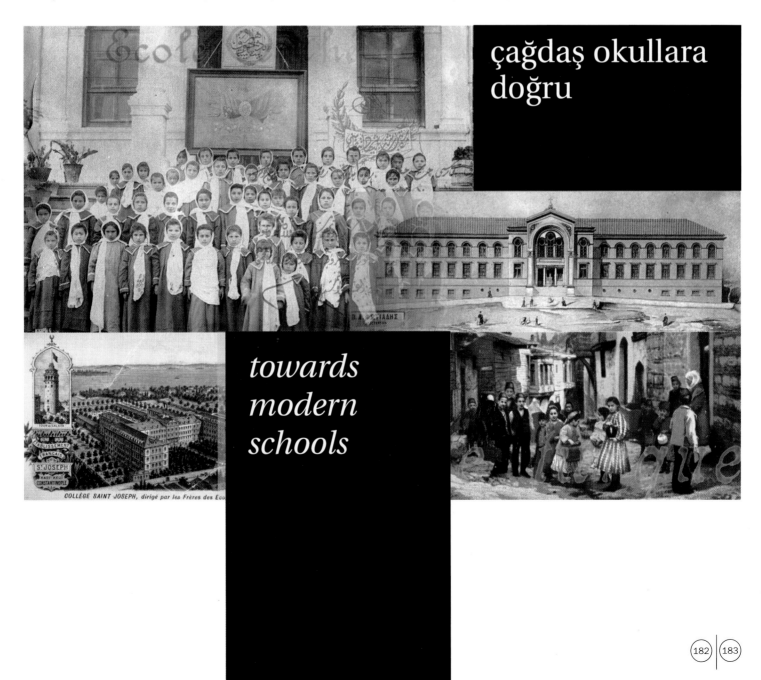

çağdaş okullara doğru

towards modern schools

COLLÉGE SAINT JOSEPH, dirigé par les Frères des Éco

L'hôpital de Gulhané, Stamb

tıbbiye

Hekimbaşı Mustafa Behçed Efendi'nin önerisi ile Asakir-i Mansure'nin gereksinmesi olan hekimleri yetiştirmek amacıyla 14 Mart 1827 yılında çağdaş eğitim verecek bir tıp okulu kuruldu. Binası, ekipmanı ve eğitimi ile büyük ve modern bir tıp okulu, Rieder Paşa'nın yöneticiliğinde Haydarpaşa'da, 1900 yılında tanınmış mimarlar A. Vallaury ve R. D'Aronco tasarımı olarak gerçekleştirildi.

A contemporary medical school was founded upon Head Surgeon Mustafa Behçed Efendi's suggestion to provide the new army with the doctors it needed, in March 14, 1827. A truly modern institution in terms of buildings, equipment and education, the school functioned under the administration of Rieder Pasha. It was inaugurated in the Imperial School of Medicine building in Haydarpaşa, designed by the famous architects A. Vallaury and R. D'Aronco in 1900.

the school of medicine

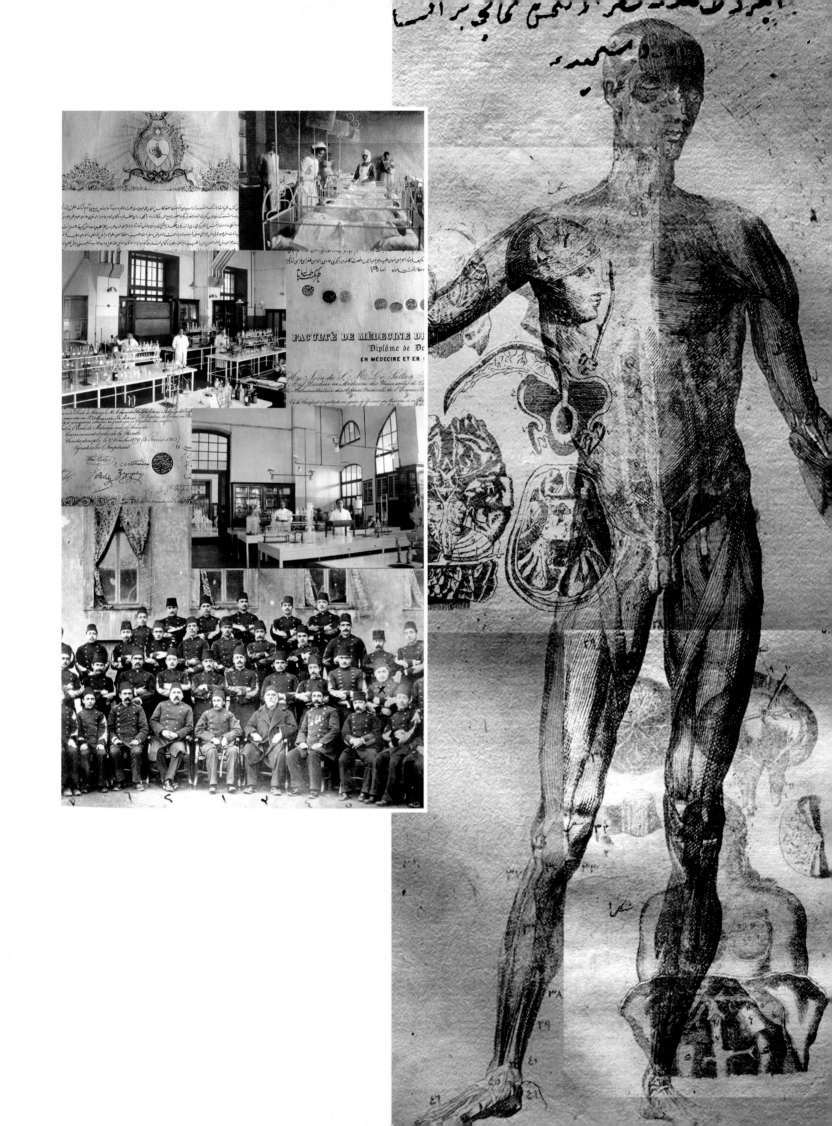

kentsel değişim
urban change

İstanbul'un çağdaş bir kent gibi düşünülmesinin ilk göstergesi, kent haritalarının elde edilmesinde gösterilen çabalardır. Çağdaş kartografik yöntemlerin kullanıldığı ve III.Selim döneminde Fr. Kauffer'in başlattığı çalışmalar, II.Mahmud'un 1837 yılında General Moltke'ye çizdirdiği haritayla sürdü.

The first sign of the concept of Istanbul as a modern city was the endeavour to produce city maps. This work, begun by Fr. Kauffer during the reign of Selim III and employing up-to-date cartographic methods, was continued in the map drawn up by General Moltke in 1837 during the reign of Mahmud II.

Mekteb-i Fünun-u Harbiye ve Mühendishane öğretmen ve öğrencilerinin de katkısıyla İstanbul için zengin bir harita koleksiyonu oluştu. Kentin nesnel boyutlarıyla kavranmasında önemli bir araç olan harita, yüzyıl sonunda gazete ve dergilerin basıp dağıttığı günlük rehber yaygınlığı kazandı. Kenti yenilemek için Tanzimat yöneticilerinin olanak ve araçları sınırlı idi. Düşünülen veya en azından yapılabilen kentsel düzenlemeler daima mevzii planlama ölçeğinde oldu.

A rich collection of maps of Istanbul was produced as a result of the cooperation of the teachers and students of the Military Academy of Sciences and Engineering School. The map, an important factor in producing a concept of the physical dimensions of the city, gained widespread distribution towards the end of the century through its reproduction in newspapers and periodicals as an everyday guide.

istanbul haritaları
maps of istanbul

yangınlar
fires

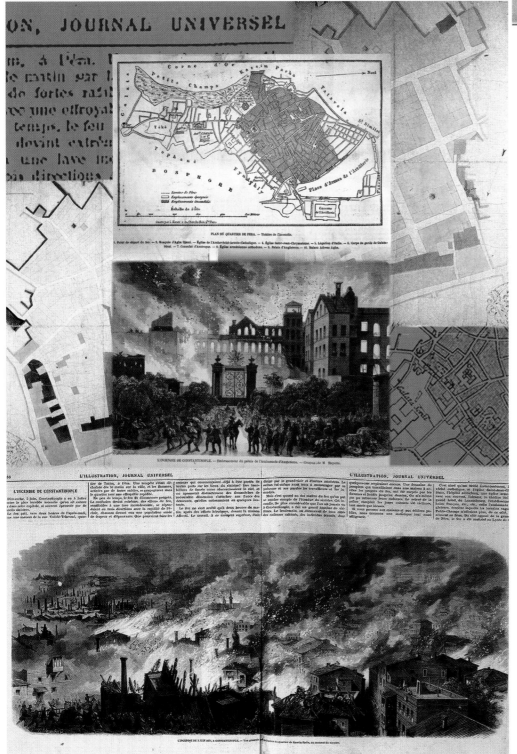

Ahşap yapım nedeniyle başkent dokusunun her dönemde yenilenmesine yolaçan İstanbul'un ünlü yangınları bu dönemde yenilemeler ve düzenlemeler için ilginç fırsatlar verdi.

The use of wood as building material meant that in every period of its history fire had led to the renovation of the urban fabric, and these fires now provided a heaven-sent opportunity for the implementation of new modernisation and planning projects.

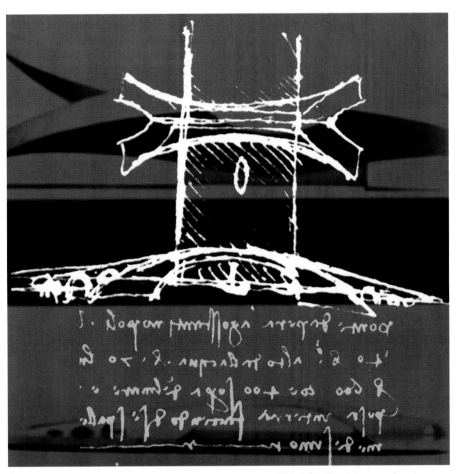

İstanbul'da kentsel ölçekte en önemli projeler genellikle köprüler için tasarlandı. Leonardo Da Vinci'nin Haliç Köprüsü çiziminden başlayarak zenginleşen ve çoğu uygulanmamış projelerden oluşan bir arşiv vardır.

Another interesting group of projects is that concerning the construction of an underground system. The underground between Karaköy and Pera designed and realised by H. Gavand in 1875 was the earliest example in the world of this type of project.

köprüler
bridges

Önce çeşme yapımlarında gözlenen
değişim ve İstanbul Barok üslubunun
belirişi ve yaygınlaşması 18. yüzyıl
mimarlığının belirgin çizgisiydi.

Characteristic features of 18th century
architecture comprise the change to be
observed in the construction of fountains
andthe emergence and proliferation
of the Istanbul Baroque style.

barok

baroque

Constantinople

Nur-u Osmaniye
başta olmak üzere
son külliye yapımları
yeni bir çevre anlayışını
ve barok estetiği görselleştiriyordu.

The new attitude
to urban layout and
the Baroque aesthetic approach
are realised in more
recent building complexes
such as the Mosque of Nur-u Osmaniye.

Mosquée Laleli,
du Sélamlik.

Cérémonie du Sélamlik.   Constantinople.

ibadethaneler

Çeşitli dinsel inanışların varlığını sürdürdüğü İstanbul'da ibadet yapılarının yapımı, Tanzimat'ın ilanından ve İslahat Fermanı'ndan sonraki ortamda canlılık kazandı. Fener Bulgar Kilisesi endüstriyel yapım tekniği açısından ve tanınmış mimar Sarkis Balyan'ın tasarımı olan Beşiktaş'taki Surp Azdvadzadzin Kilisesi ise özgün Neo-Rönesans konsepti ile İstanbul'un önemli yapıları arasında yer alıyorlar.

The construction of places of worship in Istanbul, a city characterised by the multiplicity of religious faiths, gained in impetus after the proclamation of the Reform Edicts of 1839 and 1856. The Bulgarian Church at Fener is one of the most interesting of the new monuments constructed in Istanbul in its employment of an industrial construction technique, as is also the Surp Azdvadzadzin Church at Beşiktaş, designed by the distinguished architect Sarkis Balyan, in its adoption of a typically Neo-Renaissance approach.

places of worship

ayasofya restorasyonu
restoration work in hagia sophia

FOSSATI - MORCOTE

Klasisist üslupla temsil edilen Tanzimat mimarlığının en ünlü tasarımcısı İsviçreli G. Fossati, "üç katlı ve 100den fazla odası ve salonları" olan görkemli Darülfünun binasından başka Rus Elçiliğini ve Ayasofya'da İstanbul'un ilk bilimsel restorasyon uygulamasını yaptı.

The Swiss G. Fossati, the most distinguished representative of the classicist Tanzimat architectural style, was responsible not only for the imposing University building with its "three storeys and over 100 rooms" and the Russian Embassy building, but also for the restoration work in Ayasofya, the first scientific restoration work to be undertaken in Istanbul.

Tanzimat sonrasında yönetim yeniden örgütlendi.Resmi daire yeni bir yapı tipi olarak İstanbul mimarlığına katıldı. Bab-ı Ali, yalnız yeni bürokrasinin resmi binasıdeğil hükümetin simgesi ve adı oldu.

Administrative reorganisation after the Reform.The government building joined the architectural Istanbul scene as a new building type. The Sublime Porte was not only the official seat of the new bureaucracy but also the symbol of the government to which it gave its name.

reorganisation

kent hizmetleri
urban services

Kent hizmetlerinde önemli gelişmeler sağlandı. Rıhtım ve anayol yapımları, derelerin islahı, kısmi de olsa kanalizasyon vb. altyapı çalışmaları gerçekleştirildi. İtfaiye örgütü kuruldu. İstanbul'un su gereksinmesinin karşılanması, her dönemde en önemli hizmet alanıydı. Ayvat Bendi 1765, Valide Bendi 1797, II.Mahmut Bendi 1839, büyük yatırımlar ve önemli mühendislik çalışmaları oldu.

Significant progress was achieved in municipal services. Wharves and main thoroughfares were constructed, streams improved, and a certain amount of work undertaken on the sewage system and infrastructure.A fire-fighting organisation was established. In every period, the most urgent of the urban services consisted in meeting the water supply requirements of the city. Large construction projects were undertaken, such as the Ayvat Dam in 1765, the Valide Dam in 1797 and the Mahmut II Dam in 1839.

belediye *municipality*

Değişim ve yenilenme Kırım Savaşı'dan sonra hızlandı. Savaş sırasında belediye hizmetlerinin olmayışı büyük sıkıntı yaratmıştı. Ardından, belediye kurulması için acil çalışma başlatıldı. Paris modeli uyarınca İstanbul 14 bölgeye (arrondissement'a) ayrıldı ve 6.Bölge/Pera'da ilk belediye bir pilot proje gibi kuruldu.

The Crimean War was followed by an acceleration in the processes of change and modernisation. The lack of municipal services had created great difficulties during the war years. The war was thus followed by urgent work on the establishment of a municipal organisation. Istanbul was divided into 14 districts on the Paris model, and the first municipality established in Pera, the 6th district, as a pilot project.

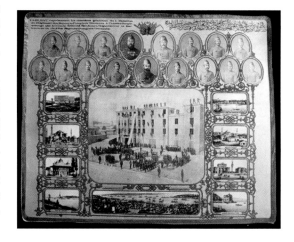

tünel *the little subway*

İlginç kentsel proje konularından bir başkası metrolar üzerineydi. H. Gavand'ın tasarlayıp gerçekleştirdiği Karaköy-Pera arasındaki metro hattı/Tünel, 1875, dünyadaki en erken uygulamalardandı.

Another interesting group of projects is that concerning the construction of an underground system. The underground between Karaköy and Pera designed and realised by H. Gavand in 1875 was the earliest example in the world of this type of project.

vapurlar
ferryboats

Kent içi ulaşım sisteminde önemli modernizasyon projeleri gerçekleştirilmişti. Buna bağlı olarak yerleşme alanlarında hızlı bir genişleme ve yayılma gözlendi. Şirket-i Hayriye'nin kuruluşu ile ilk kez İstanbul'un parçalı coğrafyası birbirine hızlı araçlarla bağlandı; kayık vb.nin yerini buharlı ve yandan çarklı, Haliç Tersanelerinde imal edilmiş Şirket vapurları aldı.

Significant modernisation projects were carried out in the urban transport system, resulting in a rapid growth and expansion in areas of habitation. The establishment of the Şirket-i Hayriye ferryboat company meant that for the first time the scattered districts of Istanbul were connected by a rapid transport system, with the caique etc. replaced by steam paddle-boats constructed in the Golden Horn dockyards.

istanbul postası
the telegraph system

Kırım Savaşı sırasında kurulmasına başlanan telgraf sistemi,kısa sürede yaygın bir ağa dönüştürülecek ve İstanbul'u doğusu ve batısıyla bağlayan bir iletişim merkezi yapacaktı.

The telegraph system which had begun to be established during the Crimean War soon constituted a widespread network, making Istanbul a communications centre connecting East and West.

şark ekspresi
the orient express

İstanbul'u dünya merkezlerine bağlayan ulaşım ve iletişim sistemlerinin çağdaşlaştırılması kentin büyüme potansiyelini güçlendirdi. İstanbul, Avrupa demiryolu ağına bağlanan ve Doğu Demiryollarının son durağı olan büyülü kentti.

The modernisation of the transport and communication systems connecting Istanbul with other global centres increased its potential for growth. Istanbul was the final terminus of the eastern railway system connected to the main European railroad network.

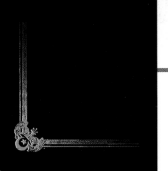

saraydan başlayan değişim
change begins from the palace

18. yüzyılda kent, yeni yerleşim alanlarına doğru genişlemeye başladı. Sarayın o zamana dek mahrem sayılan ve Sur-u Sultani gerisinde korunan yaşam mekanları, dışarıya taşındı. Özellikle hanedanın kadın üyelerinin Haliç'te ve sonraki yıllarda Boğaziçi'nde yaptırdıkları sahilsaraylar yeni yerleşim ve yaşam modelleri oldu.

In the 18th century the city began to expand into new areas of habitation. The buildings of the royal court, until then considered a private place concealed behind the walls of the palace, began to overflow into the areas beyond. The new fashions of life are reflected in the shore palaces built on the Golden Horn and, in later years, on the Bosphorus by female members of the ruling dynasty.

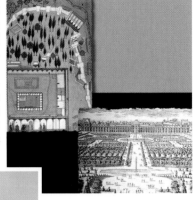

Bir safâ bahş idelim gel şu dil-î naşâdê
Gidelim serv-i revânım yürü Sa'd-Âbâdê
İşte üç çifte kayık iskeledê âmâdê
Gidelim serv-i revânım yürü Sa'd-Âbâdê

Let us give a little comfort to this heart that's wearied so,
Let us visit Sa'dabad, my swaying Cypress, let us go!
Look! There is a swift caique all ready at the pier below.
Let us visit Sa'dabad, my swaying Cypress, let us go!
  Nedim

Değişen modeller,
yeni bir yaşam biçimi
ve yeni mekanlar:
Topkapı'dan Versailles'a.

Changing models,
new life styles and
new buildings,
from Topkapı to Versailles.

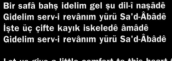

sa'dabad

Lale Devri olarak bilinen 1718-1730 arasındaki barış dönemi, Sa'dabad düzenlemesi ve ince bir zevkin eşlik ettiği hazcı bir söylemle gelişen bir resim, müzik ve edebiyat duyarlığı ile anılır. Sa'dabad, yeni yerleşim ve yaşam modelinin öncüsü idi. İstanbul için yeni ve özgün bir kentsel mekan projesi olan Sa'dabad, batı başkentlerinde olduğu gibi aristokratik bir çevre yaratma isteğini biçimlendiriyordu.

The years of peace and tranquillity from 1718 to 1730 generally known as the Tulip Period are remembered for the creation of the Sa'dabad, as well as for a hedonistic life-style characterised by an extremely refined taste and a sensitive appreciation of painting, music and literature. Sa'dabad was the prototype of the complexes reflecting the new attitude to life. A new urban and very typical architectural project, Sa'dabad realised the desire to create an aristocratic environment similar to those in the Western capitals.

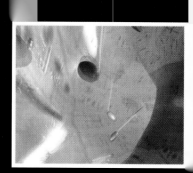

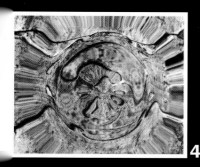

Sa'dabad, değişim süreci başlarken yeni bir yaşam biçimi için geliştirilmiş bir küçük yazlık saray ve çevre düzenlemesiydi. Bu klipte, Sa'dabad'ın ince bir zevkin eşlik ettiği hazcı söylemle anılan pastoral ve romantik yaşantısı, döneminin gravür ve minyatürlerinden yararlanılarak izlenimci bir üslupla duyumsatılır.

1 Sa'dabad, Sarayın kalın duvarlarının dışına çıkışı simgeleyen bir **Belvedere**'dir.

2 Barok bir üslup ögesine dönüşen su, ebrularla canlanır.

3 Dönemin musikisinin akışkanlığı görüntüleri biribirine bağlar.

4 Mimari ve su oyunları içiçedir.

5 Şiir çevreyi, çevre şiiri yaratır.

6 Resimler, su, şiir birbiri içinde döner ve erir. Sonunda ağır ağır akşam olmuş gibi ekran kararır.

su, müzik ve şiir

video

water, music and poe

The new process of change was reflected in Sa'dabad i the landscaped environment and the small summer palace specially designed for the new way of life.
In this clip, the pastoral and romantic life of Sa'dabad, characterised by a hedonism accompanied by great refinement of taste, is depicted in impressionistic style using the engravings and miniatures of the period.

1 Sa'dabad is a **Belvedere** symbolising the emergence from the thick walls of the palace.

2 The water, transformed into a baroque element, is brought to life in ebru.

3 The flow of the music of the time connects one scene with another.

4 The architecture and the play of the water are inextricably intertwined.

5 The poetry creates the environment and the environment creates the poetry.

6 The pictures, water and verse turn and fuse one within the other. Finally the screen darkness as if

Yaşam üslubundaki değişimin en çarpıcı örneklerinden biri III. Selim'in kızkardeşi Hatice Sultan'ın tanınmış Avusturyalı ressam ve mimar A.I. Melling'in tasarımı olan Defterdar Burnu'ndaki sarayı olmalıydı. Sonraki yıllarda Boğaziçi'nin iki kıyısına yerleşen sahilsaraylar ve irili ufaklı yalılar, bu olağanüstü su yolu üzerinde yüksek bir kültür ve bir başkent üslubu yarattı.

One of the most remarkable examples of the change in contemporary life-style is the palace at Defterdar Point designed by the famous Austrian painter and architect A.I. Melling for Hatice Sultan, the sister of Selim III. The shore palaces and waterside residences, great and small, that later sprang up along both shores of the Bosphorus created a culture and style peculiar to the capital along this extraordinary waterway.

a.i.melling

Kentin tarihi yarımadanın dışında ve özellikle Boğaz kıyısında gelişmesinde Saray çevresinin karar ve seçimleri öncülük etti. II. Mahmud'un Beşiktaş Sarayı, bu gelişmeyi en etkin biçimde belirleyen ve işaret eden örnekti. Klasisist üslubun görkemli bir örneği olan Beşiktaş Sarayı, iktidar merkezinin ikibin yıllık geleneksel merkezden ayrılışını ve batılı bir çevrede yaşama isteğini simgeliyordu.

The Court led the way in choosing sites for the expansion of the court area outside the historical peninsula and, more particularly, on the shores of the Bosphorus. The Beşiktaş Palace, built by Mahmud II, constituted the most remarkable example of this development. Beşiktaş Palace, an example of the grandiose classicist style, symbolised the removal of the centre of administration from the site it had occupied for two millennia and the desire to live in a Western environment.

"avrupa" yakasına   to the "european" shore

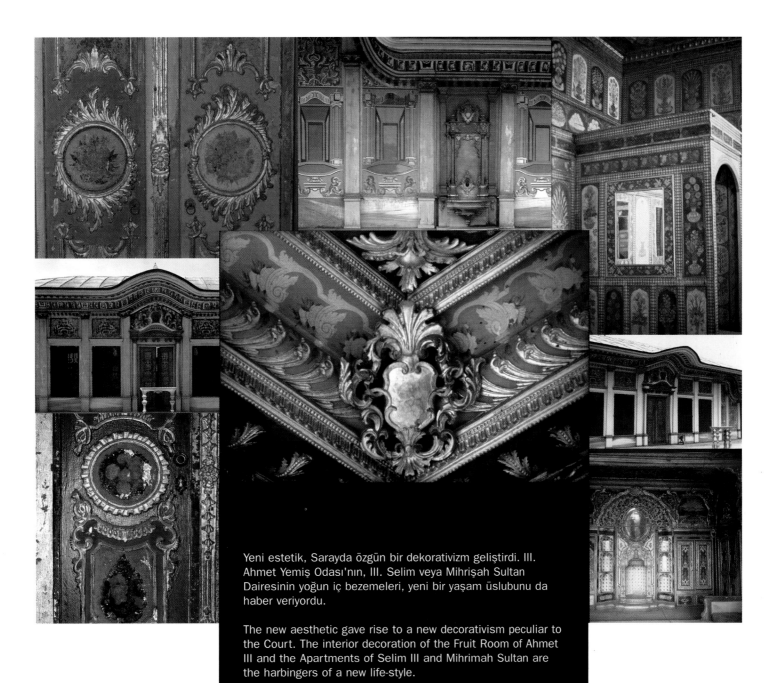

Yeni estetik, Sarayda özgün bir dekorativizm geliştirdi. III. Ahmet Yemiş Odası'nın, III. Selim veya Mihrişah Sultan Dairesinin yoğun iç bezemeleri, yeni bir yaşam üslubunu da haber veriyordu.

The new aesthetic gave rise to a new decorativism peculiar to the Court. The interior decoration of the Fruit Room of Ahmet III and the Apartments of Selim III and Mihrimah Sultan are the harbingers of a new life-style.

yeni bir estetik
a new aesthetic

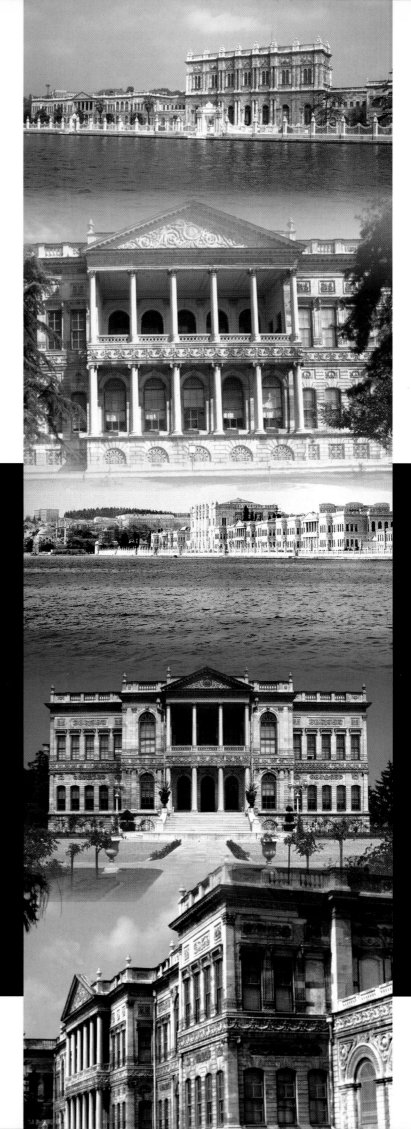

dolmabahçe sarayı
dolmabahçe palace

Dolmabahçe Sarayı'nın yeni ve genişletilmiş protokol gereksinmelerine, yeni işlev ve programlara göre bütüncül bir proje olarak tasarlanması; Avrupa monarklarınınkine eşdeğerde bir yaşam biçimine ve iktidar sergilemesine mekan ve dekor sunması yeni olgu ve kavramlardı.

The design of Dolmabahçe Palace as an organic whole in accordance with new functions and programmes and the requirements of a new and augmented protocol, together with the provision of a space and decor suitable for the display of power and a way of life on the same level as that of the European monarchs, constituted a completely new phenomenon and a completely new conception.

yıldız sarayı
yıldız palace

Osmanlı hanedanının son sarayı, Yıldız Sarayı'dır. Yıldız tepelerinde zamana yayılmış bir yapım etkinliği olarak köşk, kasır ve pavyonlardan oluşan bu kompleks, ortaçağcıl ve romantik bir yerleşme modeliyle İngiliz bahçesini birleştirir. II. Wilhelm'in İstanbul ziyaretleri için yaptırılan Şale Köşkü, sarayın son zenginliğidir.

Yıldız Palace was the last palace of the Ottoman dynasty. This complex, composed of pavilions and summer palaces scattered in the course of time over the heights of Yıldız, combines the concept of a medieval, romantic habitation with that of an English garden. The last addition to Yıldız Palace was the Chalet Pavilion, constructed on the occasion of Wilhelm II's visit to Istanbul.

sanayi

19. yüzyıl başına kadar kapalı bir ekonomi ortamında kendine yeterli olabilen geleneksel Osmanlı sanayii, Avrupa sanayi ürünlerinin düşük gümrük vergileriyle ülkeye girişinden sonra hızla geriledi. 1840'larda bir yandan daha himayeci bir ekonomik model aranırken bir yandan da modern sanayi tesislerinin kurulmasına çalışıldı.

Traditional Ottoman industry which was self-sufficient for a long time within a closed economic system, suffered severe setbacks and a rapid regression with the inflow of European imports subject to low taxation. During the 1840's a search for a more protectionist economic model went hand in hand with the founding of modern industrial plants.

industry

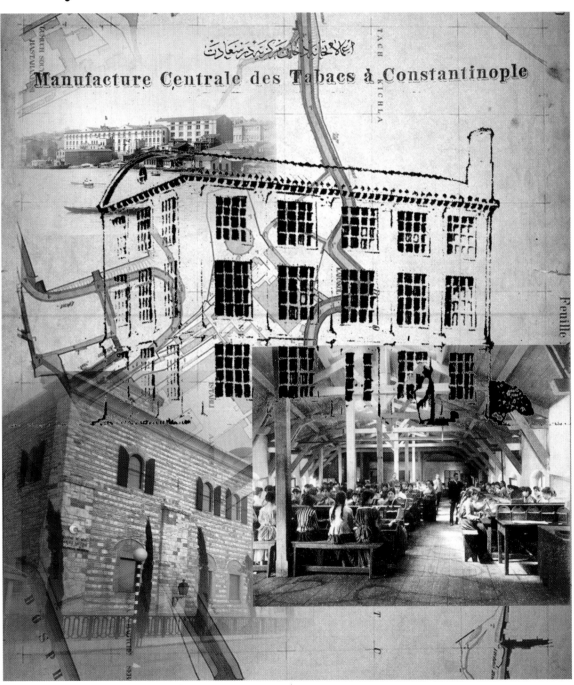

Manufacture Centrale des Tabacs à Constantinople

sanayi sergileri

19. yüzyıla özgü bir program olan uluslararası sanayi sergileri Osmanlılar için daima ilgiye değer sayıldı. 1851 Londra Sergisi'ne katılıp ödüllerle dönülünce 1863 yılında Sergi-i Umumi-i Osmani projesi gerçekleştirildi. Sultanahmet meydanında açılan sergi, büyük ilgi uyandırdı.

industrial exhibition

The 19th century phenomenon of Industrial Fairs and Exhibitions was always considered to be worthy of attention by the Ottomans. After participating in the London Exhibition of 1851 and returning with prizes, they went on to organise the Sergi-i Umumi-i Osmani (The Grand Ottoman Exhibition) in 1863. This exhibition in Sultanahmet aroused a lot of interest.

1867 Paris Uluslararası Sergisi
1873 Viyana Sergisi
1893 Chicago (Columbian) Sergisi

Paris International Fair, 1867
Vienna Exhibition, 1873
Chicago (Columbian) Exhibition, 1893

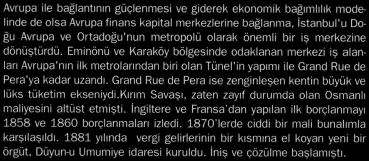

ticaret
trade

Avrupa ile bağlantının güçlenmesi ve giderek ekonomik bağımlılık modelinde de olsa Avrupa finans kapital merkezlerine bağlanma, İstanbul'u Doğu Avrupa ve Ortadoğu'nun metropolü olarak önemli bir iş merkezine dönüştürdü. Eminönü ve Karaköy bölgesinde odaklanan merkezi iş alanları Avrupa'nın ilk metrolarından biri olan Tünel'in yapımı ile Grand Rue de Pera'ya kadar uzandı. Grand Rue de Pera ise zenginleşen kentin büyük ve lüks tüketim ekseniydi. Kırım Savaşı, zaten zayıf durumda olan Osmanlı maliyesini altüst etmişti. İngiltere ve Fransa'dan yapılan ilk borçlanmayı 1858 ve 1860 borçlanmaları izledi. 1870'lerde ciddi bir mali bunalımla karşılaşıldı. 1881 yılında vergi gelirlerinin bir kısmına el koyan yeni bir örgüt, Düyun-u Umumiye idaresi kuruldu. İniş ve çözülme başlamıştı.

The strengthening of ties with Europe and the connection to European financial centres, even if on a steadily increasing scale of economic dependence, transformed Istanbul into an important business centre in the form of an Eastern European and Middle Eastern metropolis. Eminönü and Karaköy emerged as the new business centres. These two centres were extended to the Grande Rue de Pera by the construction of one of the first underground railways in Europe. The Grand Rue de Pera was the centre of luxury consumption in a city of continually increasing wealth. The Crimean War had a disastrous effect on the already weakened state of the Ottoman finances. Initial borrowings from France and Britain were followed by further borrowings in 1858 and 1860. In 1870, the Ottoman State was confronted by a serious financial crisis. In 1881 the Muharrem Decree established a new institution, the Public Debt Administration, to take over a portion of the tax revenue on behalf of the creditors. This marked the beginning of the decline and fall of the Ottoman Empire.

matbaa
printing press

Yenileşme döneminin ilk ve en önemli etkinliği İstanbul'da matbaanın kurulup açılması oldu. İspanya'dan gelen Museviler tarafından 1493 yılında kurulan ilk matbaadan sonra sürdürülemeyen girişimler oldu. Osmanlı Devleti için bir Rönesans hareketi niteliğindeki matbaa, 1727 yılında İbrahim Müteferrika ve Mehmet Said Efendi'nin girişimi ile gerçekleşti. İbrahim Müteferrika'nın matbaasında basılan ilk Türkçe kitap Vankulu Lugatı adlı yapıttı.

The first and most significant event in the period of reform was the establishment of a printing press in Istanbul. The opening in 1493 of a printing press set up by Jews who had arrived from Spain was following by several sporadic undertakings, but the Renaissance in the Ottoman State was more truly symbolised by the printing press finally set up by İbrahim Müteferrika and Mehmet Said Efendi in 1727.Vankulu Lugatı, the first book to be printed in the printing press of İbrahim Müteferrika.

ilk osmanlıca gazete

the first ottoman newspaper

II.Mahmud'un buyruğu ile Matbaa-i Amire yeniden düzenlendi ve ilk Osmanlıca gazete olan **Takvim-i Vekayi** 1 Kasım 1831'de yayınlanmaya başladı. Gazete, Osmanlıca'nın yanısıra Fransızca, Ermenice ve Rumca nüshalarıyla dört dilde yayınlanıyordu.

The State Press was reorganised on the orders of Mahmud II, and **Takvim-i Vekayi**, the first Ottoman newspaper, was first printed on 1 November 1831. The newspaper was published in French, Armenian and Greek as well as in Turkish.

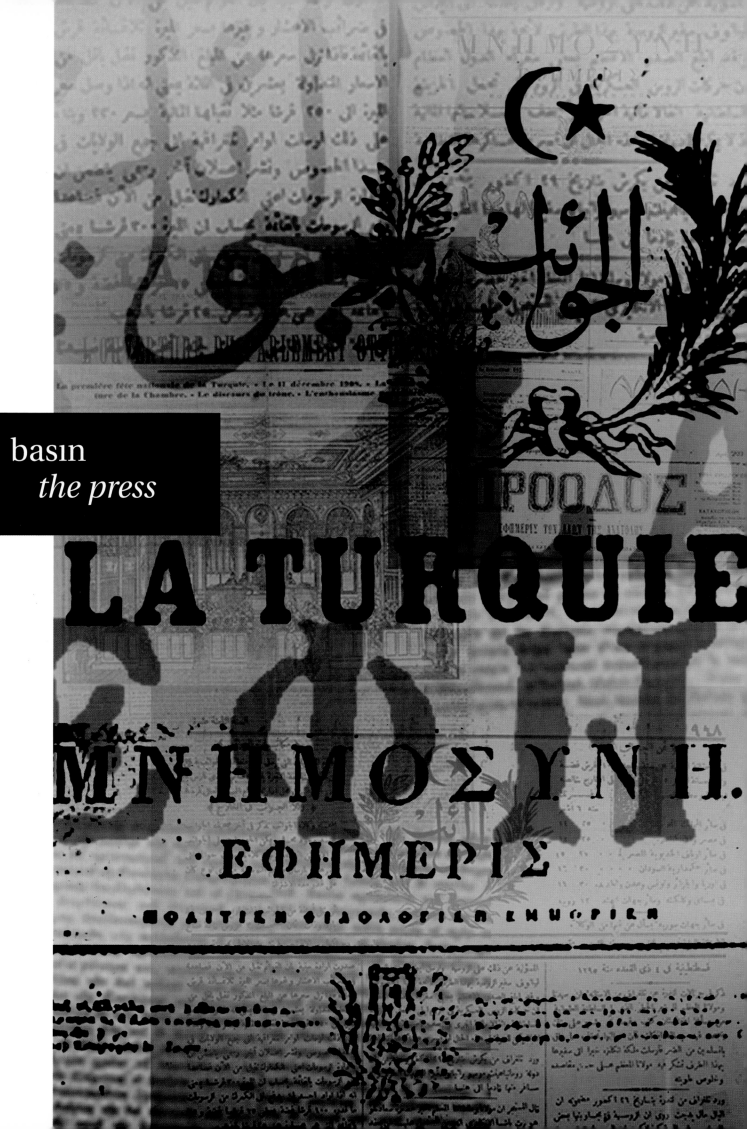

basın
the press

Tanzimat'tan sonra basın ve yayın etkinliği hızla genişledi. Türkçeden başka Rum, Ermeni, Arap ve Bulgar basınının da merkezi İstanbul'du. Yirmiye yakın dilde gazete ve derginin yayımlandığı kent, yüzyıl bitiminde modern kamuoyu oluşturma araçlarına sahip bir merkez olmuştu.

There was a rapid increase in both printing and distribution after Tanzimat, with Istanbul as the centre of publications in Greek, Armenian, Arabic and Bulgarian. Newspapers and periodicals in nearly twenty different languages were published in Istanbul, which now became a centre equipped with all the means required for the formation of a modern public opinion.

minyatürde yenileşme

western trends in miniature painting

Yenileşme dönemi olarak nitelendirilen 18. ve 19. yüzyıllar, köklü bir kültür değişiminin yaşandığı, yeni bir sanat ortamının oluştuğu ve resimde de yeni biçim ve tekniklerin denendiği bir süreç oldu. 18. yüzyıla kadar egemen tür olan minyatür sanatı iki boyutlu İslam tasvir geleneğinden batı anlamında resim sanatına dönüştü. Genel olarak Osmanlı tarihini anlatan minyatürlü el yazmaları, 18. yüzyıldan sonra yerini kıyafet albümlerine ve padişah portrelerine bıraktı. Günlük yaşam sahneleri kadar natürmort ve manzaralar da minyatüre konu oldu. Minyatüre özgü tutkallı kök boyalar suluboya veya guvaja dönüşürken, resme perspektif, renk değerleri, ışık-gölge gibi batılı ögeler girdi.

The 18th and 19th centuries, the period of westernization and modernization in Ottoman history, introduced major cultural changes. A new artistic milieu was created and new forms and techniques were tried out in all forms of art, including painting. It was these centuries that witnessed the transition from the firmly rooted Islamic pictorial tradition of book illustration, which had been the dominant form of painting until the 18th century, into western type easel painting, and the change from illuminated historical manuscripts commissioned by the Ottoman court to albums with costume sketches or portraits of sultans. Genre scenes, still lifes and drawings of women made up a new range of themes. Miniature painting underwent changes of tehnique and style. Gouache or watercolors replaced the traditional technique of dyes mixed with gum. Western elements such as perspective, gradations of light and shade and color values were introduced into miniature painting, which had, in the past, been based on two-dimensional imagery characterised by the use of pure colors without any use of light and shade.

duvar resimleri

wall paintings

18. yüzyılın ortalarında değişen mimari bezeme programı, duvar resmi denebilecek bir yeni resim türünü ortaya çıkardı. Barok ve rokoko çerçeveler içine yerleştirilmiş çoğu İstanbul görüntülerinden oluşan manzara resimleri, 19. yüzyılın sonlarına kadar saray, konak, yalı, hatta cami ve şadırvanlarda mimari bezemenin ayrılmaz bir parçası oldu. Yüzyılın ikinci yarısında yağlıboya tekniğinin benimsendiği duvar resimlerinde, manzaraların yanı sıra av hayvanları, gemi resimleri ve ender de olsa insan figürleri kullanıldı.

In the 18th and 19th centuries interest in European architecture led to a marked change in Ottoman architectural decoration. Wall paintings started to replace the traditional painted floral decoration. Usually enhanced by baroque and rococo motifs, these paintings are mostly views of Istanbul and are to be found in a variety of buildings built in the 18th and 19th centuries, such as palaces, mansions, fountains and even mosques. In the second half of the 19th century they are usually painted in oil and display more variety in content. Hunting scenes with animals and birds and occasionally human figures are also depicted.

Rönesan'tan bu yana Avrupa resmine egemen olan tuval resmi İstanbul sanat ortamına yüzyılda girdi. Tuval resminin yaygınlaşmasında padişahların önemli rolü oldu. Örneğin II. Mahmud kendi yağlıboya portresini yaptırmış ve devlet dairelerine astırmıştı. Padişahlar daha sonra ufak boyutta madalyon portrelerini nişan olarak vermeye başladılar. İstanbul'a gelerek saray ve elçilik çevrelerinde çalışan Avrupalı ressamların aracılığı ile yaygınlaşan bu resim türü kısa sürede yerli ressamlarca da benimsendi.

Easel painting, the most popular form of painting in the West since the Renaissance, was introduced into Turkey after the 18th century. The 19th century sultans played an influential rôle in the proliferation of this new genre. Sultans also distributed imperial medals containing their portraits. This encouraged the artists, and resulted in easel painting gradually assuming a dominant position in artistic production. Initially introduced by European artists commissioned by thesultans, this genre was quickly taken over by local artists.

tuval resimleri

easel paintings

18. yüzyıl boyunca Türkiye'ye gelerek elçilik çevrelerinde çalışmış veya Türkiye'yi anlatan seyahatnameler için resim yapmış Avrupalı sanatçılara "Boğaziçi Ressamları" da denir. Vanmour, Liotard, Favray, Hilair, Cassas, Melling, Castellan gibi ressamlar hem kıyafet resimleri ve portreler hem de panoramik İstanbul resimleri çizerek, 18. yüzyıl İstanbul'unu belgelediler. Eserlerin çoğu kez, Avrupalı gezginlerin seyahatnamelerinde gravür tekniğiyle basılması, Avrupa'da "Turquerie" modasının yaygınlaşmasını sağlamıştı.

The European artists who spent some time in 18th century Istanbul usually worked in embassy circles or accompanied travellers. Also called "peintres du Bosphore", artists such as Vanmour, Liotard, Cassas, Favray, Hilair, Melling and Castellan painted portraits, genre pictures of men and women in different costumes or panoramas of Istanbul. Their works are pictorial records of Istanbul in the 18th century and were commonly to be found in the form of engravings in travellers' books, thus increasing the popularity of the Turquerie mode in Europe.

sanat eğitimi
art education

Batı anlamında resim sanatının yerleşmesi, Tanzimat'tan sonra resim eğitiminin başlamasıyla gerçekleşti. Askeri ve teknik okullarda verilen teknik resim eğitimiyle yetişmiş öğrenciler tuval resminin öncülüğünü yaptılar. Gerçek anlamda akademik resim eğitimi ise 1883'te Sanayi-i Nefise Mektebi'nin kurulmasıyla gerçekleşti. 1914'te kurulan Inas Sanayi-i Nefise Mektebi ile kız öğrenciler de güzel sanatlar eğitimi görebildiler. Sanayi-i Nefise mektebinin her yıl düzenlediği sergilerin yanına çeşitli klüp, dernek ve salon sergilerine hem Osmanlı hem de Avrupalı sanatçılar katılıyordu. Yüzyıl sonunda Istanbul bir sanat merkezi olmuştu.

The real development of painting in the western sense came after 1839, when the Reform Rescript introduced new reforms in education. Drawing classes in the military and technical schools set the course of education in painting but it was the foundation of the Imperial Academy of Fine Arts in 1883 that marked the beginning of formal academic training in the fine arts. Exhibitions were held at the end of every academic year and other exhibitions were held by clubs and salons to which several European artists contributed.

avrupalı sanatçılar

european artists

19. yüzyılda çok sayıda ünlü orientalist ressam İstanbul'a geldi. İlk kez 1867 Paris Dünya Sergisi'ne katılan Sultan Abdülaziz, Avrupa sanatına duyduğu ilgi ile birçok sanatçıyı sarayına davet etmiş ve zengin bir tablo koleksiyonu oluşturmuştu. İstanbul Saraylarında Gérome, Boulanger, Fromentin, Pasini, Decamps, Daubigny, Aiwazovski, Hayette gibi orientalistlerin pek çok tablosu vardır. Zonaro, Valeri, Bello gibi ustalar aynı zamanda Sanayi-i Nefise Mektebi'nde hoca idiler.

Istanbul attracted several orientalist artists in the 19th century. Sultan Abdülaziz, who visited the Paris World Fair in 1867, developed a special interest in European art, inviting artists to his court and purchasing their works for the Imperial collections. Paintings by Gérôme, Boulanger, Fromentin, Pasini, Decamps, Daubigny, Aiwazowski, and Hayette are displayed in the Imperial palaces in Istanbul. Other artists, such as Zonaro, Valeri, or Bello, taught at the Imperial Academy of Fine Arts.

19. yüzyılda türk ressamları

Batı anlamında resim yapan ilk Türk ustaları askeri ve teknik okullarda öğrenim görmüş olanlardı. Bunların içinde Şeker Ahmed Paşa ve Süleyman Seyyid gibi Avrupa'ya eğitime gönderilen ressamlar izlenimcilik öncesi akademik Fransız resminden etkilenerek manzara ve natürmort ressamlığını benimsemişlerdi. Eğitimini Fransa'da yapmış olan Osman Hamdi ise Türk resmine figürlü anlatımı, portreciliği ve birey olarak kadını getiren ressam oldu. 20. yüzyılın başında Sanayi-i Nefise Mektebi'nden sonra Avrupa'da eğitim gören ressamlar ise Türk resmine yenilikçi akımları ve yeni konuları tanıttılar. Namık İsmail, Nazmi Ziya, İbrahim Çallı, Avni Lifij, Feyhaman Duran İstanbul görünümleri ile yetinmeyip, günlük yaşam sahnelerine, kırlara, portrelere hatta çıplak kadın resimlerine kadar her konuyu resimlediler. '1914 Kuşağı' olarak anılan bu ressamlar izlenimci tekniği getirdiler ve etkinliklerini Cumhuriyet döneminde de sürdürerek yeni atılımları desteklediler.

The first Turkish painters to attempt easel painting were educated in the military and technical schools. Artists such as Şeker Ahmed Paşa or Süleyman Seyyid, who had gone to Paris for further training, became attracted to the French academic painting of the period and returned with acquired skills which they utilised in the landscapes and still lifes they produced. Osman Hamdi, another artist trained in Paris, is of great importance for his figured compositions and for his portrait painting, especially his portraits of individual women. It was not until the beginning of the 20th century, however, that Impressionism was introduced by a group of graduates of the Fine Arts Academy who had been sent to Paris for further training. Painters such as Namık İsmail, Nazmi Ziya, İbrahim Çallı, Avni Lifij and Feyhaman Duran introduced new themes into Turkish painting. They now painted everyday scenes, rural landscsapes, portraits and even nudes.

turkish painters in the 19th century

1900'e doğru

towards 1900

Mimaride Art Nouveau'dan Klasisizme veya Oryantalizm'e bir üslup çoğulluğu gözlenirken, Edebiyat-ı Cedide sembolizme açılıyor; İstanbul, sanat yaşamında resim, tiyatro ve müzikte ilginç etkinliklere sahne oluyordu. P. Loti, F. Lizst, S. Bernard, I. Aiwazowsky İstanbul'a gelenlerden yalnızca bir kaçıydı.

While architecture exhibited an array of styles ranging from Art Nouveau to Classicism and Orientalism, the new literature opened its doors to symbolism, while Istanbul witnessed interesting developments in the arts, the theatre and music. Pierre Loti, Franz Lizst, Sarah Bernard and Aiwazowsky were a few of the famous individuals who visited Istanbul at that time.

müzikte yenilenme

Klasik Osmanlı müziği kimliğini 19. yy ortalarından itibaren kaybetmeye başlamıştı. Bu müziğin son büyük temsilcisi Dede Efendi sayılır. Giuseppe Donizetti Osmanlı Devleti'ndeki büyük siyasal değişim sırasında, Mehterhane yerine batı tarzı bando olan Müzika-i Hümayûn'u kurarak musiki alanında simge bir isim haline gelmiştir. Dede Efendi'nin saraydan ayrılmasıyla, sarayda opera temsillerinin başlaması ard arda gelen musiki olaylarıdır. Bu opera temsilleri sanatsal değişikliğin en önemli göstergelerinden biridir.

changes in music

Classical Ottoman music began to lose its identity as from the middle of the 19th century, with Dede Efendi as its last distinguished representative. During the political upheavals by which the Empire was shaken Guiseppe Donizetti became a legendary figure in replacing the old military band by a Western style orchestra. Dede Efendi's departure from the court coincided with the staging of the first operas in the palace. These operas were the most significant indications of the changes taking place in culture and art.

Doğu'ya ve petrol alanlarına ilgi duyan Almanya'nın diplomatik ataklarıyla gerçekleşen yakınlaşma, Bağdat Demiryolu'nun yapımı, II. Wilhelm'in İstanbul ve Kudüs ziyaretleri, Alman Çeşmesi'nin hediye edilmesi vb. olaylarla sürdü. 20. yüzyıl başının İstanbul'unda ittifakın simgeleri olan görkemli yapılar vardı. Elçilik Binası, Haydarpaşa ve Sirkeci Garları, Deutche Orient Bank, vb.

The development of ties as a result of the diplomatic attacks from Germany who had interests in the Middle East and the oil fields, continued with the construction of the Baghdad railway; the presentation of the fountain of Wilhelm II, his visits to Istanbul and Jerusalem. There were monumental structures at the beginning of the 20th century which bore evidence to the allience: The Embassy, the railway stations of Haydarpaşa and Sirkeci, The Deutsch Orient Bank etc.

ittifak
alliance

1. dünya savaşı ve son

Adı sonradan Yavuz olarak değiştirilen Alman bandıralı Goeben ve Breslau zırhlılarının Karadeniz'e geçişi, Osmanlıların Almanya'nın yanında I.Dünya Savaşı'na girmesine ve yenilgisine yol açacaktı.

When the German battleships Goeben -whose name was to later become Yavuz- and Breslau passed into the Black Sea, it led the Ottomans into World War I in a war coalition with Germany and to their eventual defeat.

world war I and the end

L'ILLUSTRA

SAMEDI 23 NOVEMBRE 1912

L'HALLALI...

Ah ! le douloureux regard du cerf aux abois, traqué par à l'inéluctable, avant de se jeter à l'étang où la veille il renaît quels pauvres yeux doit promener vers la douce terre de Roumélie et fort, sur la Corne d'Or au nom d'enchantement et de féerie, et telle, le pauvre Osmanli acculé à la défaite ! Cependant...

balkan savaşı

18. yüzyılda başlayan, duraklamalar, geri almalarla süren toprak kayıpları 19. yüzyılın sonunda hızlandı. Yunanistan ve Mısır'ın kaybı dramatik olaylardı. Toplumu yaraladı, ama Balkan yenilgisi bir deprem gibi algılandı. 14. yüzyıldan başlayarak Rumeli'ye yerleşen ve bölgeyi vatan belleyen toplumun buradan sökülüp atılması bir karabasandı. Trenlerden dökülen ve İstanbul'u dolduran binlerce Balkan göçmeni bu karabasanı simgeliyordu.

The intermittent territorial losses of the 18th century continued into the 19th. The losses of Greece and Egypt were dramatic events which shook the public but the Balkan defeat was received like an earthquake. The uprooting of people who had known these lands as home since the 14th century was a nightmare. The immigrants coming from the Balkans by the trainloads and filling up Istanbul were the symbols of this nightmare.

the balkan war

meute, et se retournant un instant vers elle, las, résigné ... Ainsi, dans Stamboul, encerclé de fer et de flammes, depuis quatre siècles et demi il campait, vainqueur, heureux le doux Bosphore, limite peut-être, demain, de sa patrie nou

mütareke
armistice

İ. Dünya Savaşı'nı sona erdiren Mütareke'yle birlikte, İtilaf Kuvvetleri 13 Kasım 1918'de İstanbul'a girdi. Limandaki 55 parçalık donanma ile caddelerde dolaşan yabancı üniformalı askerler, beş yıla yakın bir süre kentin değişmez görüntüleri olarak kaldı. Aynı dönemde eski başkent ulusal direniş çabalarına da sahne oldu. Meclis-i Mebusan'ın açılışına eşlik eden ve 150.000 İstanbullu'nun katıldığı Sultanahmet mitingi, direniş gösterilerinin en görkemlisiydi.

The Allied Forces entered Istanbul on the 13th of October, 1918, following the Armistice that ended World War I. The fifty-five vessels of the foreign fleet in the harbour, the soldiers in foreign uniform walking along the main streets were all to become a part of the local scene for the next five years. During the same period, the old capital witnessed attempts at resistance to the Occupation. The Sultanahmet Protest Meeting of 150.000, held to give support to the opening of Parliament, was the most impressive of these demonstrations.

işgal
occupation

Mütareke yıllarında İstanbul'un en canlı kesimleri, Beyoğlu
ve yeni gelişen sayfiyelerdi. Göçlerle kalabalıklaşan kentin
merkezi alanları arasında belirgin farklılıklar vardı. Çoğunlukla
Müslümanların yaşadığı ve boş yangın alanlarıyla dolu Tarihi
Yarımada görece bir durgunluk içindeyken, Beyoğlu yakasında
hareketlilik ve kuzeye doğru kentsel büyüme sürmekteydi. Yeni
demiryolu güzergâhı ve sahiller boyunca uzanan sayfiyeler ise
değişen yaşamla birlikte kente yeni mekânsal boyutlar katmıştı.
Yeşilköy, Bakırköy, Moda, Göztepe, Suadiye ve Adalar bu dış
halkanın önemli yoğunluk noktalarıydı.

The liveliest parts of the city during the Armistice years were
Pera (Beyoğlu) and the newly developing suburbs. Very great
differences appeared between these and the central districts
of the city, now crowded with refugees. The old town on the
historical peninsula, inhabited mainly by Moslems and with
large areas devastated by fire, remained relatively stagnant in
contrast to Pera; which displayed considerable activity combined
with an expansion towards the north. The new railway routes
and summer residences along the shores gave the city a new
spatial dimension accompanied by changes in life style.
Yeşilköy, Bakırköy, Moda, Göztepe, Suadiye and the (Princes)
Islands became the most densely populated areas in this
new outer ring.

yeni sınırlar
new zones

ticaret
trade and commerce

Tarihi boyunca İstanbul ekonomisinin kalbini oluşturan liman, Mütareke döneminde de bu özelliğini korudu. Limanın iki yakasındaki ticaret alanları ve Beyoğlu, bu ekonominin mekâna yansıdığı ortamları oluşturmaktaydı. Osmanlıca, Fransızca, İngilizce, Rumca ve Ermenice ticaret ilanları, belgeler, poliçeler..., büyük ölçüde gayrimüslim ve Levanten kesimler ile yabancı kuruluşların egemenliğinde olan ve tüketim boyutunun ağır bastığı bir ekonomik canlılığa tanıklık etmekteydi.

The harbour, which has always been at the heart of Istanbul's economic life, retained its importance during the Armistice years. The commercial districts on both sides of the harbour constituted, along with Beyoğlu, a physical environment reflecting the general economic activity of the city. Commerical notices in Ottoman Turkish, French, English, German, Greek and Armenian, documents and insurance policies..., all bore witness to the liveliness of a consumption-oriented economy dominated by Levantines and members of the minority groups.

yeni kentliler
new citizens

İşgalle birlikte kente gelen yabancılar, Ekim Devrimi'nden kaçan Beyaz Ruslar ve onlarla bütünleşen bazı Levanten ve azınlık aileleri, gittikçe yaygınlaşan Avrupai bir yaşam biçiminin taşıyıcısı oldular. Bu yaşamın özellikleri zamanla kentin yerli unsurlarınca da benimsendi. Eğlence hayatı, moda, yeme-içme alışkanlıkları, sayfiye ve plaj bu gelişmenin önemli göstergeleri oldu.

The foreigners who came in with the Occupation and the White-Russians fleeing the October Revolution were soon joined by Levantines and members of the minority groups who joined with them in the pursuit of a Western way of life, which was gradually also adopted by the local population. This development was reflected in the styles of entertainment, fashion, food and drink as well as in the proliferation of summer houses and beaches.

Savaş öncesinde, 1911'de Doğu gezisi çerçevesinde İstanbul'a gelen genç Le Corbusier'nin karne notları ve enstantaneleri, o döneme ilişkin duyarlı ve keskin izlenimleri yansıtır. Kamerasıyla saptadığı ve kalemiyle çizdiği görüntüler, kentin çok belirgin boyutlarını verir: genç sanatçıyı hayran bırakan kent silueti, anıtlar, evler, yangın görüntüleri. Bütün bunlar, Mütareke dönemi İstanbulu'nun, kentsel ortamda geçerliğini koruyan çizgileridir.

le corbusier

The sketches of the young Le Corbusier, who had visited Istanbul in 1911 before the war, reflect his keen and sensitive powers of observation. In these photographs and sketches are depicted the various features of the city which caught the young artist's attention, the sky-line, the monuments, the houses and the scenes of fire damage. The picture was much the same as in the Istanbul of the Occupation.

cumhuriyet dönemi istanbul'u

istanbul in the republican era

1920-

Constantinople.
Grande Rue de Péra.

Anadolu'daki Milli Mücadele'nin başarıya ulaşması üzerine, İtilaf Kuvvetleri 4 Ekim 1923'te İstanbul'u terk etti. Beş yıl boyunca işgal altında yaşayan İstanbullular, 6 Ekim 1923'te Şükrü Naili Paşa komutasındaki ordunun kente girişini alkışlıyorlardı. Ama kurtuluş, aynı zamanda İstanbul'un payitahtlığının sonu demekti. Osmanlı tahtı müzedeki yerini alırken, ufukta yeni rejimin silueti beliriyordu. Bir süre yeni başkent karşısında içine kapanan İstanbul, genç devletin kuruluşuna uzaktan 29 Ekim Cumhuriyet Bayramı günlerini kutlayarak katıldı.

artık başkent değil
no longer the capital

The Allied Forces withdrew from Istanbul on the 4th of October 1923 following victory in the War of Independence in Anatolia. On the 6th of October the people of Istanbul, who had been living under foreign occupation for the previous five years, cheered the arrival of their army under Şükrü Naili Paşa. The liberation, however, meant the end of Istanbul as the capital of the country. With the relegation of the throne to the museum, the outline of a new regime began to appear on the horizon. Istanbul, withdrawing into itself in the face of the new capital, watched from afar the inauguration of the new Republic and the October 29 Republic Day celebrations.

Dönemin kent planlaması anlayışı çerçevesinde, İstanbul'u tarihi kimliği içinde yenileştirme düşüncesi 1933'te gündeme geldi. Kentin nazım planını hazırlama görevi, 1936'da Fransız plancısı Henri Prost'a verildi. Yaklaşık 15 yılda son şeklini alan Prost Planı'nı hayata geçirmeye dönük adımlar daha çok 1948-60 arasında atıldı. Ama 1980'lerin bazı imar çalışmalarına ve suriçi yapılaşma/koruma uygulamalarına yön verme açısından etkileri günümüze değin uzandı. Prost'un belki de en önemli katkısı, İstanbul'a bir "nazım plan" fikrini taşımasıydı.

The idea of restoring Istanbul's historical identity within the framework of a contemporary urban plan was first placed on the agenda in 1933. In 1936, the responsibility for the preparation of an urban development plan was entrusted to the French town-planner Henri Prost. The first steps towards the implementation of the Prost Plan, which had attained its final form after fifteen years of preparation, were taken in 1948-1960. Its influences have come down to the 80s in the form of guidelines for construction and conservation within the city walls.

h.prost ve planlama
h.prost and planning

Kurtuluş sonrası İstanbul'un mekânsal dokusu, 1920'lerde basılan haritalarda görülebilir:
bir yanda geleneksel dokunun sürdüğü Tarihi Yarımada ve Üsküdar, öte yanda 19. yüzyıl sonu
görüntülerinin geliştiği Beyoğlu, Kuzey mahalleleri ve Kadıköy. 1930'lar ile 1950'ler arasındaki
değişim ise bu dönemde hazırlanan yangın sigortası haritalarında gözlenebilir.

The layout of Istanbul following the Liberation can be seen in the maps printed in the
1920s, while the changes that took place between the 1930s and 1950s in the Historical
Peninsula and Üsküdar, where the traditional fabric had largely survived, and in Beyoğlu,
the northern districts and Kadıköy, where the existing fabric had been created mainly by
developments in the late 19th century, can be observed in great detail in the fire insurance
maps prepared in that period.

kentsel doku
the urban fabric

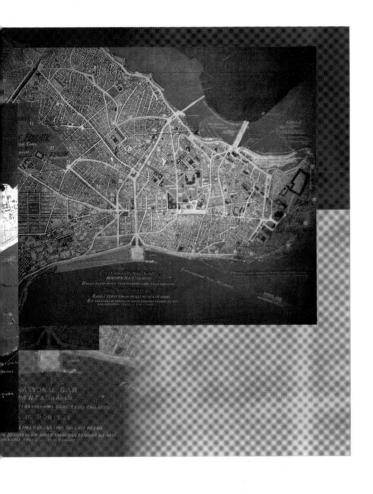

taksim
meydanı
taksim square

Taksim Meydanı ve çevresinin imarı, Cumhuriyet döneminde İstanbul'un geçirdiği kentsel değişimin ilk ve en önemli örneğini oluşturur. Cumhuriyeti simgelemek üzere alana dikilmesi kararlaştırılan anıt 1928'de tamamlandı. Topçu Kışlası ve ek yapıların yıkılmasıyla, Taksim Meydanı 1940-50 arasında Prost Planı'nda öngörülen biçimine kavuştu. Çevresi de aynı yıllarda hızla yapılaşarak kentin en seçkin yerleşme bölgesine dönüştü. Modern İstanbul'un kalbi haline gelen bölge zamanla Opera, Spor ve Sergi Sarayı, Belediye Gazinosu, Stadyum ve Şehir Parkları gibi yapılarla donatıldı.

The development of Taksim Square and the surrounding area was the first and most important example of the changes taking place in Istanbul during the Republican period. The monument which it had been decided to erect as a symbol of the Republic was completed in 1928, while in 1940-50, with the demolition of the Artillery Barracks and its subsidiary buildings, Taksim Square itself finally acquired the form envisaged in the Prost Plan, and urban developments in the area soon transformed it into one if the most select districts in Istanbul. Now the heart of the city, the whole area was adorned with buildings such as the Opera House, the Sport and Exhibition Palace, the Municipal Gazino, the Stadium and the City Park.

ulaşım

transport

Kent yaşamına 1920'lerde katılan otomobil 1930'lardan sonra sayıca arttı. Sayfiye yerlerine yönelik otobüs hatları ulaşımın yeni bir boyutu oldu. Aynı dönemde sivil havacılık da gelişti; İstanbul, bu ulaşımda öncü bir konum kazandı.

The automobile first became an integral part of the life of the city in the 1920s and the number of automobiles in the streets showed a rapid increase during the 1930s and after. Bus routes to the dormitory suburbs and summer resorts added a new dimension to urban transport. Civil aviation also developed in the same period, placing Istanbul in the forefront of international communications.

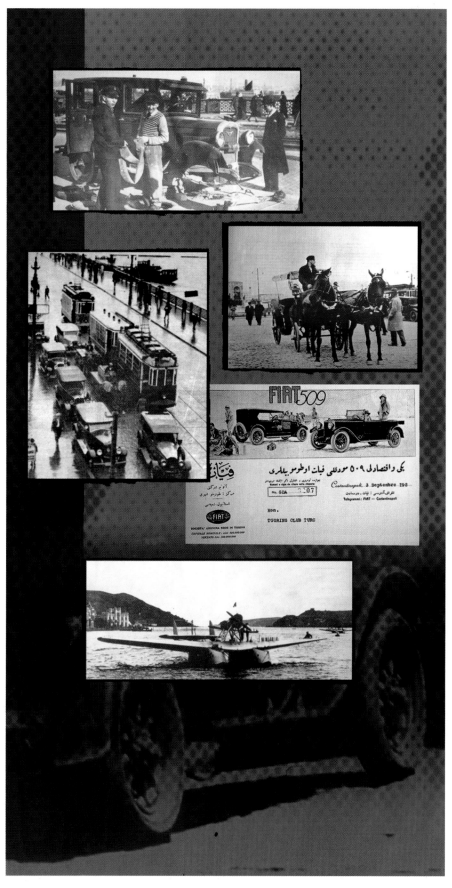

tanbul Taksim Abidesi

İstanbul'un özellikle 1930'lardan 1940'ların sonuna değin uzanan dönemdeki kent yaşamı, Cumhuriyet Türkiyesi'nin idealleri doğrultusundaki genel "asrileşme" sürecinin belirtilerini yansıtır. Bu sürecin özelliği kentin Müslüman ve Müslüman olmayan kesimleri arasındaki farklılıkların azalması, ekonomi ve ticaretle birlikte canlanan eğlence ve kültürün de gittikçe Türk kimliğine bürünmesiydi. Bir yanda karnavallar, öte yanda Yerli Malı Haftası ve Kabotaj Bayramı kutlanıyordu. Balolar, yılbaşı kutlamaları, plaj ve kır gazinosu eğlenceleri, güzellik yarışmaları yeni biçim ve bileşimleriyle resmi tören ve bayramlara eşlik ediyordu.

asri yaşam
modern life

Urban life in the period between 1930 to 1940 displayed all the marks of the "modernisation" process undertaken in accordance with the ideals of the Turkish Republic. A characteristic of this process was a lessening of the differences between the life-style of the minorities and that of the Muslim population, with entertainment and culture, which flourished together with trade and the economy, assuming a more definitely Turkish character. Carnivals were held alongside campaigns such as Support Domestic Produce Week and Cabotage Day celebrations. To official public ceremonies and national days were now added New Year festivities, balls, beach parties, picnics and beauty contests with their new form and content.

İstanbul'un 1920'lerde hayli durgun olan yapılaşma ortamı, imar çalışmalarının ritmine koşut olarak 1930'larda konut yapılarının ağırlık kazandığı bir hareketlenmeye sahne oldu. Üniversite, liman, sanayi tesisi, eğlence ve kültür kuruluşlarının da katıldığı bu mimari etkinlik, dönemin ideolojisini yansıtan ölçülü bir modernist zevkin ürünlerinden oluşmaktaydı. 1940'lı yıllardaysa, değişen ideolojik yaklaşımın etkisiyle, mimari yeniden ulusalcı ve klasik çizgilere büründü.

imar
urban development

Although urban development came more or less to a standstill in the 1920s, Istanbul became the scene of a great revival in the 1930s, with particular importance being given to house construction. This architectural activity, which included universities, harbour facilities, industrial plants, recreational and cultural amenities, displayed a restrained modernity in keeping with the ideology of the period. In the 1940s, however, with the change in ideological approach, architecture returned to the old nationalist and traditional styles.

atatürk

Yeni devletin kurucusu ve önderi Mustafa Kemal Atatürk'ün İstanbul'la ilişkisi, kentin genç Türkiye'deki yeri bakımından simgesel bir özellik taşır. Cumhuriyet'in kuruluşundan sonra bir süre İstanbul'dan uzak duran Atatürk, kente ilk kez 1 Temmuz 1927'de geldi. Bunu giderek sıklaşan yaz tatilleri ve resmi ziyaretler izledi.Bu ziyaretler İstanbul'un siyasal ve kültürel yaşamda yeniden önem kazanmasını sağladı. Bazı reformların mesajları buradan verilmeye, bilimsel toplantılar burada düzenlenmeye ve yabancı konuklar, kentin tarihi mekânlarında ağırlanmaya başladı. Önder 10 Kasım 1938'de Dolmabahçe Sarayı'nda öldüğünde, onu hüzünle Ankara'ya uğurlayan da İstanbul ve İstanbullular oldu.

The ties between the Founder and Leader of the Republic and Istanbul is of great symbolic significance as regards the the city's position in the young Turkish Republic. On July 1, 1927 Atatürk returned to the city which he had sedulously avoided since the end of the War of independence. This was to be followed by other official visits and holidays of ever increasing frequency, visits which ensured Istanbul's return to its former position in the political and cultural life of the nation. Here, in the old city, some of the reform announcements were made, scholarly gatherings were held attended by the leader and his circle and foreign guests received. When the Leader died in Dolmabahçe Palace on October 10, 1938, it was Istanbul and the citizens of Istanbul that mournfully bade him farewell as he set out on his last journey to Ankara.

avrupalı sürgünler

exiles from europe

Tarihi boyunca birçok ünlüyü ağırlayan, siyasi mültecileri ve topraklarından kopmuş kitleleri barındıran İstanbul, bu özelliğini 20. yüzyılda da korudu. Sovyet Devrimi'nin ardından çar ailesi mensuplarını ve binlerce beyaz Rus göçmeni kabul eden kent, Troçki gibi sürgün bir Bolşevik liderin de ilk sığınma mekânı oldu. Cumhuriyet dönemindeki en önemli göç olayı, Hitler Almanyası'ndan kaçan 800 dolayında siyasi mültecinin Türkiye'ye gelişiydi. Bir bölümü Musevi olan bu mültecilerin neredeyse yarısı 1945'lere değin Türkiye'de ve en çok İstanbul'da kaldı; kentin önemli kurum ve programlarının gelişiminde önemli ve öncü görevler aldı. Üniversiteler, kültür ve sanat kuruluşları, sanayi tesisleri bu yetişmiş beyin potansiyelinden geniş ölçüde yararlandı. Mülteci yazar, düşünür, bilim adamı, sanatçı ve teknisyenlerin bazıları ölünceye değin İstanbul'da yaşadı.

Istanbul, which had played host to famous personages throughout its history and provided shelter to political refugees and others torn from their homelands, continued this tradition in the 20th century in offering a home to the Russian imperial family and the thousands of White Russians fleeing the Soviet Revolution. It also became the first sanctuary for the exiled Bolshevik leader Trotsky, but the most important migration of the century was the arrival of 800 political refugees, some of Jewish extraction, from Nazi Germany. About half of them stayed on in Turkey until 1945, most of them in Istanbul, carrying out significant pioneering work in the establishment of institutions and in drawing up their programs. The universities, various cultural and artistic establishments and industrial enterprises profited greatly from this source of trained intelligence. Some of these refugee writers, thinkers, scientists, artists and technicians were to remain in Istanbul for the rest of their lives.

Leon Trotski
Franz Eppenstein
Martin Wagner
Kurt Stenitz
Julius Hirsch
Eduard Marz
Harry Dember
Richard Weiss
Paul Bonatz
Karl Löwenthal
Andreas Tietze
Else Wolf
Hans Winters
Fritz Neumark
Bruno Taut
Karl Hellmann
Robert Vorhoelzer
Georg Meyer
Clemens Holzmeister
Karl Strupp
Arthur Hippel

"amerika, ay lav yu"

Türkiye savaşın bitimiyle birlikte ABD eksenli bir dış politikaya yöneldi. Soğuk Savaş ortamı ve ekonomideki liberalleşme eğilimi, yeni yönelişi destekleyen koşullardı. "Missouri" zırhlısının 1946'da İstanbul'u ziyaretiyle başlayan doğrudan temaslar, Marshall Planı uyarınca İstanbul limanına boşalan Amerikan malları, kentte boy gösteren NATO kervanları, ABD'li devlet adamı, asker ve sinema yıldızlarının ziyaretleriyle pekişti. Çok geçmeden ABD damgasını taşıyan filmler, resimli çocuk kitapları, müzik ezgileri ve danslar moda haline geldi. Modern İstanbul'un simgesi, 1955'te açılan Hilton Oteli'ydi. İstanbul artık tüketim mallarından imgelerine kadar Amerikan etkisinin ülkedeki en önemli görüntülerini sunmaktaydı.

With the end of the war, Turkey's foreign policy began to be based on that of the U.S.. This policy was strengthened by the Cold War environment and the tendency towards a liberalised economy. The visit of the U.S. battleship Missouri marked the beginning of direct relations, which were strengthened by the arrival of various goods under the auspices of the Marshall Plan, the appearance in the streets of the city of Nato convoys and the visits of statemen, soldiers and movie stars from the U.S. Soon American films and American style comics, songs and dances became the fashion. The symbol of modern Istanbul was the Hilton Hotel, which opened in 1955. Istanbul now displayed all the signs of American influence in Turkey, from consumer goods to urban image.

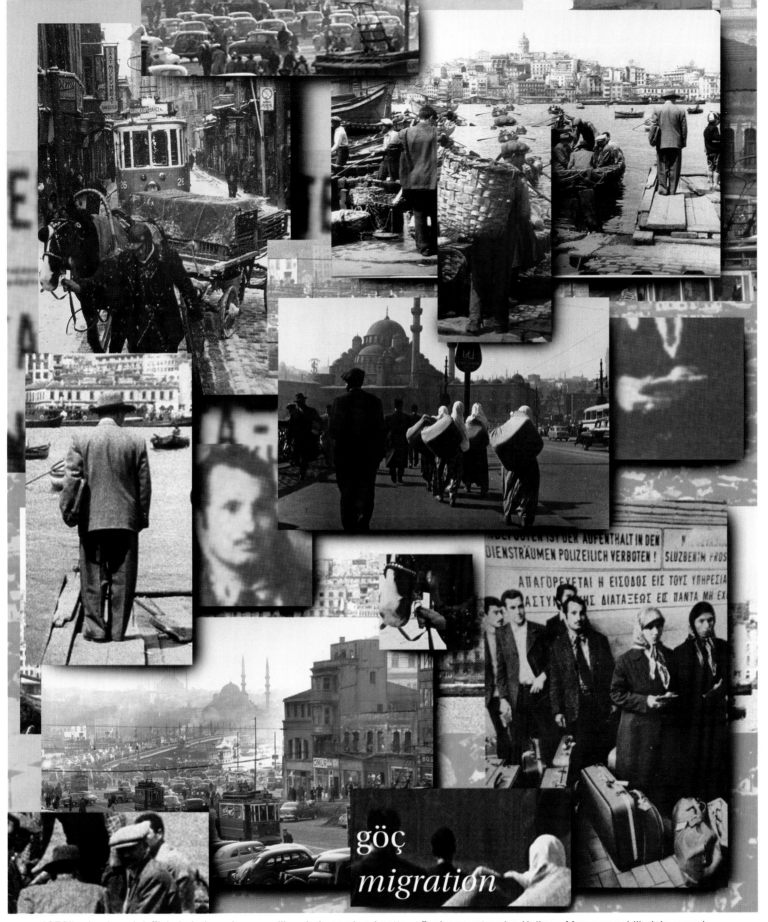

göç
migration

1950'lerde siyasal değişimlerle ivme kazanan liberal ekonomi ve kentte yoğunlaşan yatırımlar, Haliç ve Marmara sahillerinin sanayi tesisleriyle dolması sonucunu getirdi. Aynı dönemde Anadolu'dan kente yönelik göçler de yoğunlaştı. Buna 1950-51 yıllarında Bulgaristan'dan, 1954'te de Yugoslavya'dan gelen göçmenler eklenince, kentin nüfusu hızla artmaya ve ilk gecekondu mahalleleri oluşmaya başladı. Böylece kentin toplumsal ve mekânsal topografyasında en köklü dönüşümleri getirecek sürece girildi.

The liberal economy that gained momentum with the political changes of the 1950s, as well as increasing industrial activity within the city, filled the shores of the Golden Horn and the Marmara with factories. The same period saw a rise in migrations from Anatolia to the city. The influx of immigrants from Bulgaria (1950-51) and, later on, from Yugoslavia (1954), led to a rapid increase in the urban population and the appearance of the first shanty towns. Istanbul was now entering a period which was to witness fundamental changes in the social and physical topography of the city.

değişim başlıyor
change begins

Prost Planı'nın ilk uygulamaları ve liberal ekonominin yatırımlarıyla, İstanbul'un çehresi hızla değişti. Ama kent hem modern kapitalist toplumun ihtiyaçlarını, hem de yoğunlaşan nüfusun artan talep ve sorunlarını karşılayacak donanım ve altyapıya sahip değildi.

The whole apperance of the city was rapidly transformed as a result of the initial implementation of the Prost Plan and the investments arising from the new liberal economic policies. The city, however, lacked the necessary infrastructure and found itself ill equipped to meet the demands of an increasing population and the needs of a modern capitalist society.

yeniden imar

Nüfusu, yatırımları ve ihtiyaçları artan İstanbul'un sorunlarına çareler arayan yönetim, imarı temel araç olarak gördü. Çalışmalara bizzat dönemin başbakanı Adnan Menderes öncülük etti. Yöneticiler için imar, yeni yol ve meydanlar açmakla eşanlamlıydı. 1950-60 arasında kentte 7.000'den fazla yapı yıkıldı. Eski kent dokusunun içinden yeni bulvarlar geçirildi. Bunların bir bölümü Nazım Plan'ın öngördüğü yeni ulaşım arterleriydi. Ama bir çoğunun da açma kararını doğrudan başbakan veriyor ve çalışmaları da yine kendisi denetliyordu.

further urban development

The administration saw urban development as the only answer to Istanbul's growing problems of population, investment and infrastructure. Adnan Menderes, the Prime Minister of the day, took the lead in the work of construction. For the administration, urban development was synonymous with the construction of new roads and squares. Consequently, between the years 1950 and 1960, more than 7.000 buildings were demolished in Istanbul and broad thoroughfares torn through the historical fabric. Some of these were the new arterial roads envisaged in the master plan, but others were constructed on the orders of the Prime Minister and under his personal supervision.

eski...

old...

Siyasetçilerin ve karayolu mühendislerinin inisiyatifinin ön plana çıktığı 1950-60 imarı, motorlu trafiği belirleyici unsur haline getiren bir kent ortamı yarattı. Bulvarlar binlerce tarihi konutu, yüzlerce anıtı ve arkeolojik kalıntıyı ortadan kaldırdı. Açılan sahil yolları, mahallelerin denizle ilişkisini kopardı. İstanbul yeni yollar, otomobiller ve yapılarla çağdaş bir görünüm kazanıyordu; ama topografyası ve tarihi dokusu ciddi yaralar alıyordu. Bu eğilim 1970'lerin ortalarında Boğaz üzerinde inşa edilen ilk köprüyle yeni bir boyut kazandı ve bağlantı yolları çevresinde imarsız konut alanlarının gelişmesine yol açtı. Bunca yıkımdan sonra bile İstanbul, 1980'lere gelinceye değin Boğaziçi sırtlarında, Anadolu sahilinde ve bazı semtlerinde, tarihsel ve doğal kimliğinden izleri ve esintileri hâlâ taşımaktaydı.

...ve yeni

...and new

The urban development of the 50s and the 60s, directed and oriented by politicians and road engineers, created a city in which motor traffic became the main determining factor. The new thoroughfares destroyed thousands of old buildings, monuments and archeological remains, while the shore road broke the connection between the houses and the sea. Istanbul was acquiring a modern look with new roads, new buildings and new cars, but at the expense of serious damage to its topography and its historical fabric. In the 1970s this tendency took on a new dimension with the construction of the first bridge over the Bosphorus, leading to the proliferation of new shanty towns along the approach roads. However, even after such devastation, the Bosphorus slopes, the Anatolian shore and several other districts were still able to preserve something of the historical and natural character of the old Istanbul right up to the 1980s.

siyasi yoğunlaşma
political activity

Gerek ülke yöneticilerinin imar çalışmaları, gerekse artan ulusal ve uluslararası etkinlikler, İstanbul'un 1950'lerden başlayarak ülkenin siyasal ve toplumsal yaşamında yeniden ağırlık kazanmasını sağladı. Sanayinin ve emekçi nüfusun yoğunlaşması, geniş aydın ve öğrenci çevrelerinin varlığı, toplumsal tepkilerin daha çok bu kentte yükselmesinin nedenleriydi. Milliyetçi, sol ve hatta marjinal siyasal akımlar, gösteriler, çatışma ve patlamalar, kent mekânlarında sesini duyurmaya başladı.

From 1950 onwards, administrative efforts in the field of urban development and the increase in national and international socio-cultural activity restored Istanbul to its prime position in the social and political life of the country. The presence of large numbers of entrepreneurs, intellectuals and students made Istanbul an arena for the expression of various social reactions. Nationalist, leftist and even marginal political movements thrived, and the sounds of demonstrations, clashes and explosions began to be heard in the streets of the city.

kültür

culture

İstanbul, 1950'lerden 1980'lere doğru artan bir ivmeyle ülkenin kültürel yaşamında yeniden temel odak haline geldi. Uluslararası bir boyut kazanan seçkinci kültürel programlarda, eğlence ve dinlence etkinliklerinde zaten tartışmasız bir merkez konumu vardı. Bunların çoğu Batıcı bir tercihin damgasını taşıyordu. Bu yıllarda İstanbul'un geleneksel yerel kültür ve toplumsal yaşam renkleri gittikçe solarken, yeni yerellikler kente ve kent yaşamına ciddi boyutlar katmaktan henüz uzaktı.

As the result of an impetus that gradually increased in intensity from the1950s to the 1980s Istanbul once more became the nucleus of the nation's cultural life. It already enjoyed an indisputable central position with cultural programmes characterised by a definite international bias, most of which bore the stamp of Western trends, but as the traditional local culture and social life of Istanbul gradually faded, the newly emerging local colours were still far from adding a serious new dimension to the city and its way of life.

büyüme
growth

Kentin nüfus ve ekonomisindeki büyüme, eski-yeni birçok kurumun da 1950'lerle birlikte ölçek, kabuk ve görünüm değiştirmesine neden oldu. Belediye'den Adliye'ye, okullardan otellere ve iş merkezlerine kadar birçok yapı yenilendi. Yeni ve büyük kurumlar, gösterişli mekânlarla kentsel yaşamda yer edindi. Günün geçerli mimarlık eğilimlerini ve teknolojik olanaklarını yansıtan yapılar İstanbul'u yeni simgelere kavuşturdu.

As Istanbul's importance and population grew and its economy expanded, many institutions, old and new, underwent changes in scale, content and appearance by 1950s. Renovation work was carried out on many buildings, from the Town Hall to the Law Courts, from schools to hotels to business centers, but in the main their places were taken in the life of the city by new and grandiose buildings on impressive sites. Buildings that reflected technological progress and the fashionable architectural trends of the day endowed Istanbul with a new urban landscape and a new image.

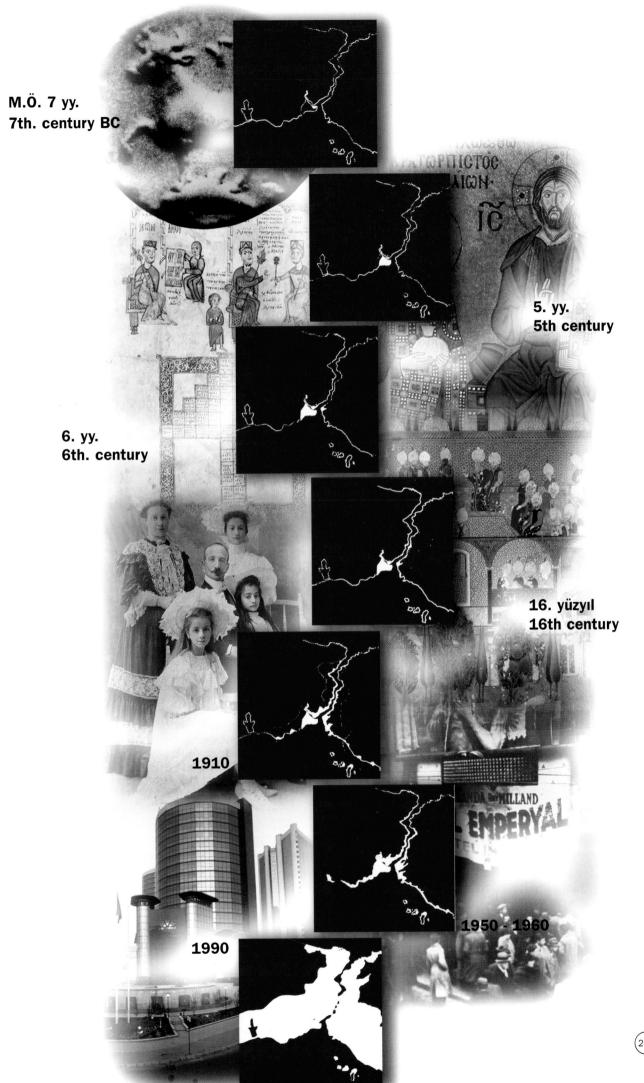

M.Ö. 7 yy.
7th. century BC

5. yy.
5th century

6. yy.
6th. century

16. yüzyıl
16th century

1910

1950 - 1960

1990

indifférents au désastre, continue de conter d'Istanbul. Le paysage de l'avenir avec comme posés entre ciel et terr de Stamboul et les splendeurs du Bosphore. les symboles de la turpitude: Hilton-Otel, Sheraton-Otel etc... Découvri a croiser le caïque de Pierre Loti dans les Istanbul équivaut souvent à marcher entre des ruines. L'image n'est pa Eaux Douces d'Asie! Il est vrai que la cité donne encore de quoi nourrir neuve, il préciser de quelles ruines on parle! Pet ses illusions de congés-payés! Avec ses tombées de rideaux d'une je, je délaisserai donc le passé voué assassine, ses mauves frissonnants, ses pourpres de tragédie, Is ruines du présent. Au temps de continue de fasciner. Vu de Galata à la tombée du jour, la colline d cinq ans, la plupart des constructions Stamboul offre toujours ce prodigieux spectacle décrit des milliers Sokak (rue d'importance moyenne fois: ces mosquées aériennes si profondément intégrées à leur site étaient bordées essentiellement de comme posées entre ciel et terre; ces minarets dressés comme des hautes généralement de deux étages... Une immens lances de pierre, émergeant d'un écran de fumée et de brume. Thubro majorité des maisons de bois de Stamboul a aujourd'hui disparu sans sans doute a raison lorsqu'il dit que ce paysage urbain "est à l'Orient que les incendies en soient cette fois directement la cause. Sur leur ce que New-York est à l'Occident, Pourtant, le rêve, ici plus qu'ailleurs emplacement, dans des ruelles n'excédant pas six mètres de largeur, sans doute, est un véhicule périlleux. Que l'œil un instant se détourne s'élèvent des immeubles qui peuvent aller jusqu'à huit étages. Construi et c'en est fini de l'illusion. L'image qui alors apparaît est un redoutable à la hâte, ces maisons de dix à vingt ans d'âge offrent déjà un aspect

"İstanbul'un söylediği şarkı artık sadece hafızalarda yankılanıyor. Kentin felaketine duyarsız yazarcıklar İstanbul'un güneş batımlarından ve Boğaziçi'nin güzelliklerinden dem vurmaya devam ediyorlar, bıkmadan. Onları duyan, "Asya'nın tatlı sularında" içinde Pierre Loti'yi taşıyan kayıkla karşılaşacağını sanabilir! Gerçekten kentin, yabancılara hâlâ ücretli tatil hayallerini besleyici şeyler sunduğu doğrudur. Kentin üzerine her perde inişinde öldürücü güzellikleri, titreyen morları, bir trajediden çıkma kızılları insanı İstanbul'a hâlâ hayran bırakıyor. Galata'dan bakıldığında karşı İstanbul yamacı binlerce kez betimlenen o olağanüstü

istanbul için requiem

manzarayı sunmakta: yer ile gök arasına yerleştirilmişçesine, çevrelerine derinden bağlı şu semavi camiler; duman ve sisten oluşmuş bir perdeden fırlayan, taştan mızraklar misali dikilen şu minareler. Bu kentsel görünümün, "Batı için New York ne ise Doğu için o" olduğunu söyleyen Thubron şüphesiz haklı. Ancak burada, hayal kurmak, her yerden daha tehlikeli bir araç olmakta. Gözün bir an kayması, hayalin de bitimi oluyor. Ortaya çıkan yeni görüntü, artık ürküntü verici bir düzeni haber veriyor. Gerçekten de eski kente sırtınızı dönmeniz ve yüzünüzü öteki tepeye çevirmeniz, İstanbul'un gerçek suretini keşfetmenize yetecektir. Orada –yer ile gök arasında asılı kalan– geleceğin simgelerini göreceksiniz: Hilton Oteli, Sheraton Oteli, ... aleladeliğin simgeleri. İstanbul'u keşfetmek çoğu kez harabeler arasında yürümek demektir. Bu yeni bir imge değil. Ancak belirtilmesi gereken şey hangi yıkıntıdan söz edildiğidir! Oturup *Guide Bleu*'yü yeniden yazmak yerine ben, ebediyetin malı olan geçmişi bir yana bırakıp, yüzümü bugünün yıkıntılarına çevireceğim. Menderes zamanında, bundan daha sadece yirmi beş yıl önce, İstanbul yapılarının çoğu hâlâ ahşaptandı. *Sokak*'lar, *Yokuş*'lar, *Çıkmaz*'lar, yükseklikleri genellikle iki katı geçmeyen bu tip evlerle çevriliyordu... İstanbul'un ahşap konutlarının büyük çoğunluğu bugün artık yok ve bunun esas sebebi de bu kez yangınlar değil. Yerlerinde, genişliği altı metreyi geçmeyen ara sokaklar üstünde, sekiz kata varan apartmanlar yükseliyor. Alelacele inşa edilen bu on ya da yirmi yıllık konutlar, daha şimdiden büyük bir yıpranmışlık etkisi veriyor ve bunlar İstanbul'un eski kent dokusunun önemli bölümünü işgal etmekte. Kentin orasına burasına yayılmış son geleneksel konutlarsa, tuhaf ve ürkütücü bir kimliğe bürünmüşler. Üzerlerine birkaç çaput ya da plastik çakılı, penceresiz çerçeveler kimi kez heykellerle bezenmiş görkemli kaplamalar gibi duruyor. Bunlar en ufak bakımdan bile yoksun; sefaletin barınağı olmuşlar ve en küçük tebirsizlikle yanıp kül olacaklar. Marmara kıyılarına yakın kimi ara sokaklarsa, günlük hayatın mekânından çok bir film seti duygusu veriyor. Oysa oralarda çoğu başka yerden daha kötü yaşanmadığı kesin. 1930-1940 yıllarında inşa edilen kâgir yapılar da, tıpkı Kumkapı'nın o güzelim çıkmalı evleri gibi, ahşap konutlarla aynı kaderi paylaşmakta. Bir zamanlar korunup öğrenci yurduna dönüştürülen *Konak*'lar, görev değişikliğine dayanamamışlar, onlar da yanmış! Eski İstanbul'dan yakın bir zaman içinde hiçbir şey kalmayacak: sadece camiler ve köprülü kavşaklar. Ve cehenneme açılan yollarda, paralı geçiş noktaları. 1956-1959 yıllarının *güzelleştirme* çalışmaları sırasında orası burası yarılıp parçalanan eski kenti tanımak artık mümkün değil. Aradan geçen yirmi yıl içinde, Menderes yönetiminin eseri öylesine sadakatle uygulanmaya devam edildi ki, bugün kendinizi Brüksel'in Kuzey Kesimi'nde sanmanız işten değil. Oysa bu kent ne eşsiz bir dekor sunuyor! İstanbul'un göbeğinde deniz öyle bir mevcudiyete sahip ki, bir sokağın köşesinde bir transatlantikle karşılaşmayı umabilirsiniz. Ama kıyıya yaklaştığınızda karşınıza çıkan, demiryolu olacaktır! Tren yolu boyunca, yer yer, varlığını zaman dışı olarak sürdürebilen birkaç konak. Sonra, bağırlarına dayanmış gazinolar ve üzerlerine asılı gecekondularla bezeli Bizans surları. Ve karşıda deniz. Ve bu kez hiçbir betondan perde olmaksızın. Hiçbir itiraza uğramadan. Kıyıda küçük lokantalar ve direkler üstünde kıyı meyhaneleri. Marmara kıyısında yaşanacak pazar tatilleri hâlâ mutlu günler olabilirdi... insanın ancak hayatı pahasına aşabildiği sahil yolu olmasaydı.

Andre Barey

ditionnelles revêtent un caractère à la fois étrange et inquiétnt. Des
cadrures sans fenêtres, à peine protégées par des lambeaux de chiffon
de plastique, apparaissent parfois de somptueux lambris sculptés.
pourvues du moindre entretien, elles sont devenues le refuge de la
sére et menacent de prendre feu à la moindre imprudence. Certaines
elles riveraines de la Marmara, encore entièrement composées de
aisons de bois, donnent davantage l'impression d'un lieu de tournage
e d'un cadre de vie quotidienne. Et pourtant, il ne fait pas de doute
e partout ailleurs. Les immeubles de pierre construits aux alentours
1930-1940, de même que les très belles demeures à encorbellement
Kumkapi, connaissent un sort identique à celui des maisons de bois.
s konak (grandes maisons privées turques), que l'on avait parfois
servés et reconvertis en maisons d'étudiants, n'ont pas supporté le
angement d'affectation: ils ont brûlé! De l'ancienne Stamboul, il ne
stera bientôt plus rien que des mosquées et des échangeurs, et des

méconnaissable. Depuis vingt ans, l'œuvre de l'administration Menderes
a été poursuivie avec une telle application que l'on se croirait au Quartier
Nord de Bruxelles! Quel prodigieux décor pourtant que cette ville! Au
cœur de Stamboul, la mer est tellement présente qu'on croirait voir des
transatla   à mesure que l'on
s'approch   l'on découvre! De place
en place   achroniques, quelques
maisons   ailles byzantines, avec
les casi   illes en surplomb. Et en
face, la me   ur la contredire. Avec
des guinguettes et des bistrots sur pilotis. Les dimanches de la Marmara
seraient sans doute encore d'heureux dimanches sans laroute du front
maritime, franchissable qu'au péeril de sa vie.

Andre Barey

The song of Istanbul is now to be heard only in memory, although, indifferent to the disaster that has afflicted the city, literary hacks continue undeterred to describe the city's sunsets and the splendours of the Bosphorus. One might almost expect to encounter Pierre Loti's calque on the Sweet Waters of Asia! True, the city still has the means to entertain the illusions of your package-holiday visitors! As each curtain falls over the city, its fatal beauties and its shimmering mauves continue to arouse wonder and admiration in the spectator. Viewed from Galata, the old city of Istanbul still presents the prodigious spectacle described a thousand times over in the past - the heavenly mosques, in such profound harmony with their sites, that seem to hang suspended between the sky and the earth, and the minarets soaring up like stone lances as they emerge from a screen of smoke and mist. Thubron is no doubt right in saying that this urban landscape "is to the East what that of New York is to the West". However, dreams are more treacherous here than probably anywhere else in the world. Let your eye turn away only an instant, and the illusion is gone. The picture that now appears is the harbinger of a terrifying new order. To turn your back on the old city and look towards the other hill is all it takes to uncover the real face of Istanbul. There you will see the Hilton and Sheraton Hotels, symbols of the future, - *suspended between the earth and sky* - symbols of the most profound vulgarity! ... Discovering

Istanbul often means having to walk between ruins. There's nothing new in the image, one has simply to establish what ruins one is talking about. But rather than attempt to write another *Blue Guide*, I shall abandon the past to literature and turn to the ruins of the present. In Menderes's time, hardly twenty years ago, most of the buildings of Istanbul were still made of wood. The *Sokak* (street of medium importance), *Yokuş* (steep street), *Çıkmaz* (dead end) were lined with houses of this type, rarely more than two storeys high. The vast majority of the wooden houses of Istanbul have now disappeared, and in this case it wasn't fire that was the cause of their disappearance. Buildings of up to eight storeys have risen in their place, in streets no more than six metres wide. Built in haste, these ten or twenty year old houses, which now cover most of the old urban fabric of Istanbul, have already acquired a thoroughly derelict appearance. As for the old traditional houses scattered here and there throughout the city, they have now assumed a strange and quite frightening character. Through windowless window-frames, barely protected by shreds of cloth or plastic, you sometimes get a glimpse of sumptuous sculpted panellings. For lack of the most cursory maintenance, they have become the refuge of squalor and misery, threatening to go up in flames at the slightest act of negligence. Certain streets near the Marmara shores are still entirely composed of wooden houses, but they give the impression of being a film set rather than part of an everyday environment. Nevertheless, life

is probably no worse here than anywhere else. Stone buildings built around 1930-1940, such as the very beautiful houses with bay windows at Kumkapı, have met with the same fate as the wooden houses. Most of the old *Konak* (large Turkish private houses) which had been preserved and later converted into student hostels were unable to adapt to the change in function and have gone up in flames. Soon nothing will be left of the old Istanbul but mosques and flyovers. Not to mention the toll barriers on the road to hell! The old city, ripped apart on all sides during the "improvements" of 1956-1959, has become utterly unrecognisable. Throughout the last twenty years, the work of the Menderes administration has been continued with such zeal that you could well imagine yourself in the North District in Brussels. And yet, what a prodigious sight this city still presents! Even in the very heart of Istanbul, the sea is so present that you might well expect to see a liner cruising past the corner of the street. However, as you get nearer the coast, it is the train that seizes your attention! Here and there along the railway line, a few mansions survive as anachronisms. Then the Byzantine walls appear, with cafés clinging to their sides and adorned with squatter houses. On the opposite side, the sea, this time with no concrete screen, with nothing to oppose it, with little restaurants on the shores and meyhanes built out on piles. Sundays spent on the Marmara shore would no doubt still be happy days, if it were not for the coastal highway, which you can only cross at the risk of your life.
Andre Barey

requiem for istanbul

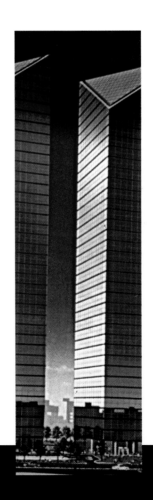

Burada sunulan, Byzantion-Konstantinopolis-İstanbul'un sonuncu kimliğinin öncekileri dönüşüme uğratan görüntülerinden oluşan gerçeküstü kurgusudur.

Zaman, o pek tanınmış fizik kuramında olduğu gibi harekete dönüşmüştür artık. Kenti ikibin yıllık tarihi içinde "o kent" yapan coğrafya neredeyse silinmekte; mêkan oradan oraya dönen insanların ve araçların sonsuz devinim alanı olmaktadır.

Dönüşüm giderek izlenmesi zor kaotik bir devingenlikle savrulup gider kent görüntüsüzleşir.

video

What is presented here consists of a surrealistic composition formed by views of the latest identity of Byzantium-Constantinople- Istanbul imposed upon the earlier.

Time is converted into movement as in the well-known physical theory. The geography that created ":that city" throughout a thousand years' history is now effaced. The area has become the field of endless movement of men and machines endlessly moving from one place to another.

It becomes more and more difficult to follow the transformation as the city dissolves in a chaos of movement.

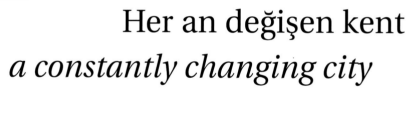

Her an değişen kent
a constantly changing city

1 Byzantion. Konstantinopolis'e yeni görüntülerle geçer.

Byzantium is transformed into Constantinople.

2 İstanbul, Konstantinopolis'e eklenir.

Istanbul is added to Constantinople.

3 On milyon insan... On milyon insanın ve onları oradan oraya taşıyan araçların trafiği kenti parçalar; coğrafyanın belirlediği yerler ve tanımlar değişir; yerle özdeşleşen tarihsel tanıkların, anıtların konum ve anlamlarını silmeye başlar.

A population of ten million... The traffic of ten million people and the vehicles carrying them from one place to another divide up the city, alter the places and their identity as determined by the geography and erase the location and meaning of the historical witnesses and monuments that had fused with the places themselves.

4 Su yolları, kıyı çizgileri, yerlerini bulvarlara, otoyollara bırakır...

The streams and coast-line have been replaced by wide thoroughfares and motorways.

5 Yer yine o yerdir...

It is still the same place.

6 Ama şehrin bir yakasından ötekine akan insan selinin doldurduğu mekân; kavranan anlamlı varlık olmaktan çıkıp, bu sonsuz devinimin kendisiyle özdeşleşir.

But the space filled with the torrent of people passing from one side of the city to the other loses all meaningful significance and becomes one with this endless movement.

1

Ana tema, kent kimliğinin eyleme, mekânın harekete, simgenin anlık izlenime dönüşmesidir. Bu, tarihi kent mekânında anlamların kayması; kentsel büyüme, nüfus patlaması ve ulaşım sistemleri önceliğinin kentin tarihsel ve coğrafi sürekliliğini parçalaması demektir. Ancak parçalar, yeni bir kurgu ve bir başka biçimde birleşmiş olmaktan da uzaktırlar... Yollar boyunca akar giderler.

Video, iki yanına yerleştirilmiş alıcıları taşıyan bir otomobilin kentin bir ucundan öbürüne ulaşan 50 km'lik yolculuğunun görüntülerinden oluşur.

The main theme is the transformation of the urban identity into action, space into movement and symbol into momentary impression. This means the displacement of concepts in the historical urban space, the disintegration of the historical and geographical continuity of the city arising from urban expansion, the population explosion and the priority given to the transport systems. But the fragments are still very far from combining in a new synthesis and another form... They go on uninterruptedly year after year.

The video consists of scenes filmed by cameras placed on each side of an automobile travelling the whole 50 km from one end of the city to the other.

01.56.5

2

3

video

beş dakikada istanbul

istanbul in five minutes

4

1 Kent herşeyden önce "bir yer"dir.
On milyon insanın ve onları oradan oraya taşıyan araçların trafiği "yerleri" böler.
Yerler trafik koridoruna döner.

The city is first and foremost "a place".
The movement of ten million people and the vehicles carrying them here and there divide the city into "places". The places are transformed into traffic corridors.

2 Kent görüntüleri, simgesel anlamlarını üzerlerinden atıp film karelerine, sekanslara dönüşür.

The urban scenes throw off their symbolic significance and dissolve into film shots and sequences.

3 Otoyol manzaraları, hep tekrarlanan, parçası bütününden; ...

Motorways, one after the other, part of the whole...

4 .. bir önceki, bir sonrakinden farksız bulvar cepheleri

Wide thoroughfares, each one identical with the one before...

5 Bu sonsuz akışın başdöndürücü temposu içinde bazen yaşlı bir yapının ve önündeki çınarlar farklı görünümü, neredeyse aykırı bir nota yankısı yapar.

Sometimes, in the midst of this endless, dizzying tempo an old building with a plane tree on front of it will present a very different picture and sound a very different note.

6 Sonra her şey normalleşir... Ve tekrarın egemenliği yeniden başlar. Bu müzik melodiyi de, uyumu da unutmuştur. Her şey hızlı bir ritmden ibarettir. Ve ritm, yol boyunca akıp giden görüntülerin tekrarı demektir.

Then everything returns to normal...
And repetition resumes command.
This music has lost both melody and harmony.
Only a hectic rhythm remains. And the rhythm corresponds to the views that flow past uninterruptedly along the roads.

5

6

T Ü R K İ Y E
EKONOMİK VE TOPLUMSAL
TARİH VAKFI

sergi koordinatörlüğü
exhibition coordination

Genel Koordinatör
General Coordinator
Afife Batur

Bilimsel İşlerden Sorumlu Koordinatör Yardımcısı
Assistant Coordinator (Scientific)
Pelin Derviş

İdari İşlerden Sorumlu Koordinatör Yardımcısı
Assistant Coordinator (Executive)
Canset Aksel

Teknik İşlerden Sorumlu Koordinatör Yardımcısı
Assistant Koordinator (Technical)
Zeynep Fulya Kaya

İdari İşler Yardımcısı
Junior Assistant Coordinator (Executive)
Ayşe Bilen

Arşiv sorumlusu
Archivist
Gökçen Tuba Temelci

Araştırmacı
Researcher
Mert Eyiler

Sekreter
Secretary
Filiz Bostancı

Fotoğraf
Photography
Aras Neftçi
Erkin Emiroğlu
Yavuz Çelenk

mimari
architecture

proje mimarı
project architect
Mehmet Konuralp
Konuralp A.Ş.

mimari tasarım
design architect
Ahmet Özgüner
Paralel 41 Mimarlık A.Ş.

mimari kontrol
site supervision
Gökçe Akçınar

yaratıcı grup
creative group

proje koordinatörü
project coordinator
Ahmet Özgüner

kreatif direktörler / art direktörler / proje yönetimi
creative directors / art directors / project management
Eray Makal   **Şölen Bazman**

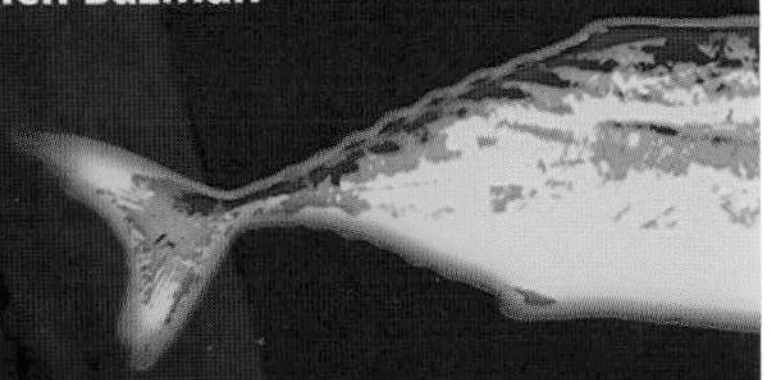

tasarımcılar
designers
Erhan Muratoğlu
İlkay Aydın
Murat Germen

donanım
hardware
power macintosh 8500/120,
132 Mb RAM
power macintosh 8500/120,
64 Mb RAM
6 Gb sabit bellek / memory
apple macintosh II C 1
laser writer 4/600 PS
sharp scanner G x 300/24 bit

yazılım
software
Adobe Photoshop 3.0
Microsoft Word 5.0
Freehand 5.0

baskı
printing
Dimage Digital Fotoğrafçılık
San. ve Tic. A.Ş.
digital sistem/system:
Kodak digital science technology
(Kodak photo CD,
premier work station, LTV)
kağıt / paper : Kodak paper

videolar
videos

yapım / production
Sinerji

üç boyutlu canlandırma / 3 D animation
Öykü Madeni

alıntı ve
görsel malzeme listesi
list of quotations and images

Mimari/Architecture: Ahmet Özgüner, Paralel 41 Mimarlık

Tüm pano tasarımları/All panel designs: Eray Makal, Şölen Bazman, İlkay Aydın, Erhan Muratoğlu, Murat Germen

Videolar/Videos: yapım/production by Sinerji, 3 boyutlu animasyon/3-D animation by Öykü Madeni

Maketler/Models
Konstantinopolis 1200, Kent Merkezi•Hippodrom, Büyük Saray, Ayasofya/
Constantinople 1200, City Centre•Hippodrome, the Great Palace, Hagia Sophia
Ölçek/Scale: 1/500
Bilimsel Danışman/Scientific Consultant: Dr. Albrecht Berger
Maket yapım/Model making: Y. Mim. /Arch. Mehmet Şener, Atölye 77

Konstantinopolis 1200/Constantinople 1200
Ölçek/Scale: 1/2000
Bilimsel Danışman/Scientific Consultant: Dr. Albrecht Berger
Maket yapım/Model making: Varjan Yurtgülü, Atölye Mim

İstanbul 1800
Ölçek/Scale: 1/2000
Bilimsel Danışman/Scientific Consultant: Prof. Dr. Afife Batur
Maket yapım/Model making: Varjan Yurtgülü, Atölye Mim

Kısaltmalar/Abbrevations
TSM/TPM
Topkapı Sarayı Müzesi/Topkapı Palace Museum
YKVNT
Yapı Kredi Vedat Nedim Tör
İAM/IAM
İstanbul Arkeoloji Müzesi/Istanbul Archeological Museum
İÜ/IU
İstanbul Üniversitesi/Istanbul University
İBŞB
İstanbul Büyük Şehir Belediyesi
TÜBİTAK
Türkiye Bilimsel ve Teknik Araştırma Kurumu
MAM
Marmara Araştırma Merkezi

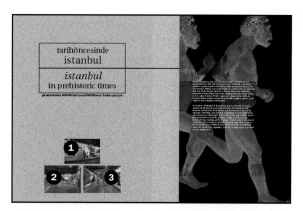

14

1-3) "Dünya Kenti İstanbul Sergisi Tarih Öncesi Bölümü görüntüleri / Istanbul World City Exhibition, images from Prehistoria Section", Darphane-i Amire Binası / Imperial Mint Building, salon/ hall no: 3.1. Fotoğraflar / Photographs: Murat Germen, TV Arşivi / HF Archives

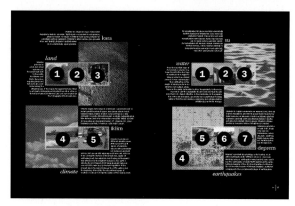

16

1) "İstanbul tipik bitki örtüsü: Erguvan / Istanbul, the flora: the Judas tree", Fotoğraf / Photograph: Selmin Özgüne **2)** "av sahnesi / hunting scene", Hünername, II. cilt. / volume II, H. 1524 88a / TSM, / MTP **3)** "Kumkapı'da balıkçılar / fishermen at Kumkapı", TV Arşivi / HF Archives **4)** "lodosta İstanbul kıyıları / shores of Istanbul during the southwestern wind", Fotoğraf / Photograph: Laleper Aytek, Laleper Aytek arşivi / Archives **5)** "1995, sel baskını / flood of 1995", *Milliyet* arşivi / Milliyet archives

17

1) "Boğazda gemiler / ships on the Bosphorus", Fotoğraf / Photograph: Orhan Özgüner **2)** "Mağlova Su Kemeri / The Mağlova Aqueduct", Fotoğraf / Photograph: Aras Neftçi, Aras Neftçi Arşivi / Archives **3)** "minyatürlerde eski gemiler / old ships in miniatures" **4)** "İstanbul civarında son zamanlardaki deprem kaydı / distribution map of recently increased seismic activity", Boğaziçi Üniv. Kandilli Rasathanesi / Boğaziçi University Kandilli Observatory and Earthquake Research Institut **5) & 6)** "1894 depreminde Heybeliada Ruhban Mektebi / The Monastery School of Halki (Heybeliada) after the 1894 earthquake", Afife Batur Arşivi / Archives **7)** "1894 depreminden sonra Topkapı surları / the city walls of Topkapı after the earthquake of 1894", Afife Batur Arşivi / Archives

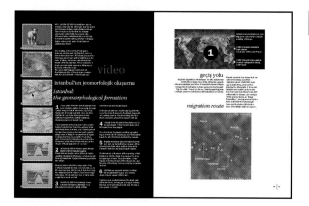

19

1) "Göç Yolu Haritası / Map: Migration routes from Africa to Europe", Alt Paleolitik Çağ / Lower Paleolithic Period

20

1) "Yarımburgaz Aşağı Mağara, kesitte alt Paleolitik Çağ dolgusu / Early Paleolithic stratified deposits in Yarımburgaz Lower Cave", section, Alt Paleolitik Çağ / Early Paleolithic Period, Yarımburgaz Mağarası / Yarımburgaz Cave, Fotoğraf / Photograph: Ahmet Boratav, Mehmet Özdoğan - Trakya Arşivi / -Thracian Archives **2)** "Yarımburgaz Aşağı Mağara, Alt Paleolitik Çağ yaşam düzlemi / Yarımburgaz Lower Cave, Living floor of Early Paleolithic", Alt Paleolitik Çağ / Early Paleolithic Period, Yarımburgaz Mağarası / Yarımburgaz Cave, Ahmet Boratav, Mehmet Özdoğan - Trakya Arşivi / - Thracian Archives

21

1) Yarımburgaz Mağarası, (Yukarı Mağara) kazı sırasında / Yarımburgaz (Upper Cave) during excavation", Yarımburgaz, Fotoğraf / Photograph: Ahmet Boratav, Mehmet Özdoğan - Trakya Arşivi / -Thracian Archives **2)** "Yarımburgaz Mağarası, (Yukarı Mağara) Bizans döneminden Alt Paleolitik Çağa kadar olan dolguları gösteren kesit / profile showing layers from the Byzantine to Early Paleolithic (Upper Cave)", Yarımburgaz, Fotoğraf / Photograph: Ahmet Boratav, Mehmet Özdoğan - Trakya Arşivi / -Thracian Archives **3)** "Yarımburgaz Mağarası, (Yukarı Mağara) genel görünüm / Yarımburgaz (Upper Cave), general view", Yarımburgaz, Fotoğraf / Photograph: Ahmet Boratav, Mehmet Özdoğan - Trakya Arşivi / -Thracian Archives

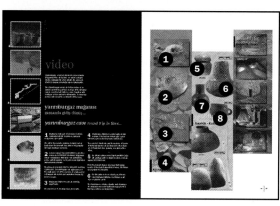

23

1) "Yarımburgaz Aşağı Mağara, soyu tükenmiş mağara ayısı kafatası / Yarımburgaz Lower Cave, skull of the extinct cave bear", Alt Paleolitik Çağ / Early Paleolithic Period, Yarımburgaz, İÜPrehistorya Arşivi / IU Prehistoria Archives, Fotoğraf / Photograph: Ahmet Boratav, Güven Arsebük - Yarımburgaz Arşivi / -Yarımburgaz Archives **2)** "Alt Paleolitik çakıltaşı alet / pebble tool from Early Paleolithic", taş / stone, Alt Paleolitik / Early Paleolithic, Yarımburgaz, İÜPrehistorya Arşivi / IU Prehistoria Archives, Fotoğraf / Photograph: Ahmet Boratav, Güven Arsebük - Yarımburgaz Arşivi / - Yarımburgaz Archives **3)** "Yarımburgaz Aşağı Mağara, soyu tükenmiş mağara ayısı ayağı / foot of the extinct cave beer from Yarımburgaz Lower Cave", Alt Paleolitik Çağ / Early Paleolithic Period, Yarımburgaz, İÜPrehistorya Arşivi / IU Prehistoria Archives, Fotoğraf / Photograph: Ahmet Boratav, Güven Arsebük - Yarımburgaz Arşivi / - Yarımburgaz Archives **4)** "Yarımburgaz çakıltaşı alet ve yongalar / Yarımburgaz pebble and flake tools", taş / stone, Alt Paleolitik Çağ / Early Paleolithic Period, Yarımburgaz / İÜPrehistoria Arşivi / IU Prehistoria Archives, Fotoğraf / Photograph: Ahmet Boratav, Güven Arsebük - Yarımburgaz Arşivi / - Yarımburgaz Archives **5)** "Yarımburgaz taş balta / Yarımburgaz stone axe", taş / stone, epipaleolitik-Neolitik Çağ / epipaleolithic-Neolithic Period, Yarımburgaz, İstanbul Arkeoloji Müzesi / AMI, Fotoğraf / Photograph: Ahmet Boratav, Mehmet Özdoğan - Trakya arşivi / - Thracian Archives **6)** "Yarımburgaz IV. tabaka kazıma bezemeli kap / incise decorated vessel from Yarımburgaz IV" pişmiş toprak / terra cotta, Neolitik Çağ / Neolithic Period, Yarımburgaz, İAM / AMI, Fotoğraf / Photograph: Ahmet Boratav, Mehmet Özdoğan - Trakya Arşivi / - Thracian Archives **7)** "Yarımburgaz III. tabaka çizi bezemeli kap / incise decorated vessel from Yarımburgaz III", pişmiş toprak / terra cotta, Kalkolitik Çağ / Chalcolithic Period, Yarımburgaz, İAM / AMI, Fotoğraf / Photograph: Mehmet Özdoğan, Mehmet Özdoğan-Trakya Arşivi / -Thracian Archives **8)** "Yarımburgaz II. tabaka çizi bezemeli kap / incise decorated vessel from Yarımburgaz II", pişmiş toprak

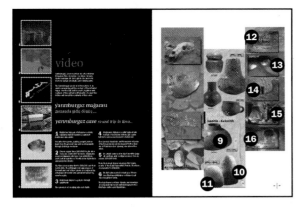

/ terra cotta, Kalkolitik Çağ / Chalcolithic Period, Yarımburgaz, İAM / AMI, Fotoğraf / Photograph: Ahmet Boratav, Mehmet Özdoğan - Trakya Arşivi / - Thracian Archives **9)** "Yarımburgaz Mağarası IV. tabaka kazıma ve baskı bezemeli kap / incise and excise decorated vessel from Yarımburgaz IV", pişmiş toprak / terra cotta, Neolitik Çağ / Neolithic Period, Yarımburgaz, İAM / AMI, Fotoğraf / Photograph: Ahmet Boratav, Mehmet Özdoğan - Trakya Arşivi / - Thracian Archives **10)** "Yarımburgaz Mağarası kemik tığ / a large bone needle", kemik / bone, Neolitik Çağ / Neolithic Period, Yarımburgaz, İAM / AMI, Fotoğraf / Photograph: Ahmet Boratav, Mehmet Özdoğan - Trakya Arşivi / - Thracian Archives **11)** "Yarımburgaz Mağarası yassı baltalar / celts from Yarımburgaz", taş / stone, Kalkolitik Çağ / Chalcolithic Period, Yarımburgaz, İAM / AMI, Fotoğraf / Photograph: Ahmet Boratav, Mehmet Özdoğan - Trakya Arşivi / - Thracian Archives **12)** "Yarımburgaz Mağarası'nın önünde Hellenistik Tapınak duvarı / remains of Hellenistic sanctuary", Helenistik Çağ / Hellenistic Period, Yarımburgaz, Fotoğraf / Photograph: Mehmet Özdoğan - Trakya Arşivi / - Thracian

Archives **13)** "Yarımburgaz rampada Roman apsis duvarı / the Roman apsis on the ramp of Yarımburgaz", Roman, Yarımburgaz, Fotoğraf / Photograph: Ahmet Boratav, Mehmet Özdoğan - Trakya Arşivi / - Thracian Archives **14)** "Yarımburgaz Mağarası dışında roman mezar odası / Roman Burial Chamber exterior facade of the Yarımburgaz Cave", Roman, Yarımburgaz, Fotoğraf / Photograph: Mehmet Özdoğan - Trakya Arşivi / - Thracian Archives **15)** "Yarımburgaz Yukarı Mağara, Bizans dönemi nişleri / Byzantine niches from Yarımburgaz Upper Cave", Bizans / Byzantine, Yarımburgaz, Fotoğraf / Photograph: Ahmet Boratav, Mehmet Özdoğan - Trakya Arşivi / - Thracian Archives **16)** "Yarımburgaz Yukarı Mağara, Bizans apsisi / Byzantine apsis from Yarımburgaz Upper Cave", Bizans / Byzantine, Yarımburgaz, Fotoğraf / Photograph: Ahmet Boratav, Mehmet Özdoğan - Trakya Arşivi / - Thracian Archives

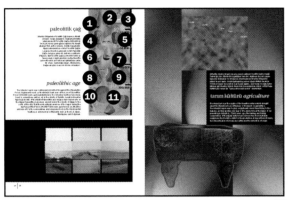

24 **1)** "geometrik biçimli mikrolit alet / geometric microlithic tool", çakmaktaşı / flint, Epi-Paleolitik / Epi-Paleolithic, Domalı / İÜPrehistorya Arşivi / IU Prehistoria Archives, Fotoğraf / Photograph: Mehmet Özdoğan, Mehmet Özdoğan - Trakya Arşivi / - Thracian Archives **2)** "geometrik biçimli mikrolit alet / geometric microlithic tool", çakmaktaşı / flint, Epi-Paleolitik / Epi-Paleolithic, Gümüşdere, İÜPrehistorya Arşivi / IU Prehistoria Archives, Fotoğraf / Photograph: Mehmet Özdoğan, Mehmet Özdoğan - Trakya Arşivi / - Thracian Archives **3)** "geometrik biçimli mikrolit alet / geometric microlithic tool", çakmaktaşı / flint, Epi-Paleolitik / Epi-Paleolithic, Ağaçlı, İÜPrehistorya Arşivi / IU Prehistoria Archives, Fotoğraf / Photograph: Mehmet Özdoğan, Mehmet Özdoğan - Trakya Arşivi / - Thracian Archives **4)** "kazıyıcı aletler / scrapers", çakmaktaşı / flint, Üst Paleolitik Çağ / Upper Paleolithic, Ağaçlı, İÜPrehistorya Arşivi / IU Prehistoria Archives, Fotoğraf / Photograph: Mehmet Özdoğan, Mehmet Özdoğan - Trakya Arşivi / - Thracian Archives **5)** "kazıyıcı aletler / scrapers", çakmaktaşı / flint,

Üst Paleolitik Çağ / Upper Paleolithic, Ağaçlı, İÜPrehistorya Arşivi / IU Prehistoria Archives, Fotoğraf / Photograph: Mehmet Özdoğan - Trakya Arşivi / - Thracian Archives **6) & 7)** "Moustier aletler / Mousterian implements", çakmaktaşı / flint, Orta Paleolitik Çağ / Middle Paleolithic Period, Ağaçlı, İÜPrehistorya Arşivi / IU Prehistoria Archives, Fotoğraf / Photograph: Mehmet Özdoğan, Mehmet Özdoğan - Trakya Arşivi / - Thracian Archives **8) & 9)** "el baltaları / hand-axes", taş / stone, Alt Paleolitik / Lower Paleolithic Period, Dudullu, İÜPrehistorya Arşivi / IU Prehistoria Archives, Fotoğraf: Mehmet Özdoğan - Trakya Arşivi / - Thracian Archives **10)** "çakıltaşı alet / pebble tool", taş / stone, Alt Paleolitik Çağ / Lower Paleolithic Period, Eskice Sırtı / Eskice terraces, İÜPrehistorya Arşivi / IU Prehistoria Archives, Fotoğraf / Photograph: Mehmet Özdoğan - Trakya Arşivi / - Thracian Archives **11)** "çakıltaşı alet / pebble tool", taş / stone, Alt Paleolitik Çağ / Lower Paleolithic Period, Gümüşdere, İÜ Prehistorya Arşivi / IU Prehistoria Archives, Fotoğraf: / Photograph: Mehmet Özdoğan - Trakya Arşivi / - Thracian Archives

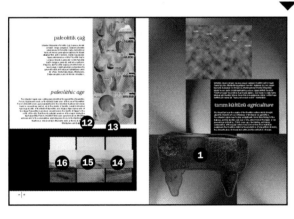

12) & 13) "çakıltaşı alet / pebble tool", taş / stone, Alt Paleolitik Çağ / Lower Paleolithic Period, Eskice Sırtı / Eskice terraces, İÜ Prehistorya Arşivi / IU Prehistoria Archives, Fotoğraf / Photograph: Mehmet Özdoğan - Trakya Arşivi / - Thracian Archives **14)** "kıyı kumullarında Epi-Paleolitik dönem konak yeri / Epipaleolithic camp sites on the coastal sand dunes", Epi-Paleolitik Çağ / Epi-Paleolithic Period, Gümüşdere, Fotoğraf / Photograph: Mehmet Özdoğan - Trakya Arşivi / - Thracian Archives **15)** "kıyı kumullarında Epi-Paleolitik dönem konak yeri / Epipaleolithic camp sites on the coastal sand dunes", Epi-Paleolitik Çağ / Epi-Paleolithic Period, Alaçalı, Fotoğraf / Photograph: Mehmet Özdoğan - Trakya Arşivi / - Thracian Archives **16)** "kıyı kumullarında Epi-Paleolitik dönem konak yeri / Epipaleolithic camp sites on the coastal sand dunes", Epi-Paleolitik Çağ / Epi-Paleolithic Period, Ağaçlı, Fotoğraf / Photograph: Mehmet Özdoğan - Trakya Arşivi / - Thracian Archives

25 **1)** "köşeli kap / rectangular vessel", pişmiş toprak / terra cotta, Neolitik Çağ / Neolithic Period, Fikirtepe / İAM / AMI, Fotoğraf / Photograph: Mehmet Özdoğan - Trakya Arşivi / - Thracian Archives

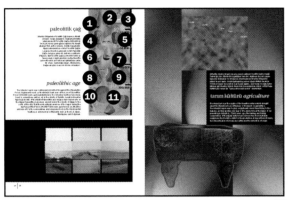

26 **1)** "kemik açkı aleti ve deliciler / bone polishers and awls", Kemik / Bone, Son Neolitik Çağ / Late Neolithic Period, Fikirtepe kazısı / Fikirtepe excavation, İÜ Prehistorya Laboratuarı / UI Prehistoria Laboratory TV Arşivi / HF Archives **2)** "giysili kadın figürü / female figure wearing a dress", pişmiş toprak / terra cotta, Son Neolitik Çağ / Late Neolithic Period, Pendik kazısı / Pendik excavation, İAM/ AMI, TV Arşivi / HF Archives **3)** "kemik olta / bone fish hook", kemik / bone, Son Neolitik Çağ / Late Neolithic Period, Pendik kazısı / Pendik excavation, İAM/ AMI, TV Arşivi / HF Archives **4)** "Fikirtepe kaplarından örnekler / characteristic pottery shapes of Fikirtepe Culture", pişmiş toprak / terra cotta, Son Neolitik Çağ / Late Neolithic Period, Fikirtepe kazısı / Fikirtepe excavation, İAM/ AMI, Fotoğraf / Photograph: Mehmet Özdoğan, Mehmet Özdoğan - Trakya Arşivi / - Thracian Archives **5)** "tabanaltı insan iskeleti / inhumation below the living floor", Son Neolitik Çağ / Late Neolithic Period, Pendik kazısı / Pendik excava-

tion, Ankara Üniv. Dil-Tarih-Coğrafya Fakültesi / Ankara University Fac. of Languages, Fotoğraf / Photograph: Mehmet Özdoğan, İst. Üniv. Pre. Arşivi / Istanbul University Pre. Archives **6)** "kemik kaşık ve spatulalar / bone spoons and spatulas", kemik / bone, Son Neolitik Çağ / Late Neolithic Period, Fikirtepe kazısı / Fikirtepe excavation, İÜ Prehistorya Laboratuarı, İAM/ UI Prehistoria Laboratory AMI, Fotoğraf / Photograph: Mehmet Özdoğan, Mehmet Özdoğan - Trakya Arşivi / - Thracian Archives **7)** "nokta bezekli çanak / bowl with impressed decoration", pişmiş toprak / terra cotta, Son Neolitik Çağ / Late Neolithic Period, Fikirtepe kazısı / Fikirtepe excavation, İAM / AMI, TV Arşivi / HF Archives **8)** "kulplu kap / bowl with strap-handle", pişmiş toprak / terra cotta, Son Neolitik Çağ / Late Neolithic Period, Fikirtepe kazısı / Fikirtepe excavation, İÜ Prehistorya Laboratuarı / UI Prehistoria Laboratory TV Arşivi / HF Archives **9)** "kemik bızlar / awls", kemik / bone, Son Neolitik Çağ / Late Neolithic Period, Fikirtepe kazısı / Fikirtepe excavation, İÜ Prehistorya Laboratuarı / UI

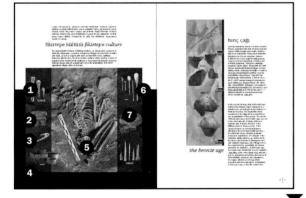

Prehistoria Laboratory TV Arşivi / HF Archives

27 **1)** "tunç orak / bronze sickle", tunç / bronze, İlk Demir Çağı'na geçiş / Early Iron Age, Safaalanı, İAM/ AMI, TV Arşivi / HF Archives **2)** "balta / axe", tunç / bronze, İlk Demir Çağı / Early Iron Age, Safaalanı, İAM/ AMI, TV Arşivi / HF Archives **3 - 6)** "bezemeli çanak çömlek / decorated vessels", pişmiş toprak / terra cotta, İlk Demir Çağı / Early Iron Age, Sülüklü, İst. Üniv. Prehistoriya Lab. / UI Prehistoria Laboratory Fotoğraf / Photograph: Mehmet Özdoğan, Mehmet Özdoğan - Trakya Arşivi / - Thracian Archives **7 - 8)** "kulplu çömlekler / large jars", pişmiş toprak / terra cotta, Kalkolitik Çağ / Chalcolithic Period, İstanbul Hipodrom kazısı / Istanbul,

Hippodrome Excavation, İAM/ Museum of Archeology, TV Arşivi / HF Archives

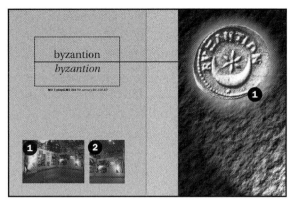

byzantion
byzantion

MÖ 7. yüzyıl-MS 324 7th century BC-324 AD

30 **1) & 2)** "Dünya Kenti İstanbul Sergisi Byzantion Bölümü görüntüleri / Istanbul World City Exhibition, images from Byzantion Section", Darphane-i Amire Binası / Imperial Mint Building, salon/ hall no: 3.1. Fotoğraflar / Photographs: Murat Germen, TV Arşivi / HF Archives

31 **1)** "hilâl ve yıldız / crescent and star", M.S. 2. yy / 2nd cent. B.C., bronz / bronze, E. Schönert Geiss, *Die Münzprägung von Byzantion*

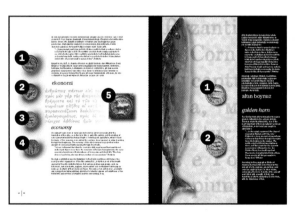

migration

göç

foundation

kuruluş

32 **1)** Uzay haritası, TÜBİTAK, MAM, Uzay Teknolojileri Bölümü / Turkish Scientific and Technical Research Council, Marmara Research Center, Space Technologies Department

33 **1)** "Byzas'ın başı / head of Byzas", M.S. 3. yy / 3rd cent. A.D., bronz / bronze, E. Schönert Geiss, *Die Münzprägung von Byzantion*

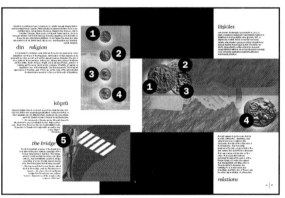

din *religion*

köprü

the bridge

ilişkiler

relations

36 **1)** "Deniz Tanrısı Poseidon / Poseidon the Sea God", M.Ö. 3. yy / 3rd cent. B.C., gümüş / silver, E. Schönert Geiss, *Die Münzprägung von Byzantion* **2)** "Bereket Tanrıçası Demeter'in başı / head of Demeter", the Goddess of Fertility, M.Ö. 3. yy / 3rd cent., B.C., gümüş / silver, E. Schönert Geiss, *Die Münzprägung von Byzantion* **3)** "Haberci Tanrı, Hermes'in başı / head of Hermes", The Messenger of the Gods, M.S. 2. yy / 2nd cent., bronz / bronze, E. Schönert Geiss, *Die Münzprägung von Byzantion* **4)** "Ay ve Av Tanrıçası Artemis'in başı / Artemis, the Goddess of Moon and Hunting", M.S. 2. yy / 2nd century A.D., bronz / bronze, E. Schönert Geiss, *Die Münzprägung von Byzantion* **5)** "Behistun'daki Dareios'un kabartması / the relief of Darius at Behistun", M.Ö. 6. yy / 6th cent. B.C., N. Sekunda - S. Chew, *The Persian Army*, TV Arşivi / HF Archives

37 **1)** "Bizye ile Byzantion'un Dostluk sikkesi / Homonoia coin of Bizye and Byzantion", M.S. 3. yy ortaları / Middle of 3rd cent. A.D., bronz / bronze E. Schönert - Geiss, *Die Münzprägung von Byzantion* **2)** "Nikaia ile Byzantion Dostluk sikkesi / Homonoia coin of Nikaia and Byzantion", bronz / bronze, M.S. 3. yy ortaları / Middle of 3rd cent. A.D., E. Schönert - Geiss, *Die Münzprägung von Byzantion* **3)** "Deniz Tanrısı Poseidon / Poseidon, the Sea God", bronz / bronze, M.Ö. 3. yy / 3rd cent. B.C., E. Schönert - Geiss, *Die Münzprägung von Byzantion* **4)** "Byzantion'un, Batı Anadolu'daki bir ittifakın üyesi olarak bastığı sikke / alliance coin minted in Byzantion", M.Ö. 5. yy sonu / End of 5th century B.C., gümüş / silver, E. Schönert Geiss, *Die Münzprägung von Byzantion*

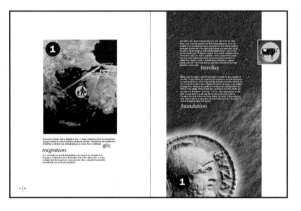

ekonomi

economy

altın boynuz

golden horn

38 **1)** "gemi / galley", M.S. 2. yy ikinci yarısı / Second half of the 2nd cent., bronz / bronze, E. Schönert Geiss, *Die Münzprägung von Byzantion* **2)** "üzüm salkımı / bunch of grapes", M.S. 3. yy / 3rd cent. A.D., bronz / bronze, E. Schönert Geiss, *Die Münzprägung von Byzantion* **3)** "iki palamut balığı arasında yunus balığı / two pelamydes and a dolphin between them", M.S. 3. yy başları / beginning of 3rd cent. A.D., bronz / bronze, E. Schönert Geiss, *Die Münzprägung von Byzantion* **4)** "iki balık kapanı ve aralarında haşhaş / two fish traps and opium poppies", M.S. 2. yy / 2nd cent. A.D., bronz / bronze, E. Schönert Geiss, *Die Münzprägung von Byzantion* **5)** "yunus üstünde sığır / cow and a dolphin", M.Ö. 5. yy / end of the 5th cent. B.C., gümüş / silver, E. Schönert Geiss, *Die Münzprägung von Byzantion*

39 **1)** "iki palamut balığı / two pelamydes", M.S. 2. yy.'ın ilk yarısı / first half of second 2nd cent., bronz / bronze, E. Schönert Geiss, *Die Münzprägung von Byzantion* **2)** "iki palamut balığı ve aralarında yunus / two pelamydes and a dolphin between them", M.S. 3. yy. başı / first half of 3rd century, bronz / bronze, E. Schönert Geiss, *Die Münzprägung von Byzantion*

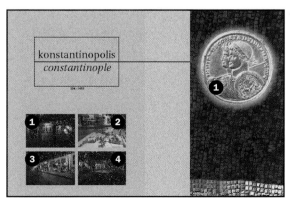

konstantinopolis
constantinople

324-1453

40 **1)- 4)** "Dünya Kenti İstanbul Sergisi Konstantinopolis Bölümü görüntüleri / Istanbul World City Exhibition, images from Constantinople Section", Darphane-i Amire Binası / Imperial Mint Building, salon/ hall no: 3.1. Fotoğraf / Photograph: Murat Germen, TV Arşivi / HF Archives

41 **1)** "I. Constantinus ve güneş tanrısı Apollon / Constantine I and the sun god Apollo", altın madalyon / gold medallion, 313, Mint of Ticinum, Cabinet de Medailles, Paris, G.M.A. Hanfmann, *From Croesus to Constantine*, Ann Arbor, 1975, fig. 189

43
1) "I. Constantinus Heykeli / sculpture of Constantine I", mermer / marble, 4. yy / 4th cent., Roma / Rome, Basilika Nova, Palazzo del Conservatori, TV Arşivi / HF Archives 2) "Roma kenti maketi / model of the city of Rome", Roma / Rome, Museo della Civita Romana, S. Germaner Arşivi / Archives

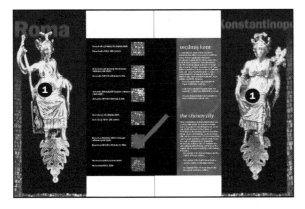

44
1) "Roma kenti alegorisi / the personification of Rome", gümüş kaplama mobilya bezemesi / silver gilt furniture ornament, geç 4. yy / late 4th cent., British Museum, Londra / London

45
1) "Konstantinopolis alegorisi / the personification of Constantinople", gümüş kaplama mobilya bezemesi / silver gilt furniture ornament, geç 4. yy / late 4th cent., British Museum, Londra / London

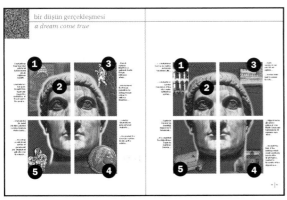

46
1) "gemi / boat", mozaik / mosaic, S. Apollinare Nuovo, Ravenna, Z. İnankur Arşivi / Archives 2) "I. Constantinus heykeli / sculpture of Constantine I", mermer / marble, 4. yy / 4th cent., Roma / Rome, Basilika Nova, Palazzo del Conservatori, TV Arşivi / HF Archives 3) "Romalılar / the Romans", mermer kabartma / marble relief, 4. yy / 4th cent., Theodosius sütunu deseni, Bellini (?), Banduri, Imperium Orientale, İstanbul Alman Arkeoloji Enstitüsü 4) "I. Constantinus sikkesi / coin of Constantine I", gold / altın, 4. yy / 4th cent., Konstantinopolis / Constantinople, Dumbarton Oaks, Washington D.C., Z. İnankur Arşivi / Archives 5) "I. Constantinus Ekümenik Konsil toplantısında / Constantine I. at the Ecumenical Council", 9. yy / 9th cent., Mt. Athos, TV Arşivi / HF Archives

47
1) "Bozdoğan Kemeri", 4. yy / 4th cent., İstanbul, K. Çeçen 2) "I. Constantinus heykeli / sculpture of Constantine I", mermer / marble, 4. yy / 4th cent., Roma / Rome, Basilika Nova, Palazzo del Conservatori, TV Arşivi / HF Archives 3) "II. Theodosius suru / walls of Theodosius II", 5. yy / 5th cent., İstanbul 4) "Bizans sarayı / Byzantine palace", minyatür / miniature, 11. yy / 11th cent., Vat. Gr. 747, Biblioteca Apostolica Vaticana 5) "Hippodrom / Hippodrome", gravür / engraving, C. Vogt (reconstruction), A. Vogt, Le livre des Ceremonies, Paris, 1935

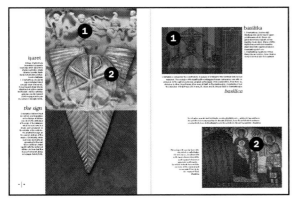

48
1) "Europa'nın kaçırılışı / the rape of Europa", fildişi / ivory, 10. yy ya da 11. yy / 10th or 11th cent., Veroli Casket, Konstantinopolis / Constantinople, Victoria and Albert Museum, V&A Picture Library, Londra / London 2) "khi-rho'lu adak levhası (labarum) / votive palaque with chi-rho (labarum)", 4. yy / 4th cent., British Museum, Londra / London

49
1) "Eski Aziz Petrus Kilisesi / Old St. Peter's Church", 4. yy / 4th cent, Roma / Rome, TV Arşivi / HF Archives 2) "Tahtta Meryem ve Çocuk İsa, I. Constantinus ile / Enthroned Virgin and the Child with Constantine I", mozaik / mosaic, geç 10. ya da erken 11. yy. / late 10th or early 11th cent., Ayasofya / Hagia Sophia, İstanbul, TV Arşivi / HF Archives

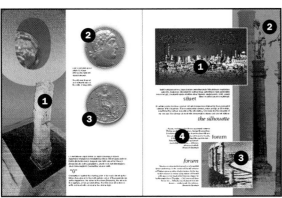

50
1) "Milion", mermer / marble, 4. yy / 4th cent., İstanbul, TV Arşivi / HF Archives 2&3) "Kentin 11 Mayıs 330'da kutsanması anısına basılan sikke / coin struck to commemorate, the dedication of the city on May 11", gümüş / silver, 330, Konstantinopolis / Constantinople, Civiche Raccolte Archeologiche e Numismatiche, Gabinetto Numismatico, Castello Sforzesco, Milano / Milan

51
1) "Arcadius sütunu / column of Arcadius", gravür / engraving, M. Lorich, İstanbul Alman Arkeoloji Enstitüsü 2) "I. Constantinus sütunu / column of Constantine I", porfir taş / porphyry stone, 4. yy / 4th cent., İstanbul, İstanbul Alman Arkeoloji Enstitüsü 3) "Gerasa'nın oval meydanı / the oval forum of Gerasa", 4. yy / 4th cent., Gerasa, TV Arşivi / HF Archives 4) "C. Mango, *The Art of the Byzantine empire*", 312 - 1453, Prentice Hall, 1972, s./p. 7

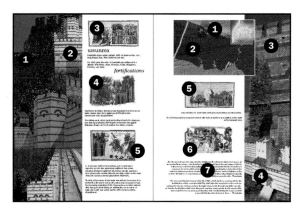

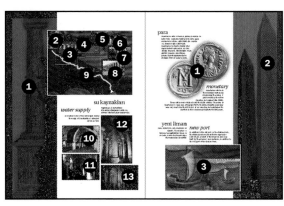

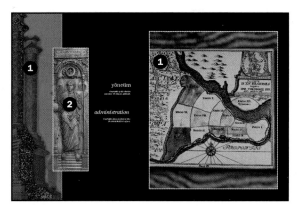

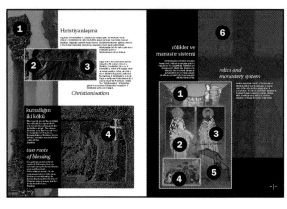

52 1) "II. Theodosius suru / walls of Theodosius II", 413,423 - 27, İstanbul, TV Arşivi / HF Archives 2) Fritz Kirschen, *Die Landmauer von Konstantinople*, Archäologisches Institude des Deutschen reiches Ersten Teil, Walter de Gruyter, Co., Berlin, 1938 3) "Arap ordusu tarafından Konstantinopolis'in kuşatılması / siege of Constantinople by the Arabian army", minyatür / miniature, 14. yy / 14th cent., Skylitzes elyazması / Chronicle of Skylitzes, Biblioteca Nacional, Madrid 4) "Konstantinopolis surları önünde Symeon / Symeon before the walls of Constantinople", minyatür / miniature, 14. yy / 14th cent., Slovanic copy of the Chronicle of Manasses, Biblioteca Apostolica Vaticana 5) İranlılar'ın Konstantinopolis'e saldırıları / Persians attacking Constantinople", minyatür / miniature, 14. yy / 14th cent., Slavonic copy of the Chronicle of Manasses, Biblioteca Apostolica Vaticana

53 1) "II. Theodosius suru / walls of Theodosius II", 413, 423-7, İstanbul, TV Arşivi / HF Archives 2) "Anastasius suru / wall of Anastasius", 503-4, İstanbul, E. Akyürek Arşivi 3) "II. Theodosius suru / walls of Theodosius II", 413, 423 - 27, İstanbul, TV Arşivi / HF Archives 4) Fritz Kirschen, *Die Landmauer von Konstantinople*, Archäologisches Institude des Deutschen reiches Ersten Teil, Walter de Gruyter, Co., Berlin, 1938 5) "Slav Thomas'ın Konstantinopolis'e saldırısı / Thomas the Slav attacking Constantinople", minyatür / miniature, 14. yy / 14th cent., Skylitzes elyazması / Chronicle of Skylitzes, Biblioteca Nacional, Madrid 6) "850 kuşatması / siege of 850", minyatür / miniature, 14. yy / 14th cent., Skylitzes elyazması / Chronicle of Skylitzes, Biblioteca Nacional, Madrid 7) D.J. Geanakoplos, *Byzantium*, University of Chicago, Chicago, 1984, s./p. 109

54 1) "Arcadius sütunu / column of Arcadius", 400, İstanbul, TV Arşivi / HF Archives 2) Elmalı Dere, Prof. Dr. Kazım Çeçen Arşivi / Archives 3) Kumarlı Kemeri, Prof. Dr. Kazım Çeçen Arşivi / Archives 4) Ballı Germe, Prof. Dr. Kazım Çeçen Arşivi / Archives 5) Kurşunlu Germe, Prof. Dr. Kazım Çeçen Arşivi / Archives 6) Büyük Germe, Prof. Dr. Kazım Çeçen Arşivi / Archives 7) Keçi Germe, Prof. Dr. Kazım Çeçen Arşivi / Archives 8) Bozdoğan Kemeri, Prof. Dr. Kazım Çeçen Arşivi / Archives 9) "Trakya'da Vize'ye uzanan su yolu / Water supply network extending to Bizye in Thrace", 4-5. yy. / 4th - 5th cent., Prof. Dr. Kazım Çeçen Arşivi / Archives 10) "Bodrum sarnıcı / cistern of Myrelaion", 10. yy / 10th cent., İstanbul, İstanbul Alman Arkeoloji Enstitüsü 11) "Zeyrek sarnıcı / cistern of the Pantocrator monastery", 12 yy / 12th cent., İstanbul, A. Neftçi Arşivi / Archives 12) "Yerebatan sarnıcı / the Basilica cistern", 6. yy. / 6th cent., İstanbul, A. Neftçi Arşivi / Archives 13) "Binbirdirek sarnıcı / cistern of Philoxenos", 4. yy / 4th cent., İstanbul, A. Neftçi Arşivi / Archives

55 1) "Anastasius sikkesi / coin of Anastasius", bronz / bronze, 5. yy. / 5th cent., Dumbarton Oaks, Washington, D.C. 2) "Obelisk", granit / granite, 390'da dikildi / erected in 390, İstanbul, İstanbul Alman Arkeoloji Enstitüsü 3) "Konstantinopolis / Constantinople", minyatür / miniature, 15. yy / 15th cent., Canxon. Lat. miscent. 378, Oxford

56 1) "Arcadius sütunu / column of Arcadius", mermer / marble, 421, İstanbul, İstanbul Alman Arkeoloji Enstitüsü 2) "Başmelek Mikhael / the Archangel Michael", fildişi / ivory, 6. yy. / 6th cent., Konstantinopolis, British Museum, Londra / London

57 1)"II. Theodosius döneminde Konstantinopolis'in yönetim bölgeleri / administrative regions of Constantinople under Theodosius II", 5. yy / 5th cent., C. Kayra, *İstanbul Mekanlar ve Zamanlar*, İstanbul, 1990, s./p. 9

58 1) "Marcianus sütunu / column of Marcian", 450 - 457, İstanbul, TV Arşivi / HF Archives 2) "I. Theodosius, II. Valentinianus ve Arcadius / Theodosius I, Valentinianus II and Arcadius", gümüş tabak / silver dish, 388, Konstantinopolis (?), Real Academia de la Historia, Madrid 3&4) ayrıntı / detail: "tahtta İsa ve haç taşıyan bir havarisi / Christ enthroned with an Apostle bearing a cross", mermer / marble, 7. yy / 7th cent., İmrahor İlyasbey Camii / Monastery of St. John of Stoudios, İstanbul Arkeoloji Müzesi

59 1) "İmrahor İlyasbey Camii / Church of the Monastery of St. John of Stoudios", 5. yy. / 5th cent., İstanbul. E. Emiroğlu Arşivi / Archives 2) "Aziz Basileios / St. Basil", fresk / fresco, 1321, Kariye Camisi / Church of the Monastery of Chora, İstanbul, TV Arşivi / HF Archives 3) "Aziz Khrysostomos /

St. Chrysostomos", fresk / fresco, 1321, Kariye Camisi / Church of the Monastery of Chora, İstanbul, TV Arşivi / HF Archives 4) "Aziz Khrysostomos'un röliklerinin Konstantinopolis'te Kutsal Havariler kilisesine taşınması / transportation of the relics of St. John Chrysostomos to the church of the Holy Apostles at Constantinople", minyatür / miniature, 12. yy / 12th cent., II. Basil'in Menologion'u / Menologion of Basil II, British Museum, Londra / London 5) ayrıntı / detail: "İmrahor İlyasbey Camii / Church of the monastery of St. John of Stoudios", 15. yy. / 15th cent., Cristoforo Buondelmonti, Biblioteca Apostolica Vaticana 6) "Deesis panosu / Deesis panel", mozaik / mosaic, geç 13. yy. / late 13th cent., Ayasofya / Hagia Sophia, İstanbul, TV Arşivi / HF Archives

60 1) "Konstantinopolis faunası / fauna of Constantinople", minyatür / miniature, 12. yy. / 12th cent., Topkapı Oktatök'ü / Topkapı Octateuch, İstanbul, Hezarfen Fotoğrafya 2) "dans / dance", minyatür / miniature, 12. yy. / 12th cent., Topkapı Oktatök'ü / Topkapı Octateuch, İstanbul, Hezarfen Fotoğrafya

61 1) "Konstantinopolis halkı / people of Constantinople", mermer kabartma / marble relief, Obelisk kaidesinden ayrıntı / base of the Obelisk, detail, İstanbul, TV Arşivi / HF Archives 2) D. Kuban, "Notitia Urbis Constantinopolitanae", *İstanbul Ansiklopedisi*, cilt 6, 1994, s./ p. 94

62 1) "Konstantinopolis'te ulaşım / transportation in Constantinople", minyatür / miniature, 12. yy. / 12th cent., Topkapı Oktatök'ü / Topkapı Octateuch, İstanbul, Hezarfen Fotografya 2) "Konstantinopolis florası / flora of Constantinople", minyatür / miniature, 12. yy / 12th cent., Topkapı Oktatök'ü / Topkapı Octateuch, İstanbul, Hezarfen Fotografya

63 1) "Konstantinopolis'te ulaşım / transportation in Constantinople", minyatür / miniature, 12. yy. / 12th cent., Topkapı Oktatök'ü / Topkapı Octateuch, İstanbul, Hezarfen Fotografya 2&3) "Konstantinopolis faunası / fauna of Constantinople", minyatür / miniature, 12. yy / 12th cent., Topkapı Oktatök'ü / Topkapı Octateuch, İstanbul, Hezarfen Fotografya 4) "dans / dance", minyatür / miniature, 12. yy. / 12th cent., Topkapı Oktatök'ü / Topkapı Octateuch, İstanbul, Hezarfen Fotografya

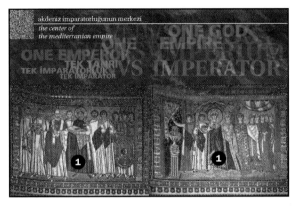

64 1)"İmparator Iustinianus / Empror Justinian", mozaik / mosaic, 547, San Vitale, Ravenna, Fotoğraf / Photograph: Cameraphoto - Arte, Venedik / Venezia

65 1)"İmparatoriçe Theodora / Empress Theodora", mozaik / mosaic, 547, San Vitale, Ravenna, Fotoğraf / Photograph: Cameraphoto - Arte, Venedik / Venezia

66 1) "Dünya Kenti Konstantinopolis'in 6. yüzyılda siyasal, ekonomik, kültürel ve dinsel ilişkileri / The political, economical, cultural and religious relations of the World City Constantinople in the 6th cent.", harita / map, Bilimsel katkı/ Scientific Contribution: Doç. Dr./Assoc. Prof. Dr. Nevra Necipoğlu

67 1) "Digesta, Iustinianus / Digesta Justinian", Ducellier, *Byzance*, Paris, 1986, s./p. 42 2) D. J. Geanakoplos, *Byzantium*, University of Chicago, Chicago, 1984, s./p. 257 3) "Iustinianus imparatorluk diptikonu / imperial diptych of Justinian", fildişi / ivory, 527, Konstantinopolis, Musée du Louvre, Paris, Fotoğraf / Photograph: PHOTO Réunion des Musées Nationaux

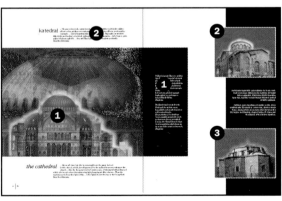

70 1) "Ayasofya / Hagia Sophia", gravür / engraving, W. Salzenberg, 1847, Master Mimari, reprodüksiyon, 1993 2) D.J. Geanakoplos, *Byzantium*, University of Chicago, Chicago, 1984, s./p. 197

71 1) C. Mango, *The Art of the Byzantine Empire*, 312 - 1453, Prentice Hall, 1972, s./p. 79 2) "Aya İrini / Hagia Eirene", 6. yy. / 6th cent., İstanbul, TV Arşivi / HF Archives 3) "Küçük Ayasofya / Church of Sergios and Bakkhos", 530, İstanbul TV Arşivi / HF Archives

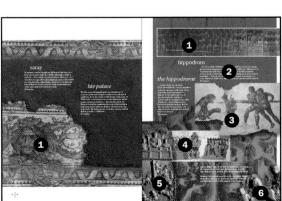

72 1)"Büyük Saray bezemesi / Great Palace ornament", mozaik / mosaic, 4 - 5. yy. / 4th - 5th cent., İstanbul, Z. İnankur Arşivi / Archives

73 1) "Hippodrom'da seyirciler / spectators at the Hippodrome", mermer rölyef / marble relief, 390, Obelisk kaidesinden ayrıntı / base of the Obelisk, detail, İstanbul, TV Arşivi / HF Archives 2) D. J. Geanakoplos, *Byzantium*, University of Chicago, s./p. 258 3) "aslan avı / lion hunt", döşeme mozaiği / floor mosaic, 4. ya da 5. yy. / 4th or 5th cent., Büyük Saray / Great Palace, İstanbul, Z. İnankur Arşivi /

Archives 4) Konstantinopolis'te 1042 ayaklanması / Rebellion of 1042 in Constantinople, Skylitzes el yazması, Chronicle of Skylitzes 5) "bir aristokrat ailesi Konstantinopolis'teki Hippodrom'da yarışları izliyor / an aristocratic family watching the games at the Hippodrome in Constantinople", fildişi / ivory, 355, Civici Musei di Brescia, Fotoğraf / Photograph: Studio Rapuzzi, Marco e Matteo Rapuzzi 6) "bir aristokrat ailesi Konstantinopolis'teki Hippodrom'da yarışları izliyor / an aristocratic family watching the games at the Hippodrome in Constantinople", fildişi / ivory, 355, Civici Musei di Brescia, Fotoğraf / Photograph: Studio Rapuzzi, Marco e Matteo Rapuzzi

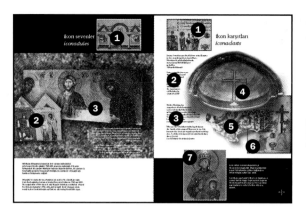

ikon sevenler
iconodules

ikon karşıtları
iconoclasts

74 1) "Theodora ikonları onarıyor / Theodora restores the icons", minyatür / miniature, Ms. Gr. 1613, Biblioteca Apostolica Vaticana 2) "İmparatoriçe Theodora / Empress Theodora", minyatür / miniature, 14. yy. / 14th cent., Skylitzes elyazması / Chronicle of Skylitzes, Biblioteca Nacional, Madrid 3) "Deesis panosu / Deesis panel", mozaik / mosaic, geç 13. yy. / late 13th cent., Ayasofya / Hagia Sophia, İstanbul, TV Arşivi / HF Archives 4) D. J. Geanakoplos, *Byzantium*, University of Chicago, Chicago, 1984, s./p. 153

75 1) "İkonoklast piskoposlar İsa'nın imgesini mızraklıyorlar ve karşı gruplar ikon karşıtı imparator önünde tartışıyor / Iconoclast bishops spear an icon of Christ and contending parties argue before an Iconoclast emperor", *Studite Plaster*, 1066,

British Museum, Londra / London 2) D. J. Geanakoplos, *Byzantium* , University of Chicago, Chicago, 1984, s./p. 154 3) D. J. Geanakoplos, *Byzantium*, University of Chicago, Chicago, 1984, s./p. 157 4) "İkonoklast Haç / an iconoclastic Cross", mozaik / mosaic, Aya İrini / Hagia Eirene, TV Arşivi / HF Archives 5) "İkonoklast dönemi bezemesi / ornament of iconoclastic period", mozaik / mosaic, 8. yy ortası / mid. 8th cent., Ayasofya / Hagia Sophia, İstanbul, TV Arşivi / HF Archives 6) "Bir ikon-karşıtı İsa'nın ikonunu örtüyor / an iconoclast whitewashing an image of Christ", minyatür / miniature, 900, Khludov Mezmurlar Kitabı / Khludov Psalter, State Historical Museum Moscow 7) ayrıntı / detail: "Theodora ikonları onarıyor / Theodora restores the icons", minyatür / miniature, Ms. Gr. 1613, Biblioteca Apostolica Vaticana

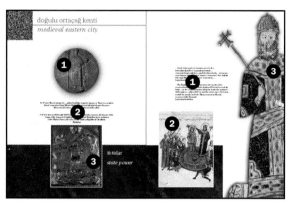

doğulu ortaçağ kenti
medieval eastern city

iktidar
state power

76 1) "Bir Bizans imparator kabartması / relief of a Byzantine emperor", mermer / marble, 12. yy. sonu / end of 12th cent., Konstantinopolis / Constantinople, Dumbarton Oaks, Washington, D.C. 2) D.J. Geanakoplos, *Byzantium*, University of Chicago, Chicago, 1984, s./p. 17-18 3) "İmparator II. Basil / Emperor Basil II", minyatür / miniature, 1017'den sonra / after 1017, II. Basil Mezmurlar kitabı / Basil II Psalter, Konstantinopolis / Constantinople, Biblioteca Nazionale Marciana, Fotoğraf / Photograph: Foto Toso

77 1) D.J. Geanakoplos, *Byzantium*, University of Chicago, Chicago, 1984, s./p. 27 2) "İmparator I. Mikhael Rangabe'in taç giymesi / coronation of the Emperor Michael I Rangabe", minyatür / miniature, 14. yy. / 14th cent., Skylitzes elyazması / Chronicle of Skylitzes, Biblioteca Nacional, Madrid 3) "Alexandros / Alexander", mozaik / mosaic, 912 - 913, Ayasofya / Hagia Sophia, İstanbul, TV Arşivi / HF Archives

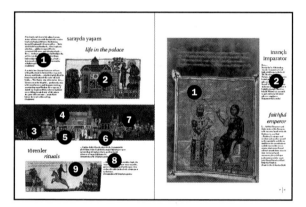

sarayda yaşam
life in the palace

inançlı imparator

törenler
rituals

faithful emperor

78 1) D.J. Geanakoplos, *Byzantium*, University of Chicago, Chicago, 1984, s./p. 22-23 2) "Bizans sarayı / Byzantine palace", minyatür / miniature, 11. yy. / 11th cent., Vat. Gr. 746, Biblioteca Apostolica, Vaticana 3) "Konstantin Monomakhos'un botla saraya gelmesi / Constantine Monomakhos' arrival to the palace by boat", minyatür / miniature, 14. yy. / 14th cent., Skylitzes elyazması / Chronicle of Skylitzes, Biblioteca Nacional, Madrid 4) "Zoe ile Konstantin Monomakhos'un evlenmesi / marriage of Zoe and Constantine Monomakhos", minyatür / miniature, 14. yy. / 14th cent., Skylitzes elyazması / Chronicle of Skylitzes, Biblioteca Nacional, Madrid 5) "Prusian'ın Konstantinopolis'te Manuel manastırında kör edilişi / blinding of Prusian in the monastery of Manuel at Constantinople", minyatür / miniature, 14. yy. / 14th cent., Skylitzes elyazması / Chronicle of Skylitzes, Biblioteca Nacional, Madrid 6) "muzaffer Nikephoras Phokas'ın 963'te Konstantinopolis'e girişinde kent kapısında müzisyenler tarafından karşılanması / tri-

umphal entry of Nicephoras Phokas into Constantinople in 963, met by the musicians at the city gate", minyatür / miniature, 14. yy. / 14th cent., Skylitzes elyazması / Chronicle of Skylitzes, Biblioteca Nacional, Madrid, TV Arşivi / HF Archives 7) "muzaffer imparator Ioannes Tzimiskes'in Konstantinopolis'e dönüşü / return of the victorious emperor John Tzimiskes to Constantinople", minyatür / miniature, 14. yy. / 14th cent., Skylitzes elyazması / Chronicle of Skylitzes, Biblioteca Nacional, Madrid 8) D.J. Geanakoplos, *Byzantium*, University of Chicago, Chicago, 1984, s./p. 22 9) "Hippodrom'da gösteri / show at the Hippodrome", minyatür / miniature, 14. yy / 14th cent., Skylitzes elyazması / Chronicle of Skylitzes, Biblioteca Nacional, Madrid

79 1) "Aleksios Komnenos / Alexios Comnenos", minyatür / miniature, 12. yy. / 12th cent., Ms. Gr. 666, Biblioteca Apostolica Vaticana 2) D. J. Geanakoplos, *Byzantium*, University of Chicago, Chicago, 1984, s./p. 150

80 1) "Merhamet ve Adalet arasında tahtında oturan İsa, İmparator II. Ioannes Komnenos ve oğlu Aleksios'a taç takıyor / Christ enthroned between Mercy and Justice crowning the emperor John II Comnenos and his son Alexius", minyatür / miniature, 1122, İncil / Gospel, Konstantinopolis / Constantinople, Biblioteca Apostolica Vaticana

81 1) "Tahtta İsa, İmparator IX. Konstantin Monomachos ve İmparatoriçe Zoe / Christ enthroned between the Emperor Constantine IX Monomachos and the Empress Zoe", mozaik / mosaic, 1028 - 1034, Ayasofya, İstanbul, TV Arşivi / HF Archives 2) D. J. Geanakoplos, *Byzantium*, University of Chicago, Chicago, 1984, s./p. 134 3) "VI. Leon İsa'nın önünde secdeye varıyor / Leo VI making proskynesis before Christ", mozaik / mosaic, geç 9. yy. / late 9th cent., Ayasofya / Hagia Sophia, İstanbul, TV Arşivi / HF Archives

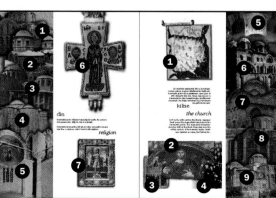

din
religion

kilise
the church

82 1) "Kalenderhane", geç 12. yy. / late 12th cent., İstanbul, A. Neftçi Arşivi / Archives 2) "Fenari İsa Camii / church of the Constantine Lips monastery", 10. yy. başları / early 10th cent., İstanbul, A. Neftçi Arşivi / Archives 3) "Zeyrek Camii / church of the Pantocrator monastery", 1136, İstanbul, A. Neftçi Arşivi / archives 4) "Gül Camii / church of Hagia Theodora", 8. - 9. yy. / 8th - 9th cent., İstanbul, A. Neftçi Arşivi / Archives 5) "Fethiye Camii / church of the Pammakaristos minastery", 12. yy. / 12th cent., İstanbul, A. Neftçi Arşivi / Archives 6) "rölik kutusu / reliquary", altın, mine / gold, enamel, 1000, British Museum, Londra / London 7) "Başmelek Mikhael / The icon of Archangel Michael", mineli gümüş kaplama / enamelled silver gilt, Il tesoro di San Marco, Mario Carrieri, Olivetti-Procuratoria di San Marco

83 1) "Cristoforo Buondelmonti'nin Konstantinopolis'i / Constantinople of Cristoforo Buondelmonti, 15. yy. / 15th cent., Urb. Lat. 277, Biblioteca Apostolica Vaticana 2) "İsa /

Christ", mozaik / mosaic, 1321, Kariye Camisi / Church of the Monastery of Chora, İstanbul, TV Arşivi / HF Archives 3) "Ortodoksluğun zaferi / triumph of Orthodoxy", ikona / icon, 1400, British Museum, Londra / London 4) "rahibeler / the nuns", minyatür / miniature, 14. yy. / 14th cent., Theotokos manastırı typikonu / the typicon of the Theotokos monastery, *Woman in Anatolia*, 1993, s./p. 128, Constantinopolitan Nuns, Typikon of the Convent of Vevalas Elpidos 14th c., Oxford Bodlein Library, Ms. Gr.35, f.12 5) "Zeyrek Camii / church of the Pantocrator monastery", 1136, İstanbul, A. Neftçi Arşivi / Archives 6) "Fethiye Camii / church of the Pammakaristos monastery", 12. yy. / 12th cent., İstanbul, A. Neftçi Arşivi / Archives 7) "Eski İmaret Camii / church of the Pantepoptes monastery", 11. yy sonu / late 11th cent., İstanbul, A. Neftçi Arşivi / Archives 8) "Bodrum Cami / church of the Myraleion monastery", 10. yy. / 10th cent., İstanbul, A. Neftçi Arşivi / Archives 9) "Kariye Camii / church of the Chora monastery", 1321, İstanbul, A. Neftçi Arşivi / Archives

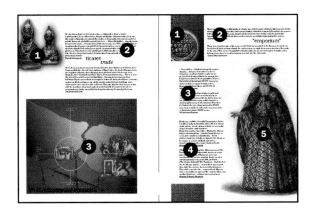

84

1) "tartılar / weights", bronz / bronze, 5. yy. / 5th cent., Dumbarton Oaks, Washington, D.C. 2) D.J. Geanakoplos, *Byzantium*, University of Chicago, Chicago, 1984, s./p. 278 3) Ducellier, *Byzance*, Paris, 1986, s./p. 215

85

1) "Theophilos'un sikkesi / coin of Theophilos", gümüş / silver, 830, Dumbarton Oaks, Washington, D.C. 2) D.J. Geanakoplos, *Byzantium*, University of Chicago, Chicago, 1984, s./p. 298 3) D.J. Geanakoplos, *Byzantium*, University of Chicago, Chicago, 1984, s./p. 289 4) D.J. Geanakoplos, *Byzantium*, University of Chicago, Chicago, 1984, s./p. 284 5) "Konstantinopolis'te bir Venedikli / a Venetian in Constantinople", 13. yy. / 13th cent., Giovanni Grevenbroch, Museo Correr, Venezia, Fotoğraf / Photograph: Cameraphoto - Arte, Venezia

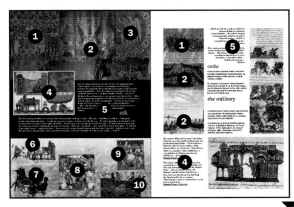

86

1) "boğa / bull", ipek / silk, 10. yy. / 10th cent., Treasury of St. Servatus, Maastricht 2) "kartal motifi / pattern of eagles", ipek / silk, 10. yy / 10th cent., Church of St. Eusebius, Auxerre 3) "müjde / annunciation", ipek / silk, 8. yy. / 8th cent., Vatican, Rome 4) Topkapı Oktatök'ü / Topkapı Octateuch, Hezarfen Fotoğrafya 5) D.J. Geanakoplos, *Byzantium*, University of Chicago, Chicago, 1984, s./p. 293 - 294 6) "I. Romanos'un yazlık sarayının inşaası / construction of the summer palace of Romanos I", minyatür / miniature, 14. yy. / 14th cent., Skylitzes elyazması / Cronicle of Skylitzes, Bibliotéca Nacional, Madrid 7) "kayık onarımı / boat repair", minyatür / miniature, 10. yy / 10th cent., Dioscorides elyazması / Dioscorides manuscript, The Pierpont Morgan Library, New York 8) "buğday öğütülmesi / grinding grain", minyatür / miniature, 11. yy. / 11th cent., Vat. Gr. 747, Biblioteca Apostolica Vaticana 9) "tuğla imalatı / production of brick", minyatür / miniature, 11. yy. / 11th cent., Vat. Gr. 747, Biblioteca Apostolica Vaticana 10) "balıkçılar / fishermen", minyatür / miniature, 10. yy. / 10th cent., Oppianos elyazması / Cynegenetics of Oppian, Biblioteca Nazionale Marciana, Fotoğraf / Photograph: Foto Toso

87

1) "deniz savaşı / naval battle", minyatür / miniature, 14. yy. / 14th cent., Skylitzes elyazması / Chronicle of Skylitzes, Biblioteca Nacional, Madrid 2) "10. yüzyıldaki Rus saldırısında deniz savaşı / naval battle with the Russians in the 10th cent.", minyatür / miniature, 14. yy / 14th cent., Skylitzes elyazması / Chronicle of Skylitzes, Biblioteca Nacional, Madrid 3) "Rum ateşi / Greek fire", minyatür / miniature, 14. yy. / 14th cent., Skylitzes elyazması / Chronicle of Skylitzes, Biblioteca Nacional, Madrid 4) D.J. Geanakoplos, *Byzantium*, University of Chicago, Chicago, 1984, s./p. 114 5) D.J. Geanakoplos, *Byzantium*, University of Chicago, Chicago, 1984, s./p. 103

6) "Bizans ordusu / Byzantine army", minyatür / miniature, 12. yy / 12th cent., Topkapı Oktatök'ü / Topkapı Octateuch, Hezarfen Fotoğrafya 7) "Türkler tarafından yenilgiye uğratılan Bizans ordusu / Byzantine army defeated by the Turcs", minyatür / miniature, 14. yy. / 14th cent., Skylitzes elyazması / Chronicle of Skylitzes, Biblioteca Nacional, Madrid 8) "savaş sahnesi / war scene", minyatür / miniature, 14. yy. / 14th cent., Skylitzes elyazması / Chronicle of Skylitzes, Biblioteca Nacional, Madrid 9) "İranlılar'ın Konstantinopolis'e saldırması / Persians attacking Constantinople", minyatür / miniature, 1345, Manasses Kroniği, Chronicle of Manasses, Biblioteca Apostolica Vaticana 10) "VI. Leon Çar VI. Simeon'un elçisini kabul ediyor / Leon VI accepts the embassy of Tsar Simeon VI", minyatür / miniature, 14. yy. / 14th cent., Skylitzes elyazması / Chronicle of Skylitzes, Biblioteca Nacional, Madrid

88

1) "Aziz Ioannes Khrysostomos'un ikonu / icon of St. John Khrysostomos", mozaik / miniature mosaic, 14. yy / 14th cent., Dumbarton Oaks, Washington, D.C. 2) "evlilik yüzüğü / marriage ring", altın / gold, 9. yy / 9th cent., Dumbarton Oaks, Jashington, D.C., Z. İnankur Arşivi / Archives 3) "tahtta Meryem ve Çocuk İsa madalyonu betimli evlilik kemeri / a marriage belt with a medallion having the Virgin enthroned with the Child scene", altın / gold, 7. yy / 7th cent., Dumbarton Oaks, Washington, D.C. 4) "Çarmıhta İsa ve Havariler / The crucified Christ with the Apostles", kitap kabı / book cover, altın, niello, inci / gold, niello, diamond, 8. - 9. yy / 8th - 9th cent., Biblioteca Nazionale Marciana, Foto Toso 5) "evlilik yüzüğü / marriage ring", altın ve niello / gold with niello, 9. yy / 9th cent., Dumbarton Oaks, Washington, D.C. 6) "Aziz Sabas'ın 40 şehidi / 40 martyrs of St. Sabas", minyatür mozaik / miniature mosaic, 14. yy / 14th cent., Dumbarton Oaks, Washington, D.C. 7) D.J. Geanakoplos, *Byzantium*, University of Chicago, Chicago, 1984, s./p. 254 - 55 8) "mitolojik figürler / mythological figures", altın kaplamalı ve boyalı cam kap / gilded and painted glass bowl, 10. yy / 10th cent., Il Tesoro di San Marco, Fotoğraf / Photograph: Mario Carrieri, Olivetti - Procuratoria di San Marco 9) "Harbaville triptikonu / Harbaville trypticon", fildişi / ivory, 10. yy / 10th cent., Musée de Louvre, Paris, Fotoğraf / Photograph: PHOTO Réunion des Musées Nationaux - D. Arnaudet

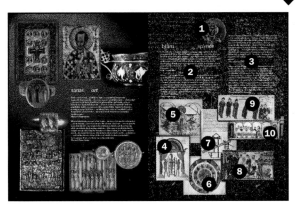

89

1) "yassı dünyada iklimler / flat world and the climates", minyatür / miniature, 9. yy. sonu / end of the 9th cent., Kosmas İndikopleustes elyazması / manuscript of Cosmas Indicopleustes, Biblioteca Apostolica Vaticana 2) D.J. Geanakoplos, *Byzantium*, University of Chicago, Chicago, 1984, s./p. 409 3) D.J. Geanakoplos, *Byzantium*, University of Chicago, Chicago, 1984, s./p. 343 4) "bir germe ameliyatı / extension operation", minyatür / miniature, 10. yy sonu - 11. yy başı / late 10th cent., - early 11th cent., Apollonios de Kition, Biblioteca Medicea Laurenziana, Firenze, Fotoğraf / Photograph: Alfa Fotostudio, Alberto Scardigli 5) "kozmik yapılar / cosmic edifice", minyatür / miniature, 9. yy sonu / end of the 9th cent., Kosmas İndikopleustes elyazması / manuscript of Cosmas Indicopleustes, Biblioteca Apostolica Vaticana 6) "burç işaretleriyle Helios / Helios with the signs of zodiac", minyatür / miniature, 813-20. Kosmographie des Ptolemaios, Biblioteca Apostolica Vaticana 7) "bir fırlatma makinası / a jet machine", minyatür / miniature, 11. yy / 11th cent., A. Guillou, *La Civilisation Byzantine*, Paris, 1974, s. 248 8) "dispanser ziyareti / a visit to a dispensary", minyatür / miniature, 1339, Ms. Grecent. 2243, Nicolas Myrepsos, A. Guillou, *La Civilisation Byzantine*, Paris, 1974, s. 248 9) "okulda / at the school", minyatür / miniature, 14. yy. / 14th cent., Skylitzes elyazması / Chronicle of Skylitzes, Biblioteca Nacional, Madrid 10) "öğretmen ve öğrenciler / teacher and the students3, minyatür / miniature, 14. yy. / 14th cent., Skylitzes elyazması / Chronicle of Skylitzes, Biblioteca Nacional, Madrid

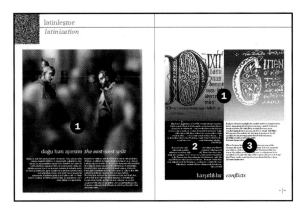

latinleşme
latinization

doğu batı ayrımı *the east-west split*

karşıtlıklar *conflicts*

90 **1)** ayrıntı / detail: "Haçlılar'ın Ayasofya'da Handersli Baldvino'yu Doğu Roma İmparatoru olarak seçmeleri / the Crusader elect Baldvino of Handers as Eastern Roman Emperor in Hagia Sophia of Constantinople", Andrea Vicentino, yağlıboya / oil paint, 17. yy / 17th cent., Palazzo Ducale, Sala del Maggior Consiglio, Venezia, Fotoğraf / Photograph: Cameraphoto - Arte, Venedik / Venezia

91 **1)** "Yunan ve Latin yazısı / text in Greek and Latin", 13. yy / 13th cent., Canon Graec. 63, Oxford Bibli. Bodleienne, Ducellier, *Byzance*, Paris, 1986, s./p. 398 **2)** D.J. Geanakoplos, *Byzantium*, University of Chicago, Chicago, 1984, s./p. 362 **3)** D.J. Geanakoplos, *Byzantium*, University of Chicago, Chicago, 1984, s./p. 380-381

the crown of thorns

tahrip
plague

kayıplar *the lost*

92 **1)** "Konstantinopolis'in Haçlılar tarafından kuşatılması / the siege of Constantinople by the Crusaders", Palma il Giovane, yağlı boya / oil paint, 17. yy / 17th cent., Palazzo Ducale, Sala del Maggior Consiglio, Fotoğraf / Photograph: Cameraphoto- Arte, Venedik / Venezia **2)** D.J. Geanakoplos, *Byzantium*, University of Chicago, Chicago, 1984, s./p. 369 **3)** ayrıntı / detail: "Haçlılar'ın Ayasofya'da Handersli Baldvino'yu Doğu Roma İmparatoru olarak seçmeleri / the Crusader elect Baldvino of Handers as Eastern Roman Emperor in Hagia Sophia of Constantinople", Andrea Vicentino, yağlıboya / oil paint, 17. yy / 17th cent., Palazzo Ducale, Sala del Maggior Consiglio, Venezia, Fotoğraf / Photograph: Cameraphoto - Arte, Venedik / Venezia **4)** "Konstantinopolis'in alınışı / the capture of Constantinople", Domenico Tintoretto, yağlıboya / oil painting, 17. yy / 17th cent., Palazzo Ducale, Sala del Maggior Consiglio, Fotoğraf / Photograph: Camerophoto- Arte, Venedik / Venezia

93 **1)** "Jean duc de Berry'nin Kutsal Diken için rölik muhafazası / the reliquary of Jean duc de Berry for the Holy Throne, altın, safir, kristal / gold, sapphire, rock chrystall, 1400-1410, British Museum, Londra / London **2)** "VII. Konstantinos Porphyrogenitos'un rölik muhafazası / reliquary of Constantine VII Porphyrogenitos", mine ve mücevherli / enamel and jewelled, 960, Konstantinopolis, Domschatz, Limburg an der Lahn, Schnell & Steiner München, Fotoğraf / Photograph: Alberto Luisa, Brescia **3)** "dört Tetrark / four Tetrarchs", porfir / porphyr, 4. yy / 4th cent., Konstantinopolis, San Marco, A. Ödekan Arşivi / Archives **4)** "Havariler Kilisesi modelinde rölik muhafazası / the reliquery in form of the church of Holy Apostles", altın / gold, Konstantinopolis, Il Tesoro di San Marco, Fotoğraf / Photograph: Mario Carrieri, Olivetti- Procuratoria di San Marco **5)** "Konstantinopolis'ten dört at heykeli / four horses from Constantinople", bronz / bronze, Procuratoria Basilica Cattedrale di San Marco, Venedik / Venezia **6)** D.J. Geanakoplos, *Byzantium*, University of Chicago, Chicago, 1984, s./p. 368-69

son toparlanış
the last recovery

birlik *unity*

kimlik *identity*

94 **1)** D.J. Geanakoplos, *Byzantium*, University of Chicago, Chicago, 1984, s./p. 225 **2)** D.J. Geanakoplos, *Byzantium*, University of Chicago, Chicago, 1984, s./p. 270 **3)** "Paleologos monogramı / monogram of Paleologos", Grottaferrata manastırı / monastery of Grottaferrata, *Byzance*, Louvre, 1993, s./p. 469, fig. 1 **4)** "8. Johannes Palaeologos Floransa'yı ziyaret ediyor / Johannes Palaeologos 8th, visiting Florance", 1459-1464, Benozzo Gozzoli Palazzo Medici Ricardi, TV Arşivi / HF Archives **5)** D. Buckton, *Byzantium*, London, 1994

95 **1&2)** "Kariye camisindeki fresko ve mozaikler / frescoes and mosaics of the church of the Chora monastery", 1321, İstanbul, TV Arşivi / HF Archives **3)** "Theodoros Metokhites", Kariye camii / the church of the Chora monastery, 1321, İstanbul, TV Arşivi / HF Archives

imparatorlar, başkentlerine altın kapıdan girerler

video

etki çemberi
the circle of influence

the emperors enter the city
through golden gate

97 **1)** "Aziz Nikolas / St. Nicholas", ahşap, tempera / wood, tempera, 17. - 18. yy / 17. - 18. cent., *Russian Icon Painting*, Moskova, s./p. 202 **2)** "Aziz Nikolas ikonu / icon of St. Nicholas", ahşap, tempera / wood, tempera, 16. yy / 16th cent., *Russian Icon Painting*, Moskova, s./p. 102 **3)** "Üç melek ikonu / icon of three angels", André Roublev, resim / painting, 1411 (?), *Unesco, Icones russes*, Milano, 1962, s./p. 25 **4)** "Müjde / the Annunciation", ahşap, tempera / wood, tempera, 16. yy / 16th cent., *Unesco, Icones russes*, Milano, 1991, s./p. 126 **5)** "Hodegetria Meryemi ikonu / the icon of the mother of God Hodegetria", ahşap, tempera / wood, tempera, 16. yy / 16th cent., *Unesco, Icones russes*, Milano, 1991, s./p. 130 **6)** "Pantokrator / Pantocrator", mozaik / mosaic, 1100, TV Arşivi / HF Archives **7)** "Aziz Johannes / St. Johannes", fresk / fresco, 1320, TV Arşivi / HF Archives **8)** "Meryem'in Ölümü / Death of the Virgin", fresk / fresco,

1320, Gracanica, TV Arşivi / HF Archives **9)** "İsa / Christ", resim / painting, 1329, Andrea Orcagna, Chiesa di S. Maria Novella, Capella Strozzi, Firenze, S. Germaner Arşivi / Archives **10)** "Madonna ve Çocuk İsa / the Madonna and the child", resim / painting, 14. yy / 14th cent., Galleria Nazionale dell'Umbria, S. Germaner Arşivi / Archives **11)** "Stefaneschi Triptiği / Tryptic of Stefaneschi", resim / painting, Giotto Okulu, 1320-1330, Musei Vaticana, S. Germaner Arşivi / Archives **12)** "Pieta", fresk / fresco, 14. yy / 14th cent., Giotto di Bondone, Arena Şapel / Arena Chapel, Padova **13)** "ayak yıkama / washing feet", fresk / fresco, 14. yy / 14th cent., Giotto di Bondone, Arena Şapel / Arena Chapel, Padova **14)** "Santiago el Menor", resim / painting, 16. yy / 16th cent., El Greco, Casa Museo del El Greco, S. Germaner Arşivi / Archives **15)** "San Bernardino", resim / painting, 16. yy / 16th cent., El Greco, Casa Museo del El Greco, S. Germaner Arşivi / Archives

imparatorluk kentinden
kent imparatorluğuna

fetihten önce *before the conquer*

from the imperial city
to the city empire

98 Uzay haritası / Space map, TÜBİTAK, MAM, Uzay Teknolojileri Bölümü / Turkish Scientific and Technical Research Council, Marmara Research Center, Space Technologies Department

99 **1)** "Konstantinopolis'in alınışı, 1453 / the capture of Constantinople, 1453", Bertrandon de la Broquiere, Voyage d'outremer, 1455, TV Arşivi / HF Archives **2)** D.J. Geanakoplos, *Byzantium*, University of Chicago, Chicago, 1984, s./p. 272

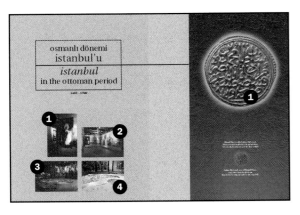

100

1-3) "Dünya Kenti İstanbul Sergisi Osmanlı Dönemi İstanbul'u bölümü görüntüleri / Istanbul World City Exhibition, images from Istanbul in the Ottoman Period section", Darphane-i Amire Binası / Imperial Mint Building, salon/ hall no: 3.1. Fotoğraf / Photography: Murat Germen, TV Arşivi / HF Archives 4) "Dünya Kenti İstanbul Sergisi Osmanlı Dönemi İstanbul'u bölümü görüntüleri / Istanbul World City Exhibition, images from Istanbul in the Ottoman Period section", Darphane-i Amire Binası / Imperial Mint Building, salon/ hall no: 3.1. Fotoğraf / Photography: Manuel Çıtak, TV Arşivi / HF Archives

101

1) Fatih altını / Gold coin of the Conqueror, 885/1480, Vedat Nedim Tör Müzesi Sikke Koleksiyonu, 21837

102

1) Ducas, *İstoria Turco-Bizantina (1341-1462)*, XLI/1, ed. Vasile Grecu, Bucharest, Editura Academiei Republicii Populare Romine, 1958 2) Doukas, *Historia Turco-Byzantina*, XLI/1, trans. Harry J. Magoulias, Detroit, Wayne State University Press, 1975 3) Fausto Zonaro [Bellini'ye göre / from Bellini], "Fatih Sultan Mehmed Portresi / Portrait of Sultan Mehmed the Conqueror", Tuval üzerine yağlıboya / Oil on canvas, 1907, Topkapı Sarayı Müzesi / Topkapı Palace Museum, Resim galerisi / Painting collection, 17/65

103

1) "Kâfire kıyâmet / Disaster upon the infidels", Hat / Calligraphy, Fuat Başar, 1996 2) Sinan Bey, "Fatih Portresi / Portrait of the Conqueror", Minyatür / Miniature, Topkapı Sarayı Müzesi / Topkapı Palace Museum, H. 2153 f° 10a

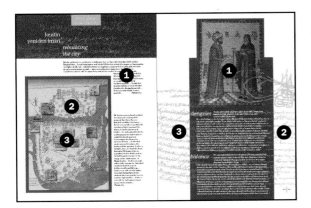

104

1) Tursun Bey, *The History of Mehmed the Conqueror*, Halil İnalcık and Rhoads Murphey (eds.), Minneapolis & Chicago, Bibliotheca Islamica, 1978, ff 52b-57b 2) "Cristoforo Buondelmonti'nin Konstantinopolis'i / Constantinople of Cristoforo Buondelmonti", 15. yy. / 15th cent., Urb. Lat. 277, Biblioteca Apostolica Vaticana 3) detaylar / details: Matrakçı Nasuh, "İstanbul ve Galata / Istanbul and Galata", Minyatür / Miniature, in *Beyân-ı menâzil-i sefer-i Irakeyn*, 1537-38 İÜK T 5964, ff 8b-9a

105

1) "Fatih'in Patrik Gennadios'a ferman verişi / The Conqueror granting a decree to the Patriarch Gennadios", Mozaik / Mosaic, İstanbul Rum Patrikhanesi / Greek Orthodox Patriarchate of Istanbul 2) "1453 Galata ahidnamesi metni (Yunanca) / Text of the 1453 Galata Capitulations (in Greek)", Halil İnalcık, "Ottoman Galata, 1453-1553", in Edhem Eldem (ed.), *Première rencontre internationale sur l'Empire ottoman et la Turquie moderne*, Istanbul-Paris, Isis, 1991, s./p. 78 3) "1453 Galata ahidnamesi metni (Osmanlıca) / Text of the 1453 Galata Capitulations (in Ottoman)", Halil İnalcık, "Ottoman Galata, 1453-1553", in Edhem Eldem (ed.), *Première rencontre internationale sur l'Empire ottoman et la Turquie moderne*, Istanbul-Paris, Isis, 1991, s./p. 76

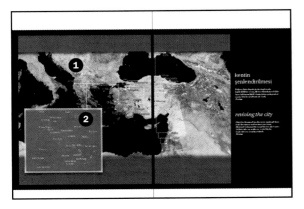

106

1) Uzay haritası / Space map, TÜBİTAK, MAM, Uzay Teknolojileri Bölümü / Turkish Scientific and Technical Research Council, Marmara Research Center, Space Technologies Department 2) Wolfgang Müller-Wiener, "Lageplan der historischen Monumente in der Altstadt Istanbul, in Galata und in Pera", in *Bildlexicon zur Topographie Istanbuls*, Tübingen, Verlag Ernst Wasmuth, 1977

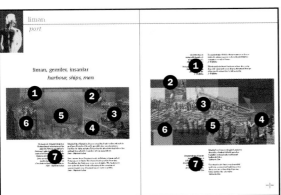

108

1) Detay / Detail: Antoine-Ignace Melling, "İstanbul'un genel manzarası / General view of Constantinople", Gravür / Engraving, in *Voyage pittoresque de Constantinople et des rives du Bosphore*, Paris, 1819 2 & 3) Detay / Detail: Antoine-Ignace Melling, "Tophane meydanı ve kışlası görünümü / View of the Tophane square and barracks, Gravür / Engraving, in *Voyage pittoresque de Constantinople et des rives du Bosphore*, Paris, 1819 4) İçinde yolcularıyla Türk şaykası / A Turkish *şayka* with passengers", Minyatür / Miniature, *Memorie turche*, codice in folio, Venezia, Museo Correr, Ms. Cicogna 1971 5 & 6) Detay / Detail: Antoine-Ignace Melling, "İstanbul Tersanesi / The Arsenal of Constantinople", Gravür / Engraving, in *Voyage pittoresque de Constantinople et des rives du Bosphore*, Paris, 1819 7) Jean-Baptiste Labat, *Mémories du Chevalier d'Arvieux*, Paris, 1735, v. IV, s./p. 488

109

1) J. Griffiths, *Nouveau voyage dans la Turquie d'Europe et d'Asie et en Arabie*, Paris, 1812, v.I, p.60 2) & 4) Detay / Detail: Antoine-Ignace Melling, "İstanbul Tersanesi / The Arsenal of Constantinople", Gravür / Engraving, in *Voyage pittoresque de Constantinople et des rives du Bosphore*, Paris, 1819 3) & 5) Detay / Detail: Antoine-Ignace Melling, "İstanbul'un genel manzarası / General view of Constantinole", Gravür / Engraving, in *Voyage pittoresque de Constantinople et des rives du Bosphore*, Paris, 1819 6) "Kapudan Paşa'nın üç fenerli baştardası / The bastard (small galley) of the Grand Admiral with three lanterns", Minyatür / Miniature, *Memorie turche*, codice in folio, Venezia, Museo Correr, Ms. Cicogna 1971 7) Catharin Zen, "Descrizione del viazo de Constantinopoli 1550 de ser Catharin Zen ambassador straordinario a Sultan Soliman e suo ritorno", in *Starine*, v. X, Zagreb, 1878, s./p. 230

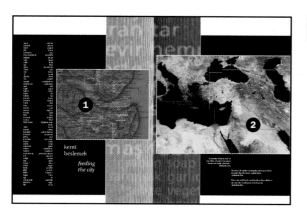

110 **1)** Kauffer, "İstanbul planı / Map of Istanbul", 1776, in Antoine-Ignace Melling, *Voyage pittoresque de Constantinople et des rives du Bosphore*, Paris, 1819

111 **1)** Uzay haritası / space map, TÜBİTAK, MAM, Uzay Teknolojileri Bölümü / Turkish Scientific and Technical Research Council, Marmara Research Center, Space Technologies Department **2)** Catharin Zen, "Descrizione del viazo de Constantinopoli 1550 de ser Catharin Zen ambassador straordinario a Sultan Soliman e suo ritorno", in *Starine*, v. X, Zagreb, 1878, s./p. 233

kenti beslemek

feeding the city

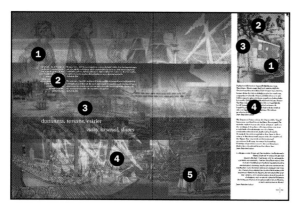

gemiler insanlar ve mallar

ships, men and goods

112 **1)** George Wheler, *Voyage de Dalmatie, de Grèce et du Levant*, La Haie, Rutgert Alberts, 1723, s./p. 189 **2)** Detay / Detail: Antoine-Ignace Melling, "Tophane Meyanı Çeşmesi / Square and fountain of Tophane", Gravür / Engraving, in *Voyage pittoresque de Constantinople et des rives du Bosphore*, Paris, 1819

113 **1)** Veli Can, "İstanbul", Minyatür / Miniature, in Lokman, *Hünernâme*, v. I, 1584-85, Topkapı Sarayı Müzesi / Topkapı Palace Museum, H. 1523, ff 158b-159a **2)** Antoine-Ignace Melling, "İstanbul Tersanesi / The Arsenal of Constantinople", Gravür / Engraving, in *Voyage pittoresque de Constantinople et des rives du Bosphore*, Paris, 1819 **3)** "Kapudan Paşa'nın üç fenerli baştardası / The bastard (small galley) of the Grand Admiral with three lanterns", Minyatür / Miniature, *Memorie turche*, codice in folio, Venezia, Museo Correr, Ms. Cicogna 1971

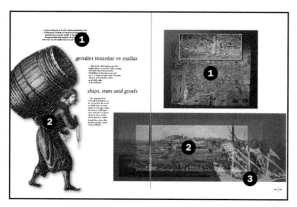

donanma, tersane, esirler

navy, arsenal, slaves

114 **1)** Lemaître, "Kapudana Bey, Kapudan, Mülazim ve Levend / Vice-Admiral, Captain, Officer and Sailor", Gravür / Engraving, Joseph-Marie Jouannin et Jules Van Gaver, *Turquie*, Paris, Firmin Didot, 1853, pl. 65 **2)** Catharin Zen, "Descrizione del viazo de Constantinopoli 1550 de ser Catharin Zen ambassador straordinario a Sultan Soliman e suo ritorno", in *Starine*, v. X, Zagreb, 1878, s./p. 231 **3)** Detay / Detail: Antoine-Ignace Melling, "İstanbul Tersanesi / The Arsenal of Constantinople", Gravür / Engraving, in *Voyage pittoresque de Constantinople et des rives du Bosphore*, Paris, 1819 **4)** "Kadırga, Galley", Minyatür / Miniature, *Memorie turche*, codice in folio, Venezia, Museo Correr, Ms. Cicogna 1971

115 **1)** "Kasımpaşa banyosu planı / Plan of the galleys of Kasımpaşa" **2)** Van Luyken, "Zincire vurulmuş esirler / Chained slaves", Gravür / Engraving, Musée de la Marine, Paris, in Paul Teyssier (ed.), *Esclave à Alger*, Paris, Editions Chandeigne, 1993, s./p. 226 **3)** "Cezayir'de bir köle / Captive in Algiers", Gravür, Engraving, Bibliothèque Nationale, Paris, in Paul Teyssier (ed.), *Esclave à Alger*, Paris, Editions Chandeigne, 1993, s./p. 222 **4)** Jean-Baptiste Labat, *Mémoires du Chevalier d'Arvieux*, Paris, 1735, v. IV, s./p. 491 **5)** Detay / Detail: Antoine-Ignace Melling, "İstanbul Tersanesi / The Arsenal of Constantinople", Gravür / Engraving, in *Voyage pittoresque de Constantinople et des rives du Bosphore*, Paris, 1819

ticaret

trade

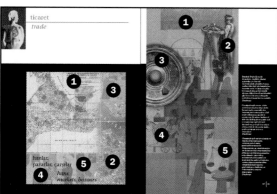

hanlar, pazarlar, çarşılar

hans, markets, bazaars

116 **1)** Wolfgang Müller-Wiener, "Lageplan der historischen Monumente in der Altstadt Istanbul, in Galata und in Pera", in *Bildlexicon zur Topographie Istanbuls*, Tübingen, Verlag Ernst Wasmuth, 1977. Lekeler başlıca pazar yerlerini gösterir / Spots indicate the location of major markets **2)** Detay / Detail: Wolfgang Müller-Wiener, "Lageplan der historischen Monumente in der Altstadt Istanbul, in Galata und in Pera", in *Bildlexicon zur Topographie Istanbuls*, Tübingen, Verlag Ernst Wasmuth, 1977. Hanlar renkli olarak gösterilmiştir / Hans are indicated in colour **3-5)** Detaylar / Details: "İstanbul bedesteni / The bedesten (covered market) of Istanbul", Minyatür / Miniature, Franz Tæschner, *Alt-Stambuler Hof- und Volksleben. Ein türkisches Miniaturenalbum aus dem 17. Jahrhundert*, Hannover, Orient-Buchhandlung Heinz Lafaire, 1925, pl.3

117 **1)** Detay / Detail: "İstanbul'da bir han / A han in Constantinople", Minyatür / Miniature, *Memorie turche*, codice in folio, Venezia, Museo Correr, Ms. Cicogna, 1971 **2)** Antoine-Ignace Melling, "At meyanı / The Hippodrome", Gravür / Engraving, in *Voyage pittoresque de Constantinople et des rives du Bosphore*, Paris, 1819 **3)** Ağırlık / Weight, 100 dirhem / drachmas, 18. yy. sonu / late 18th cent., Pirinç / Bronze, Özel koleksiyon / Private collection **4)** Detay / Detail: "Nalbant ve sarraç dükkânları / Ironsmith and saddler shops", Minyatür / Miniature, Franz Tæschner, *Alt-Stambuler Hof - und Volksleben. Ein türkisches Miniaturenalbum aus dem 17. Jahrhundert*, Hannover, Orient-Buchhandlung Heinz Lafaire, 1925, pl. 10 **5)** Detay / Detail: "Tavuk Pazarı / Tavuk (Chicken) Market", Minyatür / Miniature, *Memorie turche*, codice in folio, Venezia, Museo Correr, Ms. Cicogna, 1971

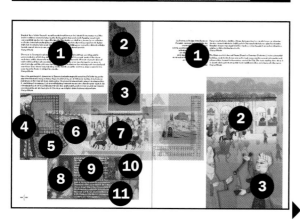

118 **1)** George Wheler, *Voyage de Dalmatie, de Grèce et du Levant*, La Haie, Rutgert Alberts, 1723, s./p. 170 **2)** "Hasan Paşa Hanı, yan cephe / Hasan Paşa Han, side facade", in Cornelius Gurlitt, *Die Baukunst Konstantinopels*, Berlin, Ernst Wasmuth A.G., 1907, pl. 13 b **3)** "Büyük Yeni Han, iç avlu / Büyük Yeni Han, inner courtyard", in Cornelius Gurlitt, *Die Baukunst Konstantinopels*, Berlin, Ernst Wasmuth A.G., 1907, pl. 13 h **4)** Detay / Detail: "Kervansaray / Caravanserail", Minyatür / Miniature, Franz Tæschner, *Alt-Stambuler Hof- und Volksleben. Ein türkisches Miniaturenalbum aus dem 17. Jahrhundert*, Hannover, Orient-Buchhandlung Heinz Lafaire, 1925, pl. 1 **5)** "Kürkçüler Hanı. Zemin planı / Kürkçüler Han. Ground floor plan", in Cornelius Gurlitt, *Die Baukunst Konstantinopels*, Berlin, Ernst Wasmuth A.G., 1907, s./p. 52 **6)** "Valide Hanı" Minyatür / Miniature, *Memorie turche*, codice in folio, Venezia, Museo Correr Ms. Cicogna, 1971 **7)** "Kervansaray / Caravanserail", Minyatür / Miniature, *Memorie turche*, codice in folio, Venezia Museo Correr, Ms. Cicogna, 1971 **8)** Thomas Allom, "Esir Pazarı / Slave Market", Renkli litografi / Coloured lithograph, ca 1845, TSM 17/851-3 **9)** Ahmet Refik, *Hicrî On Birinci Asırda İstanbul Hayatı (100-1100)*, İstanbul, Türk Tarih Encümeni, 1931, s./p. 26 **10)** Amadeo Preziosi, "Kapalıçarşı / Covered Bazaar", Suluboya / Watercolour, 1853, Resim ve Heykel Müzesi / Museum of Painting and Sculpture, Istanbul, 6801-1464 **11)** Kapalıçarşı planı / Plan of the Covered Bazaar, in Wolfgang Müller-Wiener, *Bildlexicon zur Topographie Istanbuls*, Tübingen, Verlag ernst Wasmuth, 1977, s./p. 347

119 **1)** George Wheler, *Voyage de Dalmatie, de Grèce et du Levant*, La Haie, Rutgert Alberts, 1723, s./p. 172 **2) & 3)** Detay / Detail: "İstanbul'da bir han / A han in Constantinople", Minyatür / Miniature, *Memorie turche*, codice in folio, Venezia, Museo Correr, Ms. Cicogna, 1971

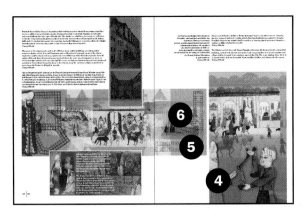

4) Detay / Detail : "Tavuk Pazarı / Tavuk (Chicken) Market", Minyatür / Miniature, *Memorie turche*, codice in folio, Venezia, Museo Correr, Ms. Cicogna, 1971 **5)** "Mısır Çarşısı. Zemin planı / Egyptian Bazaar. Ground floor plan", in Cornelius Gurlitt, Die Baukunst Konstantinopels, Berlin, Ernst Wasmuth A.G., 1907, s./p. 52 **6)** "Kervansaray / Caravanserail", Minyatür / Miniature, Franz Tæschner, *Alt-Stambuler Hof- und Volksleben. Ein türkisches Miniaturenalbum aus dem 17. Jahrhundert*, Hannover, Orient-Buchhandlung Heinz Lafaire, 1925, pl. 1

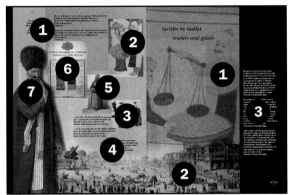

120 **1)** Desolneux, *La clef du commerce, ou état du commerce et des manufactures*, Paris, 1802, s./p. 103 **2)** Detaylar / Details: "Tavuk Pazarı / Tavuk (Chicken) Market", Minyatür / Miniature, *Memorie turche*, codice in folio, Venezia, Museo Correr, Ms. Cicogna 1971 **3)** Detay / Detail: "Nalbant ve sarraç dükkânları / Ironsmith and saddler shops", Minyatür / Miniature, Franz Tæschner, *Alt-Stambuler Hof - und Volksleben. Ein türkisches Miniaturenalbum aus dem 17. Jahrhundert*, Hannover, Orient-Buchhandlung Heinz Lafaire, 1925, pl. 10 **4)** *Mémoire sur le commerce françois du Levant*, ca 1750, f° 230 v°, Bibliothèque Municipale de Saint-Brieuc, Ms. 88 **5)** "İstanbul'da Musevi tacir / Jewish merchant of Constantinople", in *Galerie royale de costumes* **6)** Fransız yünlü kumaş eşantiyonları / Samples of French woollen cloth, Marsilya-Provence Ticaret ve Sanayi Odası Arşivleri / Marseilles-Provence Chambre of Commerce and Industry Archives **7)** "Ermeni tacir / Armenian merchant", Suluboya / Watercolour, in Manzoni, Costumes inédits,pl. 9

121 **1)** Detaylar / Details: "Tavuk Pazarı / Tavuk (Chicken) Market", Minyatür / Miniature, *Memorie turche*, codice in folio, Venezia, Museo Correr, Ms. Cicogna 1971 **2)** Antoine-Ignace Melling, "At Meydanı / The Hippodrome", Gravür / Engraving, in *Voyagepittoresque de Constantinople et des rives du Bosphore*, Paris, 1819 **3)** Domenico Hierosolimitano, *Relationi della Gran Città di Costantinopoli [...]*, 1611, ff 92 r°-92v°

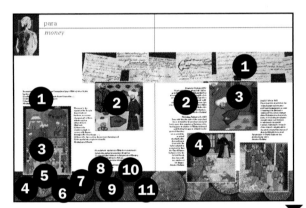

122 **1)** Mouradgea d'Ohsson, *Tableau général de l'Empire othoman*, Paris, 1788, t. VI, s./p. 99 **2) & 3)** Detay / Detail: Nakkaş Osman, "Çelebi Sultan Mehmed zamanında bahşiş ve in'am / Gifts and munificence under Çelebi Sultan Mehmed", Minyatür / Miniature, *Hünernâme*, Topkapı Sarayı Müzesi / Topkapı Palace Museum, 1523, f°127b **4) & 11)** İspanyol riyali / Spanish real, 1598-1621, Venad Nedim Tör Müzesi Sikke Koleksiyonu / Collection, 21393 **5) & 6)** Altın / Gold coin, 926 / 1520, Vedat Nedim Tör Müzesi Sikke Koleksiyonu / Collection, 1613 **7) & 12)** Hollanda tarzı esedî guruş / Dutch style thaler, 1597-1605, Vedat Nedim Tör Müzesi Sikke Koleksiyonu / Collection, 21262 **8) & 9)** Altın / Gold coin, 1168 / 1754, Vedat Nedim Tör Müzesi Sikke Koleksiyonu / Collection, 4816 **10)** Altın / Gold coin, 1115-1143 / 1703-30, Vedat Nedim Tör Müzesi Sikke Koleksiyonu / Collection, 4157

123 **1)** Poliçeler / Bills of exchange, 18. yy. / 18th cent., Fonds Roux, Marsilya-Provence Ticaret ve Sanayi Odası Arşivi / Archives of the Marseilles-Provence Chamber of Trade and Industry **2)** Charles Schefer (éd.), *Journal d'Antoine Galland pendant son séjour à Constantinople (1672-1673)*, Paris, 1881, s./p. 45 **3)** Detay / Detail: Nakkaş Osman, "Çelebi Sultan Mehmed zamanında bahşiş ve in'am / Gifts and munificence under Çelebi Sultan Mehmed" Minyatür / Miniature, *Hünernâme*, Topkapı Sarayı Müzesi / Topkapı Palace Museum, 1523 f°127b **4)** Detay / Detail: Levnî, "III. Ahmed tarafından sünnet bahşişi dağıtılması / Bestowal of coins by Ahmed III on the occasion of the circumcision of his sons", Minyatür / Miniature, Vehbî, *Sûrnâme-i Vehbî*, ca 1720, Topkapı Sarayı Müzesi / Topkapı Palace Museum, A 3593 ff 174a

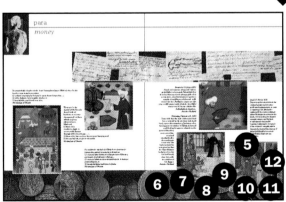

5) Detay / Detail: Levnî, "III. Ahmed tarafından sünnet bahşişi dağıtılması / Bestowal of coins by Ahmed III on the occasion of the circumcision of his sons", Minyatür / Miniature, Vehbî, *Sûrnâme-i Vehbî*, ca 1720, Topkapı Sarayı Müzesi / Topkapı Palace Museum, A 3593 ff 174b. **6)** Altın / Gold coin, 1115-1143 / 1703-30, Vedat Nedim Tör Müzesi Sikke Koleksiyonu / Collection, 4157 **7) & 12)** Maria Theresa taleri / Thaler of Maria Theresa, 1780, Private collection **8)** Altın / Gold coin, 1115 / 1703, Vedat Nedim Tör Koleksiyonu / Collection, 4177 **9)** Hollanda tarzı esedî guruş / Dutch style guruş, 1597-1605, Vedat Nedim Tör Müzesi Sikke Koleksiyonu / Collection, 21262 **10) & 11)** Altın / Gold coin, 1168 / 1754, Vedat Nedim Tör Müzesi Sikke Koleksiyonu / Collection, 4816

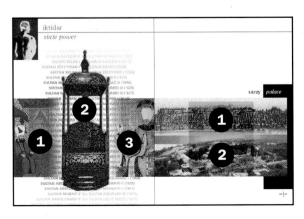

124 **1)** "Padişah arz odasında / The Sultan in the audience room", Minyatür / Miniature, Franz Tæschner, *Alt-Stambuler Hof- und Volksleben. Ein türkisches Miniaturenalbum aus dem 17. Jahrundert*, Hannover, Orient-Bachhandlung Heinz Lafaire, 1925, pl. 8 **2)** Taht / Throne, Ahşap ve sedef / Wood and mother of pearl, Topkapı Sarayı Müzesi / Topkapı Palace Museum, Fotoğraf / Photograph, Aras Neftçi Arşivi / Archives **3)** Levnî, "III. Ahmed ve oğlu / Ahmed III and his son", Minyatür / Miniature, *Silsilenâme*, ca 1710-20, Topkapı Sarayı Müzesi / Topkapı Palace Museum, A 3109, f° 22b

125 **1)** "Saray görüntüsü / View of the Seraglio", Gravür / Engraving, in Grelot, *Relation nouvelle d'un voyage de Constantinople*, Paris, 1681 **2)** Topkapı Sarayı / Topkapı Palace, Fotoğraf / Photograph: Aras Neftçi Arşivi / Archives

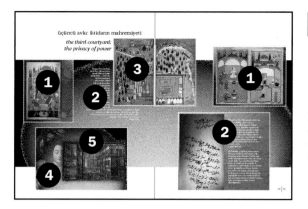

126
1) "Kanunî Süleyman ile oğlunun sohbeti / Conversation between Sultan Süleyman the Magnificent and his son", Minyatür / Miniature, Talikizâde Subhî Çelebi, *Şehnâme-i Tâlikizâde*, ca 1596-1600, Topkapı Sarayı Müzesi / Topkapı Palace Museum, A 3592, fº 79a 2) Henry Blunt, *A Voyage into the Levant*, 1638, s./p. 312 3) Molla Tiflisî, "Yeni Saray üçüncü avlusu / Third courtyard of the New Seraglio", Minyatür / Miniature, Lokman, *Hünernâme*, v. I, 1584, Topkapı Sarayı Müzesi / Topkapı Palace Museum, 1523, ff 231b - 232a 4) Detay / Detail: " Kahve içen hanım / Lady drinking coffee", Tuval üzerine yağlıboya / Oil on canvas, 18. yy. / 18th cent., Sevgi Gönül Koleksiyonu / collection, in *Çağlarboyu Anadolu'da Kadın*, İstanbul, T.C. Kültür Bakanlığı, 1993, s./p. 214 5) Antoine-Ignace Melling, "Harem görüntüsü / View of the Harem", Gravür / Engraving, in *Voyage pittoresque de Constantinople et des rives du Bosphore*, Paris, 1819

127
1) "Kanunî Süleyman'ın hamama girmeden soyunması ve içoğlanları / Süleyman the Magnificent undressing before taking his bath surrounded by pages", Minyatür / Miniature, Topkapı Sarayı Müzesi / Topkapı Palace Museum, H 1524, ff 147b - 148a 2) Abdülhamid'in (1774-1789) baş kadını Rûhşâh Kadına mektubu / Letter of Sultan Abdülhamid I (1774-1789) to his concubine Rûhşâh Kadın, Topkapı Sarayı Arşivi / Topkapı Palace Archives, E 10193

129
1) Molla Tiflisi, "Birinci avlu / The first courtyard", Minyatür / Miniature, Lokman, *Hünernâme*, v. I, 1584, Topkapı Sarayı Müzesi / Topkapı Palace Museum 1523, fº 15b 2) Pitton de Tournefort, *Relation d'un voyage du Levant, fait par ordre du Roy*, Paris, 1717, v. I, p. 497 3) Antoine-Ignace Melling, "Birinci avlu görüntüsü / View of the first courtyard", Gravür / Engraving, in *Voyage pittoresque de Constantinople et des rives du Bosphore*, Paris, 1819

130
1) Jean-Baptiste Tavernier, *Nouvelle relation de l'intérieur du Serrail du Grand Seigneur*, Rouen, 1713, p. 139 2) Pietro della Valle, *Les fameux voyages de Pietro della Valle, gentil-homme romain*, Paris, 1670, s./p. 104-105 3) Detay / Detail: Lemaître, "Yeniçeriler / Janissaries", Gravür / Engraving, Joseph-Marie Jouannin et Jules Van Gaver, *Turquie*, Paris, Firmin Didot, 1853, pl. 86 4) "Pençik oğlanlarının kaydedilmesi / Registration of children taken as tribute", Minyatür / Miniature, Arifi, *Süleymannâme*, 1558, Topkapı Sarayı Müzesi / Topkapı Palace Museum H 1517, fº 31b 5) "Ziyafet / Banquet", Minyatür / Miniature, Gelibolulu Mustafa Âlî, *Nusretnâme*, 1584, Topkapı Sarayı Müzesi / Topkapı Palace Museum H 1365, fº 34b 6) Detay / Detail: "Ali Paşa'nın Bâb-ı Hümâyun'dan çıkışı / Ali Paşa exiting the main gate of the Palace", Minyatür / Miniature, *Vak'anâme-i Ali Paşa*, ca 1604, Süleymaniye Kütüphanesi / Library, Halet Efendi 612, fº 9b 7) "III. Mehmed'in alayı / Procession of Mehmed III", Minyatür / Miniature, (iki sahife / two pages), Talikizade Subhi Çelebi, *Şehnâme-i Mehmed Han*, Topkapı Sarayı Müzesi / Topkapı Palace Museum, H. 1609, ff. 68b - 69a 8) Lemaître, "Yeniçeriler / Janissaries", Gravür / Engraving, Joseph-Marie Jouannin et Jules Van Gaver, *Turquie*, Paris, Firmin Didot, 1853, pl. 86 9) Lemaître, "Exercising the *tomak*", Gravür / Engraving, Joseph-Marie Jouannin et Jules Van Gaver, *Turquie*, Paris, Firmin Didot, 1853, pl. 41b 10) Lemaître, "Cirit talimi / Exercising the +cirid+", Gravür / Engraving, Joseph-Marie Jouannin et Jules Van Gaver, *Turquie*, Paris, Firmin Didot, 1853, pl. 42 11) Lemaître, "1540 ile 1580 arasında Türk askerleri / Turkish troops from 1540 to 1580", Gravür / Engraving, Joseph-Marie Jouannin et Jules Van Gaver, *Turquie*, Paris, Firmin Didot, 1853, pl. 22

131
1) "Surre alayının hareketi / Departure of the Surre for Mecca", Gravür / Engraving, in Choiseul-Gouffier, *Voyage pittoresque de la Grèce*, Paris, 1822 2) François Dubois, "II Mahmud selamlık alayında / Mahmud II during the Friday prayer ceremony", Tuval üzerine yağlı boya / Oil on canvas, İstanbul Resim ve Heykel Müzesi / Istanbul Painting and Sculpture Museum 3) "II. Osman'ın deniz yoluyla saraya gelişi / Osman II arriving to the Palace by sea", Minyatür / Miniature, Nadirî, *Şehnâme-i Nadirî*, ca 1620, Topkapı Sarayı Müzesi / Topkapı Palace Museum H 1124, ff 73b - 74a 4) Ahmed Nakşî (?), "Sultan III. Murad'ın alayla Cuma selamlığına gidişi / Murad III leaving fo the Friday prayer", Minyatür / Miniature, *Bir şiir*, 1618-1622, Topkapı Sarayı Müzesi / Topkapı Palace Museum H 889, fº 4a 5) Antoine-Ignace Melling, "Babı-Hümayun önünde tören / Ceremony in front of the main gate of the Palace", Gravür / Engraving, in *Voyage pittoresque de Constantinople et des rives du Bosphore*, Paris, 1819

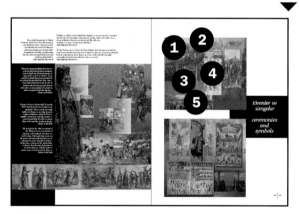

132
1) Molla Tiflisî, "İkinci avlu ve Bâb-ı Sa'âdet / The second courtyard and the Gate of Felicity", Minyatür / Miniature, *Hünernâme*, Topkapı Sarayı Müzesi / Topkapı Palace Museum 1523, ff 18b - 19a 2) Du Loir, *Voyages du Sieur du Loir*, Paris, 1654, s./p. 44 3) Lemaître, "İki bayram öncesi Arz odasında dini tören / Religious ceremony in the Audeince Room before the two bayrams", Gravür / Engraving, Joseph-Marie Jouannin et Jules Van Gaver, *Turquie*, Paris, Firmin Didot, 1853, pl. 53 4) Antoine-Ignace Melling, "Harem görüntüsü / View of the harem", Gravür / Engraving, in *Voyage pittoresque de Constantinople et des rives du Bosphore*, Paris, 1819

133
1) "Kubbealtı / The Divan", Minyatür / Miniature, *Memorie turche*, codice in folio, Venezia, Museo Correr, Ms. Cicogna 1971 2) "Kayseri Kadısı hakkında Kanunî Süleyman'ın divan oturumunu dinlemesi / Süleyman the Magnificent listening to the Divan session concerning the kadi (judge) of Kayseri", Minyatür / Miniature, Lokman, *Hünernâme*, v. II, 1588, Topkapı Sarayı Müzesi / Topkapı Palace Museum H 1524, fº 237b 3) Dominique Sestini, *Lettres de Monsieur l'Abbé Dominique Sestini, écrites à ses amis en Toscane, pendant le cours de ses voyages en Italie, en Sicile et en Turquie*, Paris, 1789, v. III, s./p. 471 4) Lemaître, "Sadrıazam, Kaymakam, Reis Efendi, Hacegân", Gravür / Engraving, Joseph-Marie Jouannin et Jules Van Gaver, *Turquie*, Paris, Firmin Didot, 1853, pl. 46 5) Lemaître, "İstanbul'da saray kapısı / Seraglio gate in Istanbul", Gravür / Engraving, Joseph-Marie Jouannin et Jules Van Gaver, *Turquie*, Paris, Firmin Didot, 1853, pl. 16

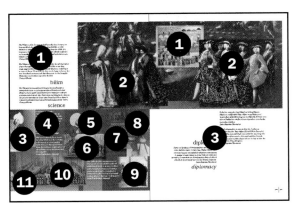

134 1) George Wheler, *Voyage de Dalmatie, de Grèce et du Levant*, La Haie, Rutgert Alberts, 1723, p. 185 2) Detay / Detail: Guardi, "Saray avlusu / Palace courtyard", Tuval üzerine yağlıboya / Oil on canvas, 18. yy. Ankara İngiliz elçiliği / British Embassy 3) 5) 8) 9) 11) Detaylar / Details: "Rasathane (Observatory", Minyatür / Miniature, Lokman, *Şehinşahnâme*, v. I, 1581, İstanbul Üniversitesi Kitaplığı / Istanbul University Library, F 1404, f° 57a 4) Luigi Ferdinando Marsigli, *Stato Militare dell' Imperio Ottomano*, Graz, 1972, s./p. 19 6) Lemaître, "Kalem veya resmî daire / Kalem or public bureau", Gravür / Engraving, Joseph-Marie Jouannin et Jules Van Gaver, *Turquie*, Paris, Firmin Didot, 1853, pl. 54 7) Nakkaş Osman, "Süleymaniye maketi / Model of the Süleymaniye mosque", Minyatür / Miniature, *Surname-i Hümayun*, Topkapı Sarayı Müzesi /

Topkapı Palace Museum, H. 1344 10) Lemaître, "Sadrıazamın divanı / Court of the Grand Vezir", Gravür / Engraving, Joseph-Marie Jouannin et Jules Van Gaver, *Turquie*, Paris, Firmin Didot, 1853, pl. 49

135 1) "İran sefiri Tokmak Han tarafından hediye takdimi / Gifts presented by the Persian ambassador Tokmak Khan", Minyatür / Miniature, Lokman, *Şehinşahnâme*, c. I, 1581, İstanbul Üniversitesi Kitaplığı / İstanbul University Library, F 1404, ff 41b - 42a 2) Detay / Detail: Guardi, "Saray avlusu / Palace courtyard", Tuval üzerine yağlıboya / Oil on canvas, 18. yy. Ankara İngiliz elçiliği / British Embassy 3) Jean-Baptiste Tavernier, *Nouvelle relation de l'intérieur du Serrail du Grand Seigneur*, Rouen, 1713, s./p. 100

136 1) Detay / Detail: "Rasathane / Observatory", Minyatür / Miniature, Lokman, Şehinşahnâme, v. I, 1581, İstanbul Üniversitesi Kitaplığı / Istanbul University Library, F 1404, f° 57a

137 1) Willem Bleau, *Theatrum Orbis (Novus Atlas)*, 1640, Sinan Türkömer Arşivi 2) Uzay haritası / Space map, TÜBİTAK, MAM, Uzay Teknolojileri Bölümü / Turkish Scientific and Technical Research Council, Marmara Research Center, Space Technologies Department

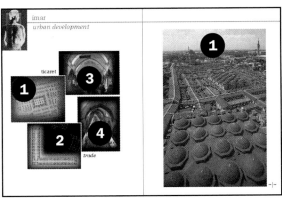

138 1) Kapalıçarşı planı / Plan of the Covered Bazaar, in Wolfgang Müller-Wiener, *Bildexicon zur Topographie Istanbuls*, Tübingen, Verlag Ernst Wasmuth, 1977, s./p. 347 2) "Mısır Çarşısı, zemin planı / Egyptian Bazaar, ground floor plan", Fotoğraf / Photograph, in Cornelius Gurlitt, *Die Baukunst Konstantinopels*, Berlin, Ernst Wasmuth A.G., 1907, s./p. 52 3) Kapalıçarşı / Covered Bazaar, Fotoğraf / Photograph: Şemsi Güner Arşivi / Archives 4) Mısır Çarşısı / Egyptian Bazaar, Fotoğraf / Photograph: Şemsi Güner Arşivi / Archives

139 1) Kapalıçarşı / Covered Bazaar, Fotoğraf / Photograph: Aras Neftçi Arşivi / Archives

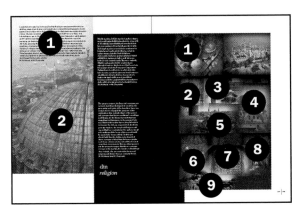

140 1) M. Michaud et M. Poujoulat, *Correspondance d'Orient (1830-1831)*, Bruxelles, 1841, Lettre XXXIV, 29 août 1830, s./p. 142-143 2) Kubbe / Dome, Süleymaniye Camii / Mosque, Fotoğraf / Photograph: Cengiz Kahraman Arşivi / Archives

141 1) Kubbeler / Domes, Süleymaniye camii / mosque, Fotoğraf / Photograph: Aras Neftçi Arşivi / Archives 2) Kapı / Entrance, Bayezid Camii / Mosque, Fotoğraf / Photograph: Yavuz Çelenk Arşivi / Archives 3) Kuşevi / Birdhouse, Selimiye Camii / Mosque, Fotoğraf / Photograph: Şemsi Güner Arşivi / Archives 4) Kubbeler / Domes, Nusretiye Camii / Mosque, Fotoğraf / Photograph: Aras Neftçi Arşivi / Archives 5) Yeni Valide Camii / Mosque, Fotoğraf / Photograph: Şemsi Güner Arşivi / Archives 6) İç görüntü / Interior, Güzelce Kasım Paşa Camii / Mosque, Fotoğraf / Photograph: Yavuz Çelenk Arşivi / Archives 7) Kitabe / Inscription, Kılıç Ali Paşa Camii / Mosque, Fotoğraf / Photograph: Yavuz Çelenk Arşivi / Archives 8) İç görüntü / Interior, Güzelce Kasım Paşa Camii / Mosque, Fotoğraf / Photograph: Yavuz Çelenk Arşivi / Archives 9) Sokollu Mehmed Paşa Camii / Mosque, Fotoğraf / Photograph: Aras Neftçi Arşivi / Archives

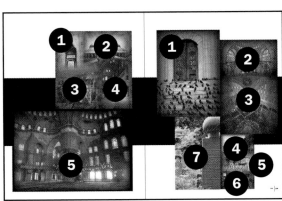

142 1) Avlu kapısı / Main gate to the courtyard, Sultan Ahmed Camii / Mosque, Fotoğraf / Photograph: Şemsi Güner Arşivi / Archives 2) Kubbeler / Domes, Sultan Ahmed Camii / Mosque, Fotoğraf / Photograph: Şemsi Güner Arşivi / Archives 3) Sultan Ahmed Camii / Mosque, Fotoğraf / Photograph: Şemsi Güner Arşivi / Archives 4) Minber / Pulpit, Sultan Ahmed Camii / Mosque, Fotoğraf / Photograph: Yavuz Çelenk Arşivi / Archives 5) İç görüntü / Interior, Sultan Ahmed Camii / Mosque, Fotoğraf / Photograph: Şemsi Güner Arşivi / Archives

143 1) Kapı / Door, Yeni Valide Camii / Mosque, Fotoğraf / Photograph: Cengiz Kahraman Arşivi / Archives 2) & 3) İç görüntü / Interior, Süleymaniye Camii / Mosque, Fotoğraf / Photograph: Aras Neftçi Arşivi / Archives 4) Bayezid II türbesi / mausoleum, Fotoğraf / Photograph: Yavuz Çelenk Arşivi / Archives 5) Kanuni Süleyman türbesi / mausoleum, Fotoğraf / Photograph: Aras Neftçi Arşivi / Archives 6) İç görüntü / Interior, Sultan Ahmed türbesi / mausoleum, Fotoğraf / Photograph: Şemsi Güner Arşivi / Archives 7) Mezar taşları / Tombstones, Sokollu Mehmed Paşa hazire-si / cemetery, Fotoğraf / Photograph: Cengiz Kahraman Arşivi / Archives

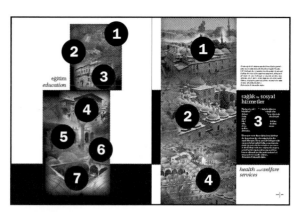

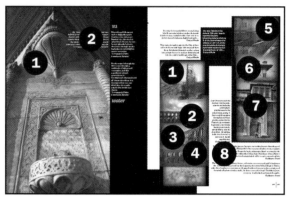

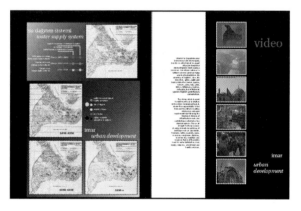

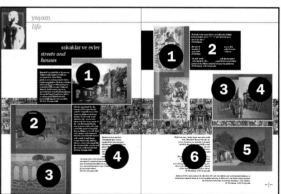

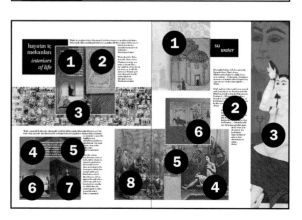

144 1) Süleymaniye Medresesi / Madrasa, Fotoğraf / Photograph: Aras Neftçi Arşivi / Archives 2) Çorlulu Ali Paşa Medresesi / madrasa, Fotoğraf / Photograph: Aras Neftçi Arşivi / Archives 3) Aşir Efendi Kütüphanesi / library, Fotoğraf / Photgraph: Aras Neftçi Arşivi / Archives 4) Süleyman Efendi sıbyan mektebi / primary school, Fotoğraf / Photograph: Aras Neftçi Arşivi / Archives 5) Gazanfer Ağa medresesi / madrasa, Fotoğraf / Photograph: Cengiz Kahraman Arşivi / Archives 6) Sokollu Mehmed Paşa medresesi / madrasa, Fotoğraf / Photograph: Cengiz Kahraman Arşivi / Archives 7) Gazanfer Ağa medresesi / madrasa, Fotoğraf / Photograph: Cengiz Kahraman Arşivi / Archives

145 1) Haseki Sultan imareti / soup kitchen, Fotoğraf / Photograph: Aras Neftçi Arşivi / Archives 2) Süleymaniye imareti / soup kitchen, Fotoğraf / Photograph: Şemsi Güner Arşivi / Archives 3) Domenico Hierosolimitano, *Relationi della Gran Città di Costantinopoli* [...], 1611, f° 96 r° 4) Süleymaniye darüşşifası / hospital, Fotoğraf / Photograph: Şemsi Güner Arşivi / Archives

146 1) Ahmed III çeşmesi / fountain, Fotoğraf / Photograph: Aras Neftçi Arşivi / Archives 2) "Le voyage de Pierre Lescalopier, Parisien", in Revue *d'histoire diplomatique*, vol. XXXV (1921), n° 1, s./p. 38

147 1) Büyük kemer / Great aquaduct, Fotoğraf / Photograph: Şemsi Güner Arşivi / Archives 2) Su kulesi / Water tower, Fotoğraf / Photograph: Yavuz Çelenk Arşivi / Archives 3) Mağlova kemeri / aquaduct, Fotoğraf / Photograph: Şemsi Güner Arşivi / Archives 4) Büyük Kemer / Great aquaduct, Fotoğraf / Photograph: Şemsi Güner Arşivi / Archives 5) Bayezid II türbesi / mausoleum, Fotoğraf / Photograph: Yavuz Çelenk Arşivi / Archives 6) Ahmed III çeşmesi / fountain, Fotoğraf / Photograph: Burçin Altınsay 7) Çeşme / Fountain, Fotoğraf / Photograph: Yavuz Çelenk Arşivi / Archives 8) Guillaume Postel, De la république des Turcs: & là où l'occasion s'offrera, des meurs & loy de tous Muhamedistes, Poiters, 1560, s./p. 27-28

148 Wolfgang Müller-Wiener, "Lageplan der historischen Monumente in der Altstadt Istanbul, in Galata und in Pera", in *Bildlexicon zur Topographie Istanbuls*, Tübingen, Verlag Ernst Wasmuth, 1977

150 1) Eski İstanbul / Old Istanbul" Renklendirilmiş gravür / Coloured engravig, Private collection 2) "Valens su kemeri / The aquaduct of Emperor Valens", Fotoğraf / Photograph: Cornelius Gurlitt, Die Baukunst Konstantinopels, Berlin, Ernst Wasmuth A.G., 1907, pl. 4a 3) "İstanbul'da su kemeri / Aquaduct of Constantinople", Minyatür / Miniature, *Memorie turche*, codice in folio, Venezia, Museo Correr, Ms. Cicogna, 1971 4) F.C.H.L. Poucqueville, Voyage en Morée, à Constantinople, en Albanie et dans plusieurs autres parties de l'Empire ottoman, Paris, 1805, s./p. 108

151 1) "1660 yangını / The fire of 1660", Minyatür / Miniature, (2 sahife / sheets), *Memorie turche*, codice in folio, Venezia, Museo Correr, Ms. Cicogna, 1971 2) M. Michaud et M. Poujoulat, *Correspondanca d'Orient (1830-1831)*, Bruxelles, 1841. Lettre XXXIV, 29 août 1830, s./p. 144 3) & 4) "Fener evleri / Houses of Phanar", Fotoğraf / Photograph, Cornelius Gurlitt, *Die Baukunst Konstantinopels*, Berlin, Ernst Wasmuth A.G., 1907, pl.13 s 5) Fabius Brest, "Üsküdar'da bir sokak / A street in Üsküdar", Tuval üzerine yağlıboya / Oil on canvas, İstanbul, 1855-59, Topkapı Sarayı Müzesi / Topkapı Palace Museum, Resim Galerisi / Collection of paintings, 17/965 6) M. Michaud et M. Poujoulat, *Correspondance d'Orient (1830-1831)*, Bruxelles, 1841. Lettre XXXIV, 29 août 1830, p. 145

152 1) Dominique Sestini, *Lettres de Monsieur l'Abbé Dominique Sestini, écrites à ses amis en Toscane, pendant le cours de ses voyages en Italie, en Sicile et en Turquie*, Paris, 1789, v. III, s./p. 480 (Avis du traducteur) 2) "Yatak / Bed", Minyatür / Miniature, Franz Tæschner, *Alt-Stambuler Hof- und Volksleben. Ein türkisches Miniaturenalbum aus dem 17. Jahrhundert*, Hannover, Orient - Buchhandlung Heinz Lafaire, 1925, n° 42 3) "Türk yatağı / Turkish bed", Suluboya / Watercolour, 18. yy. / 18th cent., Galeri Alfa 4) Ottoman house, in Sedad Hakkı Eldem, *Osmanlı Evleri* 5) "Le voyage de Pierre Lescalopier, Parisien", in Revue *d'histoire diplomatique*, vol. XXXV (1921), n° 1, s./p. 38 6) "Türk evi / Turkish house", Suluboya / Watercolour, 18. yy. / 18th cent., Galeri Alfa 7) Le Hay, "Sofada kahve içen Türk kızı / Turkish girl drinking coffee on a couch", Gravür / Engraving, *Recueil de cent estampes représentant différentes nations du Levant...*, Paris, Le Hay, 1714 8) Lemaître, "Hamam / Bath", Gravür / Engraving, Joseph-Marie Jouannin et Jules Van Gaver, *Turquie*, Paris, Firmin Didot, 1853, pl. 80

153 1) "Hamam / Bath", Minyatür / Miniature, Franz Tæschner, *Alt-Stambuler Hof- und Volksleben. Ein türkisches Miniaturenalbum aus dem 17. Jahrhundert*, Hannover, Orient-Buchhandlung Heinz Lafaire, 1925, n° 44 2) Grelot, *Relation nouvelle d'un voyage de Constantinople*, Paris, 1681, s./p. 286-287 3) Detay / Detail: Abdullah Buharî, "Yıkanan kadın / Woman bathing", Altın yaldız ve suluboya / Gold leaf and watercolour, 1741, Topkapı Sarayı Müzesi / Topkapı Palace Museum, Y.Y. 1043 4) Le Hay, "Hamamda saçını taratan kadın / Women having her hair combed in a bath", Gravür / Engraving, Recueil de cent estampes représentant différentes nations du Levant..., Paris, Le Hay, 1714 5) Lemaître, "Türk Kadınlar hamamı / Bath of Turkish women", Gravür / Engraving, Joseph-Marie Jouannin et Jules Van Gaver, Turquie, Paris, Firmin Didot, 1853, pl. 81 6) "Çeşme ve saka / Fountain and water-carrier (*Saka*)", Minyatür / Minilature, Franz Tæschner, *Alt-Stambuler Hof- und Volkslben. Ein türkisches Miniaturenalbum aus dem 17. Jahrhundert*, Hannover, Orient-Buchhandlung Heinz Lafaire, 1925, n° 4

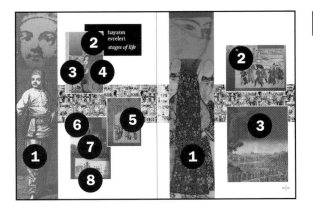

154

1) Le Hay, "Sünnet olmaya götürülen çocuk / Child going to circumcision", Gravür / Engraving, *Recueil de cent estampes représentant différentes nations du Levant...*, Paris, Le Hay, 1714, Sinan Türkömer Arşivi / Archives 2) & 4) Detaylar / Details: Şerafeddin Sabuncuoğlu, "Ebe ve hastası / Midwife and patient", Minyatür / Miniature, İstanbul Millet Kütüphanesi / Library, Ali Emiri 79, 113a 3) "Doğum sahnesi / Birth scene", Guaş / Gouache, *Hubanname*, İstanbul Üniversitesi Kütüphanesi / Istanbul University Library 5) "Sünnet / Circumcision", Minyatür / Miniature, Franz Tæschner, *Alt-Stambuler Hof- und Volksleben. Ein türkisches Miniaturenalbum aus dem 17. Jahrhundert*, Hannover, Orient-Buchhandlung Heinz Lafaire, 1925, n° 35 6) "Gelin / Bride", Suluboya / Watercolour, İstanbul, 1645-50, Deniz Müzesi / Naval Museum 2380, f° 112 7) Antoine-Ignace Melling, "Bab-ı Hümayun önünde tören / Ceremony in front of the main gate of the Palace", Gravür / Engraving, in *Voyage pittoresque de Constantinople et des rives du*

Bosphore, Paris, 1819 8) "Düğün / Marriage", Minyatür / Miniature, Franz Tæschner, *Alt-Stambuler Hof- und Volksleben. Ein türkisches Miniaturenalbum aus dem 17. Jahrhundert*, Hannover, Orient-Buchhandlung Heinz Lafaire, 1925, n° 32

155

1) Detay / Detail: "Düğün / Marriage", Minyatür / Miniature, Franz Tæschner, *Alt-Stambuler Hof- und Volksleben. Ein türkisches Miniaturenalbum aus dem 17. Jahrhundert*, Hannover, Orient-Buchhandlung Heinz Lafaire, 1925, n° 32 2) "Cenaze / Funeral", Minyatür / Miniature, Franz Tæschner, *Alt-Stambuler Hof- und Volksleben. Ein türkisches Miniaturenalbum aus dem 17. Jahrhundert*, Hannover, Orient-Buchhandlung Heinz Lafaire, 1925, n° 16 3) Cochin fils, "Eyüb Mezarlığı / Eyüb cemetery", Gravür / Engraving, M. d'Ohsson, Tableau général de l'Empire othoman, Paris, 1787

156

1) Bernard Picart, "Salıncaklı", Gravür / Engraving, Historie Generales des Ceremonies, Mœurs et Costumes Religieuse de tous les people du monde avec les explications, 1. Baskı, 1741, Sinan Türkömer Arşivi / Archives 2) "Dönme dolap / Ferris wheel", Minyatür / Miniature, Franz Tæschner, *Alt-Stambuler Hof- und Volksleben. Ein türkisches Miniaturenalbum aus dem 17. Jahrhundert*, Hannover Orient-Buchhandlung Heinz Lafaire, 1925, n° 46 3) "Salıncak / Swing", Minytür / Miniature, Franz Tæschner, *Alt-Stambuler Hof- und Volksleben. Ein türkisches Miniaturenalbum aus dem 17. Jahrhundert*, Hannover, Orient Buchhandlung Heinz Lafaire, 1925, n° 39 4) Levnî, "Haliç'te gösteri / Festival on the Golden Horn", Minyatür / Miniature, Vehbi, *Sûrnâme-i Vehbî*, ca 1720, Topkapı Sarayı Müzesi / Topkapı Palace Museum, A 3593, f 77a 5) Levnî, "Gece şenliği / Night festival", Minyatür / Miniature, Vehbî, *Sûrnâme-i Vehbî*, ca 1720, Topkapı Sarayı Müzesi / Topkapı Palace Museum, A 3593, f 52a

157

1) "Karnaval sahnesi / Scene from a carnival", Minyatür / Miniature, Franz Tæschner, *Alt-Stambuler Hof- und Volksleben. Ein türkisches Miniaturenalbum aus dem 17. Jahrhundert*, Hannover, Orient-Buchhandlung Heinz Lafaire, 1925, n° 11 2) Detay / Detail: "Kabristanda bir Türk kahvesi / Turkish coffeehouse in a cemetery", Litografi / Lithofraph, in C. Rogier, *La Turquie*, pl. 7 3) M. Michaud et M. Poujoulat, *Correspondance d'Orient (1830-1831)*, Bruxelles, 1841. Lettre XXXV, 2 Septembre 1830, s./p. 158 4) Detay / Detail: Joseph Schranz, "İstanbul Boğazı panoraması / Panorama of the Bosphorus", Gravür / Engraving, 19. yy. / 19th cent., özel koleksiyon / private collection 5) Lemaître, "Kabristan / Cemetery", Gravür / Engraving, Joseph-Marie Jouannin et Jules Van Gaver, *Turquie*, Paris, Firmin Didot, 1853, pl. 88

158

1) Detay / Detail: Le Hay, "Çengi / Dancer", Gravür / Engraving, *Recueil de cent estampes représentant différentes nations du Levant...*, Paris, Le Hay, 1714 2) "Bir meyhanenin kapatılması / Closing down of a tavern", Minyatür / Miniature, Franz Tæschner, *Alt-Stambuler Hof- und Volksleben. Ein türkisches Miniaturenalbum aus dem 17. Jahrhundert*, Hannover, Orient-Buchhandlung Heinz Lafaire, 1925, n° 23 3) George Wheler, *Voyage de Dalmatie, de Grèce et du Levant*, La Haie, Rutgert Alberts 1723, s./p. 192 4) George Wheler, *Voyage de Dalmatie, de Grèce et du Levant*, La Haie, Rutgert Alberts 1723, s./p. 193 5) Levnî, "Çengi ve soytarılar / Dancers and buffoons", Minyatür / Miniature, Vehbî, *Sûrnâme-i Vehbî*, ca 1720, Topkapı Sarayı Müzesi / Topkapı Palace Museum, A 3593 6) "Çubuk içen bir adam / A pipe smoker", Minyatür / Miniature, Franz Tæschner, *Alt-Stambuler Hof- und Volksleben. Ein türkisches Miniaturenalbum aus dem 17. Jahrhundert*, Hannover, Orient-Buchhandlung Heinz Lafaire, 1925, n° 36

7) J. Griffiths, Nouveau voyage dans la Turquie d'Europe et d'Asie et en Arabie, Paris, 1812, v. I, s./p. 120 8) Antoine-Ignace Melling, "Kahvehane / Coffeehouse", Gravür / Engraving, in *Voyage pittoresque de Constantinople et des rives du Bosphore*, Paris, 1819

159

1) "Musevi / Jew", Suluboya / Watercolour, Galeri Alfa 2) "Portreler / Portraits", Renklendirilmiş Gravür / Coloured engraving, in Antoine Laurent Castellan, *Múurs, usages, costumes des Othomans et abrégé de leur histire*, Paris, 1812, Galeri Alfa 3) "Pera'lı kadın / Woman from Pera", Suluboya / Watercolour, Galeri Alfa 4) M. Michaud et M. Poujoulat, *Correspondance d'Orient (1830-1831)*, Bruxelles, 1841. Lettre XXXVII, septembre 1830, s./p. 173

160

1) Evliya Çelebi, *Seyyâhatnâme*, (Ahmed Cevdet, ed.), Istanbul, 1314 / 1898, v. I, p. 555 2) Detay / Detail: "Ekmekçi loncası / The guild of bakers", Minyatür / Miniature, SOsman, *Surnâme*, ca 1582, Topkapı Sarayı Müzesi / Topkapı Palace Museum H. 1344, ff 149b - 150a 3) Detay / Detail: Levnî, "Kasap loncası / The guild of butchers", Minyatür / Miniature, Vehbî, *Sûrnâme-i Vehbî*, ca 1720, Topkapı Sarayı Müzesi / Topkapı Palace Museum, A 3593, f. 73b 4) "Sırçacı loncası / The guild of glassmakers", Minyatür / Miniature, Osman, *Surnâme*, ca 1582, Topkapı Sarayı Müzesi / Topkapı Palace Museum H. 1344 5) "İki manav dükkânı / Two fruit vendors' shops", Minyatür / Miniature, *Memorie turche, codice in folio*, Venezia, Museo Correr, Ms. Cicogna 1971 6) Lemaître, "Şehzade Camii / Şehzade

Mosque", Gravür / Engraving, Joseph-Marie Jouannin et Jules Van Gaver, *Turquie*, Paris, Firmin Didot, 1853, pl. 16 7) "Şerbetçi dükkânı / Sweet beverages shop", Karagöz figürü / Shadow theater element

161

1) Le Hay, "Kedi besleyen Arnavut ciğercisi / Albanian liver vendor feeding cats", Gravür / Engraving, *Recueil de cent estampes représentant différentes nations du Levant...*, Paris, Le Hay, 1714 2) Evliyâ Çelebi, *Seyyâhatnâme*, (Ahmed Cevdet, ed.), Istanbul, 1314/1898, v. I, s./p. 660-661 3) Le Hay, "Saka / Water-carrier", Gravür / Engraving, *Recueil de cent estampes représentant différentes nations du Levant...*, Paris, Le Hay, 1714

162

1) Le Hay, "Sokak kahve satıcısı / Coffee vendor in the streets", Gravür / Engraving, *Recueil de cent estampes représentant différentes nations du Levant...*, Paris, Le Hay, 1714 2) Le Hay, "Helvacı / Vendor of halwa in the streets", Gravür / Engraving, *Recueil de cent estampes représentant différentes nations du Levant...*, Paris, Le Hay, 1714 3) Detay / Detail: "Meyhanede balık aşçısı / Fish cook at the tavern", Minyatür / Miniature, Galeri Alfa

163

1) M. Michaud et M. Poujoulat, *Correspondance d'Orient (1830-1831)*, Bruxelles, 1841. Lettre XXXVI, 3 septembre 1830, s./p. 169 2) 5) "Dükkân / Shop", Fotöğraf / Photograph, 19. yy. / 19th cent., Pierre de Gigord, *Images d'Empire*, Istanbul, 1993 3) "İki dükkân / Two shops", Minyatür / Miniature, *Memorie turche, codice in folio*, Venezia, Museo Correr, Ms. Cicogna, 1971 4) "Sokak berberi / Street barber", Minyatür / Miniature, Franz Tæschner, *Alt-Stambuler Hof- und Volksleben. Ein türkisches Miniaturenalbum aus dem 17. Jahrhundert*, Hannover, Orient-Buchhandlung Heinz Lafaire, 1925, n° 21

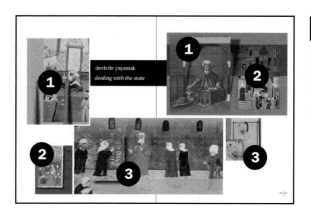

devletle yaşamak
dealing with the state

164 1) Kazvini, "Gaiblik sebebiyle boşanma talebinde bulunan kadın / Woman asking for a divorce from an absent husband", Minyatür / Miniature, Kazvinî, *Acâibü-l-mahlûkât*, 1577, Topkapı Sarayı Müzesi / Topkapı Palace Museum, H. 402, Y. 229b 2) "Divanda kadın / A woman at the Divan", Minyatür / Miniature, *Şehnâme-i Selim Hân*, Topkapı Sarayı Müzesi / Topkapı Palace Museum A 3595 3) Detay / Detail: "Davasının görülmesi için bir kadının arzıhal vermesi / A woman presenting a petition for her case to be heard", Minyatür / Miniature, *Hünernâme*, 1588, Topkapı Sarayı

165 Müzesi / Topkapı Palace Museum, H. 1524 1) Le Hay, "Müftü / Mufti or man of the Law", Gravür / Engraving, *Recueil de cent estampes représentant différentes nations du Levant...*, Paris, Le Hay, 1714 2) "Müftünün kapısında / At the door of the Mufti", Minyatür / Miniature, *Mecmua*, 17. yy başı, TSM H. 898 3) "Çengele asılmış bir ulak / A messenger on the hook", Minyatür / Miniature, *Memorie turche*, codice in folio, Venezia, Museo Correr, Ms. Cicogna 1971

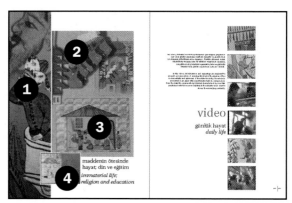

video
günlük hayat
daily life

maddenin ötesinde
hayat; din ve eğitim
*irnmaterial life;
religion and education*

166 1) Detay / Detail: "Müezzin / Muezzin calling to prayer", Minyatür / Miniature, Franz Tæschner, *Alt-Stambuler Hof- und Volksleben. Eintürkisches Miniaturenalbum aus dem 17. Jahrhundert*, Hannover, Orient-Buchhandlung Heinz Lafaire, 1925, n° 45 2) "Gazanfer Ağa Medresesi / Tha madrasa of Gazanfer Ağa", Minyatür / Miniature, Nadirî, +*Divan-ı Nâdirî*+, ca 1618-22, Topkapı Sarayı Müzesi / Topkapı Palace Museum H 889, f° 22a 3) "Mektep / School", Minyatür / Miniature, Franz Tæschner, *Alt-Stambuler Hof- und Volksleben. Eintürkisches Miniaturenalbum aus dem 17. Jahrhundert*, Hannover, Orient-Buchhandlung Heinz Lafaire, 1925, n° 54 4) "Camide namaz / Prayer in a mosque", Minyatür / Miniature, Franz Tæschner, *Alt-Stambuler Hof- und Volksleben. Eintürkisches Miniaturenalbum aus dem 17. Jahrhundert*, Hannover, Orient - Buchhandlung Heinz Lafaire, 1925, n° 30

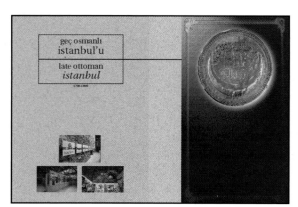

geç osmanlı
istanbul'u

late ottoman
istanbul

1700-1900

168 "Dünya Kenti İstanbul Sergisi Geç Osmanlı Dönemi İstanbul'u bölümü görüntüleri / Istanbul World City Exhibition, images from Istanbul in the Late Ottoman Period section", Darphane-i Amire Binası / Imperial Mint Building, salon/ hall no: 3.1. §fotoğraflar/photographs: Murat Germen, T.V. Arşivi/HF Archives

169 "Abdülaziz sikkesi / coin of Abdülaziz", Y.K.V.N.T. Müzesi Sikke Koleksiyonu / Y.K.V.N.T. Museum Coin Collection

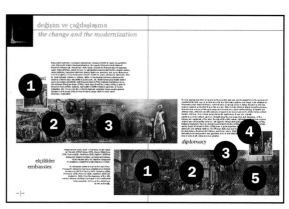

değişim ve çağdaşlaşma
the change and the modernization

diplomacy

elçilikler
embassies

172 1) "Yirmisekiz Çelebi Mehmed Efendi, Hotel des Invalides'de, 25 Mart 1721 / Yirmisekiz Çelebi Mehmet Efendi at Hotel des Invalides March 25, 1721", Pierre d'Ulin, Au. Boppe, *Les Peintres du Bosphore au XVIII Siecle*, Paris 1989 2) "Yirmisekiz Çelebi Mehmed Efendi, Paris yolunda/"Yirmisekiz Çelebi Mehmed Efendi, on his way to Paris, Şevket Rado, "*Yirmisekiz Mehmet Çelebi Seyahatnamesi*, İst. 1970. 3) Sait (Çelebi) Paşa, Paris'te/Sait Paşa, at Paris, J. Andre Aved, Au. Boppe, *Les Peintres..*, s./p. 149

173 1) "Marquis de Bonnac'ın Çocuklarının Sadrazama Takdimi / Presentation of the children of Marquis de Bonnac at the royal court", J.B. Van Mour, Au. Boppe, *Les Peintres..*, s./p. 26 2)"General Dubayet Sadrazamın huzurunda/General Dubayet by Grand Vizir", A. L. Castellan, Au. Boppe, *Les Peintres..*, s./p. 271 3) "Andresel Elçisi Sultan III. Ahmed'in Huzurunda / The envoy of Andrezel before Sultan Ahmed III", J.B. Van Mour, Au. Boppe, *Les Peintres..*, s./p. 27 4) "Saint Prieste'nin Sultan tarafından kabulü / Saint Prieste received by the Sultan", Au. Boppe, *Les Peintres..*, s./p. 115 5) "Elçi Korteji, Topkapı Sarayı 2. Avlusunda / Procession of ambassadors in the 2nd courtyard of Topkapı Palace", J.B. Van Mour, Au. Boppe, *Les Peintres..*, s./p. 25

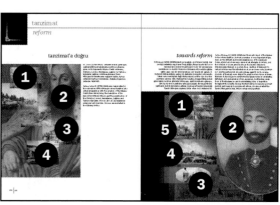

tanzimat
reform

tanzimat'a doğru

towards reform

174 1) Selimiye Fırkateyni/Selimiye Frigate, Deniz Müzesi Arşivi/Naval Museum Archives 2) Sultan III. Selim portresi/Potrait of Sultan Selim III, Kapıdağlı Kostantin, 1803, T.S.M.R.G. 17 / 30 3) Selimiye Camisi/Selimiye Mosque, gravür/engraving, Allom-Walsh, *Constantinople and the Scenery of the Seven Churces of Asia Mınor*, Londra / London, 1839 4) Mühendishane-İ Berri-i Hümayun/Imperial Schol of Enginering, İÜ Kitaplığı Arşivi/Library of IU Archives

175 1) Ayrıntı / detail: "Terhis Töreni / Terhis Ceremony" G. Renda Arşivi / Archives 2) "II. Mahmud Tasvir-i Humayun Nişanı / Mahmut II's medal: Tasvir'i Hümayun", T.S.M. Arşivi / T.P.M. Archives 3) Ayrıntı / detail: "Asakir-i Muhammediye'den", T.S.M. Kitaplığı Arşivi / T.P.M. Library Archives 4) "Asakir-i Mansure" T.S.M. Arşivi / T.P.M. Archives 5) "Eyüp'te Cuma Selamlığı / Friday Ceremony", Topkapı Sarayı Müzsi Kitaplığı Arşivi / T.P.M. Library Archives

176 1) Tanzimat Fermanı, 3 Kasım 1839 / The Reform Decree, 3 November 1839, Basın Müzesi/Press Museum 2) Mustafa Reşit Paşa, gravür / engraving, Galeri Alfa

177 1) "Tanzimat Anıtı Projesi/Project of Tanzimat Monument", C. Can Arşivi / Archives 2) "Sultan Abdülmecid Portresi/Portrait of Sultan Abdulmecid", Galeri Alfa 3) "Sultan Abdülmecid'e ithaf edilen Milli Marş / National anthem ascribed to Sultan Abdülmecid", A. Mariani, İÜ Kitaplığı Arşivi / I.U. Library Archives 4) "Tanzimat Madalyası / Tanzimat Medal" Y.K.V.N.T. Müzesi Sikke Koleksiyonu / Y.K.V.N.T. Museum Coin Collection

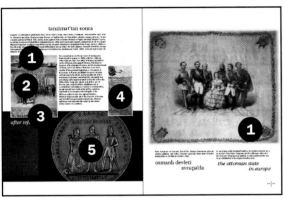

178 1) Tersane/Arsenal, Deniz Müzesi Arşivi / Naval Museum Archives 2) Sultan Abdulaziz Paris'te / Sultan Abdulaziz at Paris, gravür/engraving, Illustration Ağustos 1867 / August 1867 3) Donanma-i Humayun, Deniz Müzesi Arşivi / Naval Museum Archives 4) "İslahat Fermanı / the Reform Firman", 1856, Başbakanlık Devlet Arşivleri Genel Müdürlüğü / The Prime Ministry General Directorate of the State Archives 5) İngiltere- Fransa-Türkiye İttifakı ve Kırım Savaşı için madalya / Medal for Crimean War, Y.K.V.N.T Müzesi Sikke Arşivi / Y.K.V.N.T Museum Coin Collection

179 1) "Paris Kongresi Anı Mendili / Momento handkerchief for the Paris Congress", Tanzimat Müzesi / Tanzimat Museum

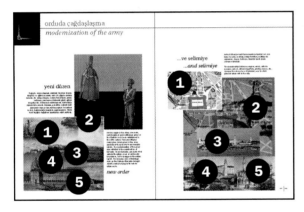

180 1) "Taksim Kışlası / Taksim Barracks", Préault, Charles Pertusier, *Atlas des Promenades dans Constantinople et sur les Rives du Bosphore*, Londra / London, 1817, A. Batur Arşivi / archives 2) 4) "Top Arabacıları Kışlası / Gun carriages and Artillery Barracks", J.B. Hobhouse, *A. Journey Through Albania and Other Provinces of Turkey in Europe and Asia to Constantinople During the Years, 1809 and 1810*, Londra / London 1812 3) "Tophane ve Top Arabacıları Kışlası / Gun carriages and Artillery Barracks", A.I. Melling, *Voyage Pittoresque de Costantinople et des Rives du Bosphore*, Paris 1839, Galeri Alfa 5) "Top Arabacıları Kışlası / Tophane and Gun carriages and Artillery Barracks", gravür / engraving, Fuhrman, E. Raczynski, *Malerische Reise in Einigen Provinzen des Osmanischen Reich, Breslau, 1824*, E. Eldem Arşivi / Archives

181 1) "Selimiye Kışlası ve Sitesi / Selimiye Barracks and Complex", Necip haritası / Nedjib map, İBŞB Atatürk Kitaplığı Arşivi / IBŞB Atatürk Library Archives 2-4) "Selimiye Kışlası ve Camisi / Selimiye Barracks and Mosque", Lady Alicia Blackwood Scutari; *The Bosphorus and Crimea*, Bristol, 1857, İstanbul Arkeoloji Müzesi Arşivi / Archaelogical Museum Archives 5) "Selimiye Camisi / Selimiye Mosque", Allom-Walsh: *Constantinople and the Scenery of the Seven Churches of Asia Minor*, London, 1839

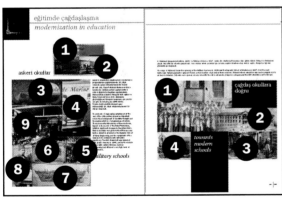

182 1) 2) "Mühendishane-i Berri-i Hümayun / Imperial School of Engineering", İÜ Kitaplığı Arşivi / IU Library Archives 3) "Denizaltı projesi / project for a submarine", İnşaat-ı Bahriye'den Hakkı Kulları, Deniz Müzesi Arşivi / Naval Museum Archives 4) 5) 8) 9) "Bahriye Müzesi görüntüleri / scenes from the Naval Museum", İÜ Kitaplığı Arşivi / IU Library Archives 6) "Gemi kesiti / section of the ship", İsmail Hakkı, Deniz Müzesi Arşivi / Naval Museum Archives 7) "Hamidiye Fırkateyni kesiti / section of Hamidiye frigate", İsmail Hakkı, Deniz Müzesi Arşivi / Naval Museum Archives

183 1) "mektep resmi / picture of a school", İÜ Kitaplığı Arşivi / IU Library Archives 2) "Heybeliada Ruhban Okulu / Heybeliada Seminary", kartpostal / postcard 3) "Okul çocukları / school children" kartpostal / postcard G.Akçura 4) "Saint Joseph Fransız Okulu / St. Joseph French Sclool", kartpostal / postcard, Gökhan Akçura Koleksiyonu / Collection

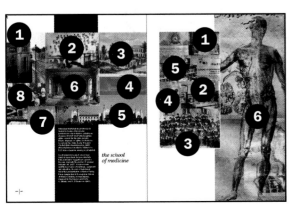

184 1) "Mekteb-i Tıbbiye-i Şahane Binası / the Imperial School of Medicine", D'Aronco & Vallaury, E. Emiroğlu Arşivi / archives 2) 8) "Kadavra Bazında Anatomi Dersi / cadavers, Lesson in Anatomy", Haydarpaşa Mektebi Kataloğu / Haydarpaşa School Catalogue, İÜ Tıp Tarihi Enstitüsü Arşivi / IU Institut of the History of Medicine Archives 3) "Gülhane Askeri Tıp Akademisi / Gülhane Military Medical School", kartpostal / postcard, İÜ Tıp Tarihi Enstitüsü Arşivi / IU Institut of the History of Medicine Archives 4) "Mekteb-i Tıbbiye-i Şahane - batı cephesi çizimi / the Imperial School of Medicine - drawing of the eastern side", D'Aronco & Vallaury, E. Emiroğlu Arşivi / Archives 5) "Mekteb-i Tıbbiye Şahane batı cephesi / western façade of the Imperial School of Medicine", E. Emiroğlu Arşivi / Archives 6) "Dahiliye Kliniği / Clinic", Haydarpaşa Mektebi Kataloğu / Hayarpaşa School Catalogue, İÜ Tıp Tarihi Enstitüsü Arşivi / IU Institut of the History of Medicine Archives 7) "Mekteb-i Tıbbiye-i Şahane doğu cephesi çizimi / drawing of western façade of the Imperial School of Medicine", R.D'Aronco & Vallaury, E. Emiroğlu Arşivi / Archives

185 1) "Viladethane", Millet Kütüphanesi / Millet Library 2) "Uzvi Kimya Laboratuvarı / Organic Chemistry Laboratory", Haydarpaşa Lisesi Kataloğu / Haydarpaşa School Catalogue, İÜ Tıp Tarihi Enstitüsü Arşivi / IU Institut of the History of Medicine Archives 3) "Askeri Tıbbiye 1888 Mezunları / Graduating class of 1888, The Military Medical School", Millet Kütüphanesi / Millet Library 4) "yarı Fransızca, yarı Osmanlıca Tıp Okulu Diploması / Medical School Diploma, half French-half Ottoman", İÜ Tıp Tarihi Enstitüsü Arşivi / IU Institut of the History of Medicine Archives 5) "Gayri Uzvi Kimya Laboratuvarı / Inorganic Chemistry Laboratory", Haydarpaşa Lisesi kataloğu / Haydarpaşa School Catalogue, İÜ Tıp Tarihi Enstitüsü Arşivi / IU Institut of the History of Medicine Archives 6) "İlk Türk Anatomi Kitabı'ndan çizimler / diagrams from the first Turkish book on Anatomy", Şânizâde Mehmed Ataullah, Hamse-i Şânizâde, İÜ Tıp Tarihi Enstitüsü Arşivi / IU Institut of the History of Medicine Archives

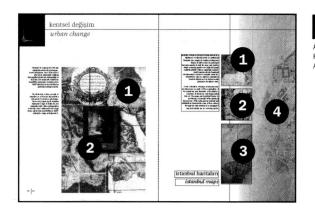

istanbul haritaları
istanbul maps

186 1) "Helmuth von Moltke Haritaları / Maps,Helmuth von Moltke", İBŞB Atatürk Kitaplığı Arşivi / IBŞB Atatürk Library Archives 2) "Helmuth von Moltke Portresi / the portrait of Helmuth von Moltke", T.S.M. Kitaplığı Arşivi / T.P.M. Library Archives

187 1)"İstanbul haritası / map of Istanbul", Fr. Kauffer, İBŞB Atatürk Kitaplığı Arşivi/ İBŞB Atatürk Library Archives 2) "İstanbul Necib Haritası / Nedjib Map of Istanbul", İBŞB Atatürk Kitaplığı Arşivi/ IBŞB Atatürk Library Archives 3) 4) "Ayrıntı / detail: Kadıköy civarı, Necib haritasından / Kadıköy and environs from the Nedjib Map", İBŞB Atatürk Kitaplığı Arşivi/ IBŞB Atatürk Library Archives

yangınlar
fires

köprüler
bridges

188 1) "İstanbul'dan Görüntüler ve Yangın / Scenes from Istanbul and the Fire", Tepsilerle İstanbul Sergisi / Istanbul on Trays Exhibition, E. Emiroğlu Arşivi / Archives 2) "5 Haziran 1870 Büyük Beyoğlu Yangını Etkilenen Bölge Haritası / map showing the area affected by the Great Fire of Beyoğlu, June 5, 1870", Atatürk Kitaplığı / Atatürk Library 3) "Ayrıntı / detail: "Büyük Beyoğlu Yangını Sonrası Düzenleme Projesinden / from the project of restructuring after the Great Fire of Beyoğlu", İBŞB Atatürk Kitaplığı Arşivi/ IBŞB Atatürk Library Archives 4) "Büyük Beyoğlu Yangını Mekteb-i Sultani Yanarken / The Mekteb-i Sultani (Imperial School) burning during the Great Fire of Beyoğlu", Illustration, Haziran 1870 / June, 1870 İBŞB Atatürk Kitaplığı Arşivi/ IBŞB Atatürk Library Archives 5) "Büyük Beyoğlu Yangını / The Great Fire of Beyoğlu", Illustration, 1870, İBŞB Atatürk Kitaplığı Arşivi/ IBŞB Atatürk Library Archives

189 1) "Haliç Üzerine Köprü Tasarımı / Bridge scheme for the Golden Horn", Leonardo da Vinci, A. Batur Arşivi / Archives

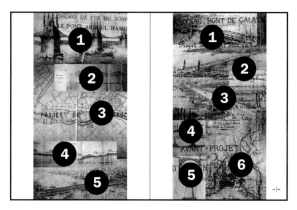

190 1) "Boğaziçi Hamidiye Köprüsü / Hamidiye Bridge along th Bosphorus", Başbakanlık Devlet Arşivleri Genel Müdürlüğü / The Pirime Ministry General Directorate of the State Archives 2) "Boğaziçi Köprüsü Projesi / Project for the Bosphorus Bridge", F. Arnodin, Başbakanlık Devlet Arşivleri Genel Müdürlüğü / Thi Prime Ministry General Directorate of the State Archives 3) "Ayrıntı / detail: "F. Arnodin Projesi Haritası / from the F. Arnodin map of the bridge project", Başbakanlık Devlet Arşivleri Genel Müdürlüğü / The Prime Ministry General Directorate of the State Archives 4) "Demiryolu Tüp Geçiş Projesi / Project for the undersea railway tunnel", Philipp Holzmann, 1911, İBŞB Atatürk Kitaplığı Arşivi/ IBŞB Atatürk Library Archives 5) "Karaköy Köprüsü Projesi / Project for Karaköy bridge", Babakanlık Devlet Arşivleri Genel Müdürlüğü / The Prime Ministry General Directorate of the State Archives

191 1) 2) 3) "Galata için Yeni Köprü Projesi / Project for the new bridge over Galata", İÜ Kitaplığı Arşivi / IU Library Archives 4) 5) "Boğaz Tüp Geçiş Projesi / The Bosphorus Tunnel crossing project" Préault, İBŞB Atatürk Kitaplığı Arşivi/ IBŞB Atatürk Library Archives, A. Neftçi Koleksiyonu / Collection 6) "Metro ve Boğaz Köprüsü Projesi Güzergah Haritası / Maps showing the Subway, and the Bosphorus Bridge Routes", F. Arnodin, Başbakanlık Devlet Arşivleri Genel Müdürlüğü / The Prime Ministry General Directorate of the States Archives

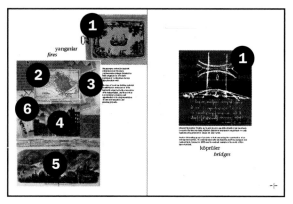

barok
baroque

192 1) "Saliha Sultan Çeşmesi / Fountain", Unkapanı, 1729-30, E. Emiroğlu Arşivi / Archives 2) "Ayrıntı / detail: "I. Mahmud Çeşmesi / Fountain of Mahmud I", Tophane, A. Neftçi Arşivi / Archives 3) "I. Mahmud Çeşmesi / Fountain of Mahmud I", Tophane, 1730, A. Batur Arşivi / Archives 4) "III. Ahmed Çeşmesi / Fountain of Ahmed III", Sultanahmet, 1728-29 Allom-Walsh, Constantinople and the Scenery of the Seven Churches of Asia Minor, London, 1839 5) "III. Ahmed Çeşmesi / Fountain of Ahmed III", Berggren 1815, C. Kahraman Arşivi / Archives 6) "III. Ahmed Çeşmesi / Fountain of Ahmed III", Üsküdar, 1729-30 Flandin, *l'Orient*, Paris, 1958 7) "Bab-ı Hümayun ve III. Ahmed Çeşmesi / The fountain of Ahmet III and the Imperial Gate", E. Emiroğlu Arşivi / Archives 8) "Ayrıntı / detail: III. Ahmet Çeşmesi / Fountain of Ahmed III", A. Neftçi Arşivi / Archives 9) "Saliha Sultan Çeşmesi / Fountain of Saliha Sultan", Unkapanı,

Flandin, L'Orient, Galeri Alfa 10) "Hamidiye Sebil / Hamidiye Public Fountain", C. Kahraman Arşivi / Archives 11) "I. Mahmud Çeşmesi / Fountain of Mahmud I", Tophane, Galeri Alfa

193 1) "Nur-u Osmaniye Külliye ve Çevresi Haritası / Map of Nur-u Osmaniye Mosque and Environs", A. Batur Arşivi / Archives 2) "Nur-u Osmaniye Camisi kuzey görünüşü / Nur-u Osmaniye Mosque from the north", C.C. Carbognano 3) "Nur-u Osmaniye Camisi ve Sebili / Nur-u Osmaniye Mosque and the public fountain" T.V Arşivi / H.F. Archives

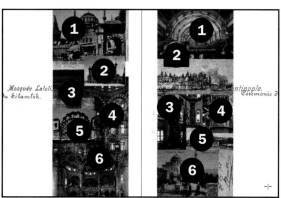

Mosquée Laleli
Silamlik.

Constantinople.
Ceremonie

194 1) "Laleli Camisi / Laleli mosque", kartpostal / postcard 2) 5) "Laleli Camisi / Laleli Mosque", A. Neftçi Arşivi / A. Neftçi Archives 3) 4) "Ayazma Camisi / Ayazma Mosque", A. Neftçi Arşivi / Archives 6) "Laleli Camisi'nin iç görünüşü / interior of Laleli mosque", A. Neftçi Arşivi / Archives

195 1) "Ayazma Camisi'nden Mihrap detayı / Ayazma Mosque, detail from the altar (mihrab)", kartpostal / postcard, A. Neftçi Arşivi / Archives 2) "Ayazma Camsi'nden kolon başlığı / Ayazma Mosque, capital from a column", A. Neftçi Arşivi / Archives 3) "Ayazma Camisi iç görünüş / Ayazma Mosque, interior", A. Neftçi Arşivi / Archives 4) "Topkapı Sarayı Alay Köşkü / Alay Köşk (pavillon) in Topkapı Palace", E. Emiroğlu Arşivi / Archives 5) "Kalyoncu Kışlası / Sailors Barracks", B. Hillair, Ch. Gouffier, Voyage Pittoresque de la Gréce, Paris, 1809 6) "Yıldız Hamidiye Camisi / Yıldız Hamidiye Mosque, A. Batur Arşivi / A. Batur Archives

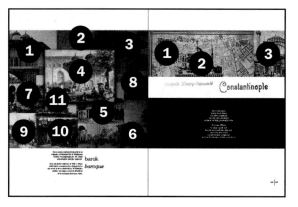

196 1) "San Paolo e Pietro Kilisesi Kesiti / Church of San Paolo e Pietro, section", G. Fossati, C. Can Arşivi / Collection. 2) 3) "Taksim Hagia Triada Kilisesi / Taksim Hagia Triada Church" 4) "Saint Antoine Kilisesi giriş kapısı / entrance to Church of St. Antoine", C. Can Arşivi / Archives 5) "Saint Antoine Kilisesi / Church of St. Antoine", A. Batur Arşivi / Archives 6) "Saint Antoine Kilisesi ön cephesi / Church of St. Antoine, façade", A. Batur Arşivi / Archives 7) "Hagia Kriaki Kilisesi / Church of Hagia Kyriaki", Kumkapı, A. Batur Arşivi / Archives 8) "Fener Rum Ortodoks Patrikhanesi iç görünüşü / interior from the Fener Greek Orthodox Patriarchate", C. Kahraman Arşivi / Archives 9) "Fener Bulgar Kilisesi / Fener Bulgarian Church", E. Emiroğlu Arşivi / Archives

197 1) "Dar-ül Fünun Binası / (University)" G. Fossati, Cengiz Can Koleksiyonu / Collection 2) "Ayasofya (Restorasyonu) / Hagia Sophia (Restoration work)" G. Fossati, E.Emiroğlu Arşivi / Archives 3) "Petrococchino Evi / Petrochoccino House" G. Fossati, Cengiz Can Koleksiyonu / Collection 4) "G. Fossati Portresi / Portrait of G. Fossati" Cengiz Can Koleksiyonu/ Collection 5) 6) "Hazine-i Evrak Dairesi / Treasury of Documents" G. Fossati, Cengiz Can Koleksiyonu / Collection

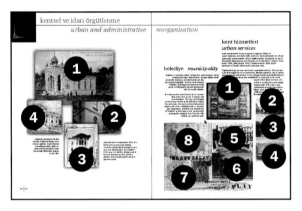

198 1) "Haydarpaşa İstasyonu Pasaport Dairesi / Passaport Division of Haydarpaşa Train Station", A. Neftçi Arşivi / Archives 2) "Hazine-i Evrak Dairesi / Treasury of Documents", G. Fossati, 1846-48, A. Neftçi Arşivi / Archives 3) "Yeniçeri Müzesi, Sultanahmed / Janissary Museum, Sultanahmet", R.D'Aronco, 1896, A. Batur Arşivi / Archives 4) "İstanbul Arkeoloji Müzesi / Istanbul Museum of Archaelogy", Alexandre Vallaury, 1891, A. Neftçi Arşivi / Archives

199 1) "İtfaiye Teşkilatı / Fire Department", kartpostal / postcard, TV Arşivi / HF Archives 2) "Valide Bendi / Valide (Mother Sultan) dam", C.C. Carbognano 3) "II. Mahmud Bendi / dam built by Mahmud II", J.B. Van Mour, C. Kahraman Arşivi / Archives 4) "Büyük Bend / Great dam", C.C. Carbognano 5) "6. Daire-i Beleiye Binası / Istanbul Municipality 6th Division", Alman Arkeoloji Enstitüsü / German Archaeology Institute - Istanbul 6) "İtfaiye Teşkilatı / Fire Department", kartpostal / postcard, Detay/detail, TV Arşivi / HF Archives 7) "Galata Planı / Plan of Galata", TV Arşivi / HF Archives 8) "Pera ve Galata Planı / Plan of Pera and Galata", 1860, Başbakanlık Devlet Arşivleri Genel Müdürlüğü / The Prime Ministry General Directorate of the State Archives

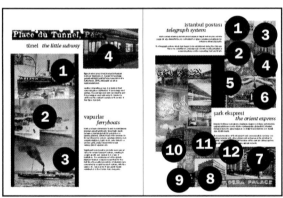

200 1) "Yandan Çarklı Şirket-i Hayriye Vapuru Kuzguncuk'ta / paddle wheel boat at Kuzguncuk", Denizcilik Bankası Arşivi / Maritime Bank Archives 2) "Şirket-i Hayriye Vapurları / boats of the Public Works Administraton", Denizcilik Bankası Arşivi / Maritime Bank Archives 3) "Yandan Çarklı Şirket-i Hayriye Vapuru / paddle wheel boat", Denizcilik Bankası Arşivi / Maritime Bank Archives 4) "Karaköy-Beyoğlu tünel / Karaköy-Beyoğlu Subway line", C. Kahraman Arşivi / Archives

201 1) "Postahane-i Amire Binası cephe çizimi / drawing of the Central Post Office façade", Başbakanlık Devlet Arşivleri Genel Müdürlüğü / The Prime Ministry General Directorate of the State Archives 2) 4) "PTT Nezareti Binası / PTT administrative Building", Vedat Tek, 1909, Sirkeci, E. Emiroğlu Arşivi / Archives 3) "Telgrafhane-i Âmire / the first Telegram Office", C. Kahraman Arşivi / Archives 5) "İstanbul Damgalı Posta Pulu: Hisar, 20 para / Istanbul marked postage stamp, Hisar, 20 para" 6) "İstanbul Damgalı Posta Pulu: Kız Kulesi, 5 para / Istanbul marked postage stamp, Leander's Tower, 5 para" 7) "Pera Palas Oteli girişi / Pera Palas Hotel entrance", C. Kahraman Arşivi / Archives 8) "Pera Palas Oteli Haliç cephesi / Pera Palas: Façade towards to Golden Horn", Yavuz Çelenk Arşivi / Archives 9) "Seyahat Acentası Reklam / Advertisement for a Travel Agency, T.V Arşivi / HF Archives 10) "Orient Express Afişi / poster for the Orient Express", E. Emiroğlu Arşivi / Archives 11) "Pera Palas Oteli Tanıtım Kartı / Brochure for Pera Palas Hotel", E. Emiroğlu Arşivi / Archives 12) "Pera Palas 411 no.lu oda: Agatha Christi Odası / Pera Palas Room Number 41, Agatha Christie's room"

202 1) "Yeni Saray üçüncü avlusu / New Palace 3. Courtyard", Molla Tiflisi, minyatür / miniature, Lokman, Hünername, T.S.M. Arşivi / T.P.M. Archives 2) "Tuilleries Sarayı / Tuilleries Palace", Le Notre, A. Batur Arşivi / Archives 3) "Eyüp Sırtlarından İstanbul / Istanbul from the Eyüp", A. I. Melling, *Voyage Pittoresque de Constantinople et des Rives du Bosphore*, Paris, 1819 4) "Haliç Sarayı / Haliç Shore Palace", Levni, TSMK / TSMK Archives 5) "2. Sa'dabad Sarı / Barttlet, Miss Pardoe *The Beauties of the Bosphorus*, Londra / London, 1838 6) "Çağlayan Kasrı merdiven holü / Çağlayan Kasrı stairway", A. Batur Arşivi / Archives 7) "Ayrıntı / detail: "Hubanname ve Zenanname", F. Enderuni, İstanbul Üniversitesi Arşivi / Istanbul Üniversity Archives 8) "Cedvel-i Sim / Silver Canal", A. I. Melling, *Voyage Pittoresque de Constantinople et des Rives du Bosphore*, Paris, 1819 9) "Sa'dabad Kasrı", Préault-Pertusier, *Atlas des Promenades dans Constantinople et sur les Rives du Bosphore*, Londra / London, 1820 10) "Çağlayan Kasrı bahçe cephesi / Çağlayan Kasrı garden side", Koç Foundations, H. Eldem Arşivi / Archives

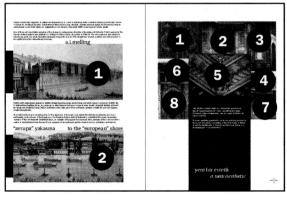

204 1) "Hatice Sultan Sarayı, Defterdar Burnu / Hatice Sultan Palace, Defterdar Burnu", A.I. Melling, *Voyage Pittoresque de Constantinople et des Rives du Bosphore*, Paris, 1819, T.S.M. Kitaplığı / Topkapı Palace Library 2) "Beşiktaş Sarayı / Beşiktaş Palace", L'Espinasse-M. d'Ohsson, *Tableau général de l'Empire Ottoman*, Paris, 1790, T.S.M. Kitaplığı / T.P.M. Library

205 1) "Valide Sultan Odası Dolap Kapağı / Closet door from the mother Sultan's Room", T.S.M. / T.P.M., E. Emiroğlu Arşivi / Archives 2) "III. Murad Odası / Murat III Room", T.S.M. / T.P.M., E. Emiroğlu Arşivi / Archives 3) Ayrıntı / detail: "III. Ahmed Yemiş Odası / Ahmed III Fruit Room", Topkapı Sarayı Müzesi / Detail, T.P.M., E. Emiroğlu / Archives 4) "III. Osman Taşlığı / Osman III Courtyard", T.S.M. / T.P.M., E. Emiroğlu Arşivi / Archives 5) Ayrıntı / detail: "Sofa Köşkü / Sofa Pavillion", T.S.M. / T.P.M., E. Emiroğlu Arşivi / archives 7) "I. Abdulhamid Odası / Abdulhamid I Room", T.S.M. / T.P.M., E. Emiroğlu Arşivi / Archives 8) "III. Selim Odası / Selim III Room", T.S.M. / T.P.M., E. Emiroğlu Arşivi / Archives

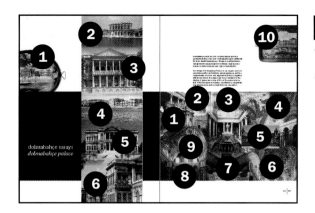

206
1) "Dolmabahçe Sarayı / Dolmabahçe Palace", Tepsilerle Manzaralar Sergisi / Landscapes on Trays Exhibition, E. Emiroğlu Arşivi / Archives 2) 3) 5) 6) "Dolmabahçe Sarayı / Dolmabahçe Palace", E. Emiroğlu Arşivi / Archives 4) "Dolmabahçe Sarayı denizden görünüm / Dolmabahçe Palace from the sea", A. Batur Arşivi / Archives

207
1) "Dolmabahçe Sarayı Hazine Kapısı / Dolmabahçe Palace Treasury Gate", E. Emiroğlu Arşivi / Archives 2) 7) "Dolmabahçe Sarayı Kristal Merdiven Holü / Dolmabahçe Palace Crystal Staircase", E. Emiroğlu Arşivi / Archives 3) 4) 6) "Dolmabahçe Sarayı Muayede Salonu kubbesi ve çeşitli ayrıntılar / Dolmabahçe Palace Reception Hall, dome and details", E. Emiroğlu Arşivi / Archives 5) "Dolmabahçe Sarayı Hazine Kapısı / Dolmabahçe Palace Treasury Gate", İU Kitaplığı Arşivi /UI Library Archives 8) "Dolmabahçe Sarayı Muayede Salonu / Dolmabahçe Palace Reception Hall", E. Emiroğlu Arşivi / Archives 9) "Dolmabahçe Sarayı Valide Sultan Odası tavan bezemesi / Dolmabahçe Palace ceiling decoration from the Mother Sultan's Room", E. Emiroğlu Arşivi / Archives 10) "Dolmabahçe Sarayı / Dolmabahçe Palace", Tepsilerde Manzaralar Sergisi / Lanscapes on trays Exhibition, E. Emiroğlu Arşivi / Archives

208
1) "Yıldız Sarayı bahçesi / garden of Yıldız Palace", Ahmed Ragıp, İRHM / IMPS, E. Emiroğlu Arşivi / Archives 2) "Yıldız Sarayı bahçesi", yağlıboya / oil on canvas, Fahri Kaptan, İRHM / IMPS, E. Emiroğlu Arşivi / Archives 3) "Yıldız Sarayı, Cihannüma Kasrı / Yıldız Palace Cihannüma Kiosk", E. Emiroğlu Arşivi / Archives 4) "Yıldız Sarayı, Büyük Mabeyn / Grand Mabeyn", 1865-1866, E. Emiroğlu Arşivi / Archives 5) 7) "Yıldız Sarayı, Sultan'ın Özel Okuma Odası / Sultan's Private Reading Room", E. Emiroğlu Arşivi / Archives 6) "Yıldız Sarayı Şale Kasrı / Yıldız Palace Chalet Kiosk", Sarkis Balyan, 1889, E. Emiroğlu Arşivi / Archives 8) "Yıldız Sarayı Şale Kasrı R. D'Aronco Eki / Yıldız Palace Şale Kiosk, Extension by D'Aronco", 1898, E. Emiroğlu Arşivi / Archives

209
1) "Yıldız Sarayı Kaskad Köşkü / Yıldız Palace Cascade Pavillion", yağlıboya / oil on canvas, Hilmi Kasımpaşalı, İRHM / IMPS, E. Emiroğlu Arşivi / Archives 2) "Yıldız Sarayı Çadır Köşkü / Yıldız Palace Çadır Kiosk, İRHM / IMPS, E. Emiroğlu Arşivi / Archives 3) "Yıldız Sarayı bahçesi / garden of Yıldız Palace", yağlıboya / oil on canvas, Hüseyin Giritli, İRHM / IMPS, E. Emiroğlu Arşivi / Archives 4) "Yıldız Sarayı vaziyet planı, Necib Haritası / Yıldız Palace site plan - Nedjib Map" 5) "Yıldız Sarayı bahçesi / Yıldız Palace garden", Ahmet Ragıp İRHM / IMPS, E. Emiroğlu Arşivi / Archives 6) "Yıldız Sarayı Şale Kasrı Tören Salonu/ Yıldız Palace Şale Kiosk Ceremonial Room", 1898, E. Emiroğlu Arşivi / Archives 7) "Yıldız Sarayı Şale Kasrı Yemek Salonu (tablosu) / Dining room of the Yıldız Palace, Şale Kasrı, painting", Şefik, İRHM / IMPS, A. Batur Arşivi / Archives

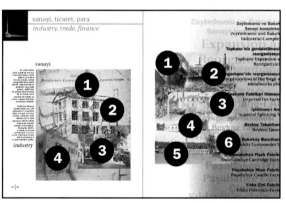

210
1) "Dolmabahçe Gazhanesi planı / plan for the Dolmabahçe Gasworks", Atatürk Kitaplığı Arşivi / IBSB İRHM Atatürk Library Archives 2) "W. Fairbairn'in Un Fabrikası (Buharlı Değirmen) / Steam Mill Factory designed by W. Fairbairn", 1839, A. Batur Arşivi / Archives 3)5) "Tütün Rejisi İmalathanesi / Tobacco Monopol Plant", E. Emiroğlu Arşivi / Archives 4) "Lengerhane (Rahmi Koç Sanayi Müzesi, 13 Aralık 1994) / Copperworks plant (Rahmi Koç Industrial Museum, Dec. 13, 1994)", 1708, G.T.Temelci Arşivi / Archives

211
1) 6) "Yıldız Çini Fabrikası / Yıldız Tile Factory", 1895, E. Emiroğlu Arşivi / Archives 2) 5) "Feshane Fabrika-i Hümayunu / Imperial Factory of Feshane", 1795, İÜ Kitaplığı Arşivi / IU Library Archives 3) "Buharlı Ahşap Fabrikası Steam powered Timber Plant", Servet'i Fünun Dergisi, A. Neftçi Arşivi / Archives 4) "Yıldız Çini Fabrikası Rölovesi / Yıldız Tile Factory", drawıng, hazırlayan / prepared by: A. Batur

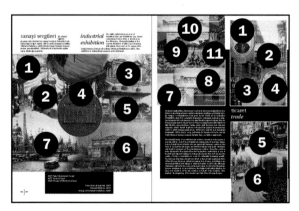

212
1) "Paris 1900 Evrensel Sergisi, Osmanlı Pavyonu / Paris 1900 Universal Exhibition, Ottoman Pavillion", A. Batur Arşivi / Archives 2) "1851 Londra Evrensel Sergisi Osmanlı Standı / 1851 London Universal Exposition, Ottoman Stand", S. Ögel Arşivi / Archives 3) "1893 Chicago Columbian Sergisi Osmanlı Pavyonu / 1893 Chicago Columbian Exhibition, Ottoman Pavillion", A. Batur Arşivi / Archives 4) "1863 Sergi-i Umumi Binasını gösteren Hirfet Madalyası / 1863, Istanbul General Exhibition Hall and Arts & Crafts medal", Y.K.V.N.T. Müzesi Sikke Koleksiyonu / Y.K.V.N.T. Museum Coin Collection 5) "1873 Viyana Uluslararası Sergisi, Osmanlı Pavyonu / 1873 Vienna International Exhibition, Ottoman Pavillion", G. Renda Arşivi / Archives 6) "1863 Sergi-i Umumi-i Osmani / 1863 Ottoman Industrial Exhibition", A. Batur Arşivi / Archives 7) "1900 Paris Evrensel Sergisi Osmanlı Pavyonu / 1900 Paris Universal Exhibition, Ottoman Pavillion", E. Emiroğlu Arşivi / Archives

213
1) "Abdülmecid Kaimesi / Abdülmecid's banknote", Haydar Kazgan Arşivi / Archives 2) "Karaköy Meydanı / Karaköy Square", A. Batur Arşivi / Archives 3) "Osmanlı Bankası / Ottoman Bank" TV Arşivi /HF Archives 4) "Abdülaziz Kaimesi / Abdülaziz's banknote", Haydar Kazgan Arşivi / Archives 5) "Cadde-i Kebir / Grand Rue de Pera", E. Eldem Koleksiyonu / Collection 6) "Cadde-i Kebir'den görünüş / Grand Rue de Pera", Alman Arkeoloji Enstitüsü / German Archeology Institute - Istanbul 7) 8) "Düyun-u Umumiye Binası / Public Depts Administration Building, E. Emiroğlu Arşivi / archives 9) "Düyun-u Umumiye Binası / Building", kartpostal / post-card, A. Batur Koleksiyonu / Collection 10) "Ayrıntı /detail: "Düyun-u Umumiye Binası / Public Depts Administration Building", çizimler / drawings, A. Vallaury, A. Batur Arşivi / Archives 11) "Ayrıntı /detail: E. Emiroğlu Arşivi / Archives

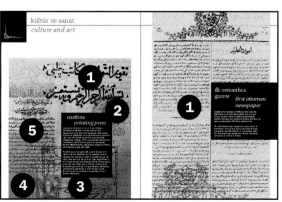

214
1) "Takvim-i Tevarih El Kâtip Çelebi Bismillahirrahmanirrahim", Basın Müzesi / Press Museum 2) 3) "Müteferrika'nın bastığı ilk Harita ve Evren / the Universe and the first Map printed by Müteferrika", Basın Müzesi / Press Museum 4) "Tarihi Hind-i Garbi (Amerika) kitabından baskı, Müteferrika Matbaası'nın ilk çalışmaları / print from Tarihi Hindi Garbi (The book of American History) one of the earliest books to be printed a the Müteferrika printing house", Basın Müzesi / Press Museum 5) "Müteferrika'nın bastığı ilk kitaplardan / one of the earliest books printed by Müteferrika", Basın Müzesi / Press Museum

215
1)"Takvim-i Vekâyi", İlk Osmanlıca Gazete / First Ottoman Newspaper, Basın Müzesi / Press Museum

216 "İstanbul'da yayımlanan Osmanlıca, Fransızca, Rumca, Bulgarca ve Ermenice gazetelerden örnekler / Samples of Ottoman, French, Greek, Bulgarian and Armenian daily papers", Basın Müzesi / Press Museum

217 "İstanbul'da yayımlanan Almanca, İngilizce, Bulgarca, Osmanlıca gazetelerden örnekler / Samples of Ottoman, French, Greek, Bulgarian and Armenian daily papers", Basın Müzesi / Press Museum

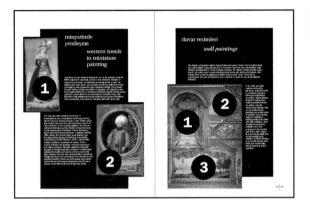

218 1) "Rus kadın / Russian lady", guvaj / gouache, 1793, Zenanname, s./p. 135a, İ.Ü.Kitaplığı Arşivi /IU Library 5501 2) "I. Mehmet'in portresi / Portrait of Mehmet I", gravür / engraving, 1815, Archives, Kapıdağlı Kostantin, Young albümü / Young album, I.A.M. 2526,

219 1) "Sadullah Paşa Yalısı'ndan Üsküdar görünümü / View of a kiosk in Scutari from Sadullah Paşa Yalı", duvar resmi / wall painting, İstanbul, 19. yy başları / early 19th cent., G. Renda Arşivi / Archives 2) "Deniz Manzarası / Seascape", duvar resmi / wall painting, yağlı boya / oil on canvas, 19. yy. ortaları / mid 19th cent., Beylerbeyi Sarayı Havuzlu Salon / Beylerbeyi Palace, Hall with Pool / Pooled room, A. Batur Arşivi / Archives 3) "İstanbul manzarası / View of Istanbul", duvar resmi / wall painting, 19. yy ikinci yarısı / late 19th cent., Dolmabahçe Sarayı 212 no.lu oda / Dolmabahçe Palace, room no. 212, G. Renda Arşivi / Archives

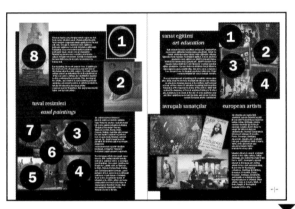

220 1) "Sultan Abdülmecid portreli Tasvir-i Humayun Nişanı / Medal with a portrait of Abdülmecid", fildişi / ivory, 19. yy. ortaları / mid 19th cent., T.S.M. Kitaplığı Arşivi 17/217 / TPM Library Archives 2) "Sultan III. Selim Portresi / Portrait of Sultan Selim III", yağlıboya / oil on canvas, 1803, Kapıdağlı Kostantin, T.S.M.Resim Galerisi, 17-30 TPM Painding Section 3) "Levanten Kadınlar / Levantine ladies of Istanbul", yağlıboya / oil on canvas, 18. yy. ortaları / mid. 18th cent., A. Favray, Au. Boppe, Les Peintres,... s./p. 109 4) "1730 isyanında saray avlusundan görüntü / Palace courtyard in the Rebelion of 1730", yağlıboya / oil on canvas, 18. yy.'ın ilk yarısı / first half of 18th century, Vanmour, Au. Boppe, Les Peintres,..., s./p. 35 5) "Padişahın Bayram alayı / Sultan in Bayram procession", suluboya / acquarell, 18. yy. ikinci yarısı / second half of the 18th cent., Cassas, Au. Boppe, Les Peintres,... s./p. 221 6) "İstanbul Panoraması / Panorama of Istanbul", guvaj / gouache, 19. yy. başı / early 19th cent., A.I. Melling, Au. Boppe, Les

Peintres,... s./p. 249 7) "Gezinti / Promenade", suluboya / aquarelle, 18. yy. ikinci yarısı / late 18th cent., Hilair, Au. Boppe, Les Peintres,... s./p. 197 8) "Mahmudiye Kalyonu, Mühendishane-i Bahri-i Humayun öğrencisi tarafından yapılmış / Mahmudiye Galleon painted by a student of the Naval Engineering School, guvaj / gouache, 19. yy. ilk yarısı / first half of 19th cent., Deniz Müzesi Arşivi /Naval Museum Archives 2443, G. Renda Arşivi / Archives

221 1) "Inas Sanayi-i Nefise Mektebi Resim Atölyesi / Painting atelier in the Academy of Fine Arts for Girls", fotoğraf / photograph, 20. yy. başları / early 20th cent., S. Germaner Arşivi / Archives 2) "Resim yapan kız / young girl painting in the studio", yağlıboya / oil on canvas, 19. yy. sonları / end of 19th cent., Halil Paşa, Özel koleksiyon / Private collection, S. Germaner Arşivi / Archives 3) 4) "Sanayi-i Nefise Mektebi yıllık sergileri / annual exhibition organized by the Academy of Fine Arts", İ.Ü.Kitaplığı Arşivi /IU Library 90527

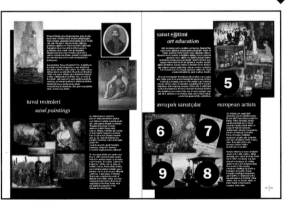

5) "Ressam Zonaro'nun resim atölyesi / painting atelier of Zonaro, 19. yy. sonları / end of 19th cent., S. Germaner Arşivi / Archives 6) "Kapalıçarşı / Covered Bazaar in Istanbul", yağlıboya / oil on canvas, 1873, G. Brindisi, TV Arşivi / HF Archives 7) "1902 F. Zonaro sergisi / 1902 Exhibition of F. Zonaro", afiş / poster, S. Germaner Arşivi / Archives 8) "Topkapı Sarayı İftariye Köşkü / Kiosk in the Topkapı Palace", yağlıboya / oil on canvas, 19. yy. ikinci yarısı / second half of the 19th cent., Gérome, Özel Koleksiyon / Private Collection, G. Renda Arşivi / Archives 9) "Arap Kızı / Arabian Girl", yağlıboya / oil on canvas, 19. yy. sonu / end of 19th cent., Valeri, Özel koleksiyon / Private collection, S. Germaner Arşivi / Archives

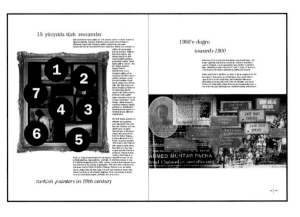

222 1) "Deniz manzarası / seascape", yağlıboya / oil on canvas, 19. yy. ortaları / mid. 19th cent., Osman Nuri, Deniz Müzesi/Naval Museum, G. Renda Arşivi / Archives 2) "Sanatçının portresi, Avni Lifij / self portrait of Avni Lifij", yağlıboya / oil on canvas, 20. yy. başları / early 20th cent., I.R.H.M. 3) Türbe önünde hocalar / hodjas conversing in front the mausoleum", yağlıboya / oil on canvas, 19. yy. ikinci yarısı, second half of the 19th cent., Osman Hamdi, I.R.H.M. / IMPS 4) "Sanatçının portresi, Şeker Ahmet Paşa / self portrait of Şeker Ahmet Paşa", yağlıboya / oil on canvas, Şeker Ahmet Paşa, I.R.H.M. / IMPS., ca. 1880, A. Batur Arşivi / Archives 5) "Erenköy manzarası / view of Erenköy", yağlıboya / oil on

canvas, 19. yy. ikinci yarısı / second half of the 19th cent., I.R.H.M. / IMPS 6) "Çıplak / Nude", yağlıboya / oil on canvas, 20. yy. başları / early 20th cent., Feyhaman Duran, I.R.H.M. / IMPS, G. Renda Arşivi / Archives 7) "Üsküdar'dan görünüm / view from Scutari", yağlıboya / oil on canvas, 19. yy. sonu / end of the 19th cent., Hoca Ali Rıza, Özel koleksiyon / Private collection, G. Renda Arşivi / Archives

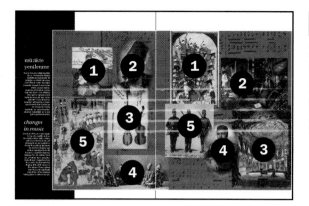

224 **1)** "tanbur / tambour", Hızır Ağa, Tefhim-ül Makamat fî tevlid-en Nagamat, TSM, 18. yy. / 18th cent. **2)** "Hammamîzâde İsmail Dede Efendi", ressamı bilinmeyen bir tablodan siyah-beyaz reprodüksiyon, aslı kayıp / black and white copy from a painting by anonymous painter, original lost, Rauf Yekta Bey'in Esatiz-i elhân adlı kitabından / taken from Esatiz-i Elhân by Rauf Yekta Bey, 1924 **3)** "Sine keman ve saz / viola d'amour and saz", Hızır Ağa, Tefhim-ül Makamat fî tevlid-en Nagamat, TSM Arşivi / TPM Archives **4)** "Bir Mevlevi Mıtrıbı / A Mevlevi, mıtrıb" **5)** "İnce saz / Ottoman musical instrument", minyatür / miniature, Levnî, Surnâme-i Vehbî, TSM / TPM, s./p. 58a, 1720 civarı / circa 1720

225 **1)** "Mehter", minyatür / miniature, Levnî, Surnâme-i Vehbî, TSM / TPM, y./p. 172a. 1720 civarı / circa 1730 **2)** "Haremde Beethoven / Beethoven in the Harem", tuval üzerine yağlıboya / oil on canvas, Halife Abdülmecid Efendi / painting by Caliph Abdülmecid Efendi, IRHM / IMPS **3)** "Dolmabahçe Saray Tiyatrosu'nda bir gösteri / a performance at Dolmabahçe Palace Theatre", Hammond'in deseninden gravür / engraving from a drawing by Hammond, L'Illustration, 15 Haziran 1859 / June 1859, CXXXIII, s./p. 445 20/1 **4)** Giuseppe Donizetti (Paşa) E. Pekin Arşivi / Archives

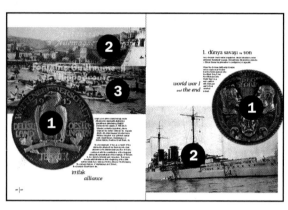

226 **1)** "Üçlü İttifak (Almanya, Avusturya-Macaristan, Türkiye) Madalyonu / The Alliance (Germany, Austria-Hungarian Empire and Turkey) medal", YKVNT Müzesi Sikke Koleksiyonu / Y.K.V.N.T. Collection Museum Coin Collection **2)** "Alman İmparatoru II. Wilhelm ve İmparatoriçenin Dolmabahçe Sarayı'na gelişi / Arrival of German Emperor Wilhelm II and the Empress at Dolmabahçe Palace", F. Zonaro, yağlıboya / oil on canvas, Dolmabahçe Sarayı Harem Koridoru Galerisi / Dolmabahçe Palace, Harem Gallery **3)** "II. Wilhelm'in İstanbul'a gelişi, Ortaköy önünde karşılama töreni / Wilhelm II's arrival to Istanbul", C. Kahraman Arşivi / Archives

227 **1)** "Üçlü İttifak (Almanya, Avusturya-Macaristan-Türkiye) Madalyonu / The Alliance (Germany, Austria-Hungarian Empire-Turkey) Medal", 1914 Y.K.V.N.T Müzesi Sikke Koleksiyonu / Y.K.V.N.T. Museum Coin Collection **2)** "Yavuz Zırhlısı / Battleship Yavuz", C. Kahraman Koleksiyonu / Collection

228 **1)** Rumeli'yi terketmenin acısı /Pain of abandoning Rumeli, Illustration 23 Kasım 1912

229 **1)** Rumeli göçmenleri İstanbul'da /Refugees of Rumeli in İstanbul TV Arşivi /HF Archives

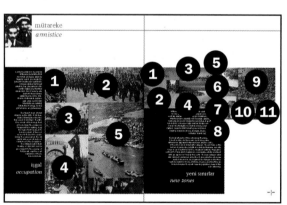

230 **1) 3) & 4)** "Sultanahmet Mitingi / the Sultanahmet Demonstration, 1918", İstanbul Ansiklopedisi, Cilt.5 / Vol.V **2)** "İşgal Kuvvetleri Galata Köprüsü'nden geçiyor / the soldiers of the Occupation crossing Galata Bridge", 1920, Ç. Gülersoy, İstanbul Görünümleri 1 **5)** "İşgal günlerinde İstanbul Limanı / Istanbul seaport during the Occupation", 1923, Ç. Gülersoy, Tophane, Fındıklı, Kabataş

231 **1)** "Belad-ı Selâse" (Üç şehir) Haritası, 1327 (1911), harita / map, İstanbul Büyükşehir Belediyesi Arşivi / Istanbul Greater City Municipality Archives, C. Kayra, İstanbul, Zamanlar ve Mekânlar **2)** "Yüzyıl başlarında Kuledibi / Kuledibi Galata Tower and environs around the turn of the century", G. Sözen, 1001 Çeşit İstanbul ve Boğaziçi Yalıları **3)** "Ahırkapı sahili / Ahırkapı coast, 1910", C. Kayra, İstanbul, Zamanlar ve Mekânlar **4)** "Yüzyıl başlarında Beykoz / Beykoz at the beginning of the century", kartpostal / post-

card **5)** "Sultanahmet Meydanı - 1910'lar / Sultanahmet Square - circa 1910", S. H. Eldem, İstanbul Anıları / Reminiscences of Istanbul **6)** "Yüzyıl başlarında Büyükada - iskele çevresi / Büyükada (Prinkipo), end of the century - the pier and environs", kartpostal / postcard, C. Kayra, İstanbul, Zamanlar ve Mekânlar **7)** "Yüzyıl başlarında Yeşilköy / Yeşilköy: end of the century", Archives de l'Architecture Moderne, n. 43, 1982 **8)** "1920'lerde Bakırköy'de bir sokak / street in Bakırköy around the 1920s", Archives de l'Architecture Moderne, no. 43, 1982 **9)** "İşgal Günlerinde İstanbul Limanı / Istanbul Seaport during the Occupation, 1923", Ç. Gülersoy, Tophane, Fındıklı, Kabataş **10)** "Bomonti Bira Fabrikası, 1920'ler / the Bomonti Brewery, 1920s" Archives de l'Architecture Moderne, no. 43, 1982 **11)** "Beyoğlu, Galata, Kasımpaşa ve Haliç görünüşü / a view of Beyoğlu, Galata, Kasımpaşa and the Golden Horn, 1912, Albert Kahn Arşivi / Archives

232 **1)** "4. Vakıf Hanı, mimar Kemalettin Bey / 4. Vakıf Han by the architect Kemalettin", A. Yücel Arşivi / Archives **2)** "Büyük Postane, mimar Kemalettin Bey / the Central Post Office by the architect Kemalettin", A. Yücel Arşivi / Archives **3)** "Karaköy Meydanı, 1910'lar / Karaköy Square, circa 1910", Ç. Gülersoy/ İstanbul Görünümleri 3 **4)** "Havogimyan Hanı, Karaköy, Mimar Safiyan / the Havonginyan Building in Karaköy by architect Safiyan", A. Yücel Arşivi / Archives **5)** "Düyun-u Umumiye Binası / Public Depts Administration Building, A. Yücel Arşivi / Archives **6)** "Karaköy Rıhtımı, 1920'ler / Karaköy Pier, 1920s", Ç. Gülersoy, İstanbul Görünümleri 1 **7)** "Bankalar Caddesi'nde yüzyıl başı yapıları / early 20th century buildings along Bankalar Avenue", A. Yücel Arşivi / Archives

1) "1910'ların Perası'nda bir Levanten ailesi / A Levantine

233 family in Pera - 1910s", Sabah et Joailler, G. Sözen, 1001 Çeşit İstanbul ve Boğaziçi Yalıları **2)** "Yüzyıl başında Karaköy, Necati Bey Caddesi / Necatibey Street in Karaköy, at the beginning of the century", Ç. Gülersoy, İstanbul Görünümleri 1 **3)** "Le Corbusier'nin kaleminden Liman ve Saray, 1911 / The palace and the seaport by Le Corbusier", karakalem çizim / charcoal drawing, Gresleri, ed., Le Corbusier, Viaggio in Oriente, 1985 **4 & 7)** "Le Corbusier'nin kaleminden İstanbul siluetleri, 1911 / The Istanbul skyline by Le Corbusier, 1911", çizim / drawing, Gresleri, ed., Le Corbusier, Viaggio in Oriente, 1985 **5)** "Le Corbusier'nin kaleminden Elmadağ yapıları: önde Surp Agop evleri, arkada apartmanlar / buildings of Elmadağ by Le Corbusier: Surp Agop houses in front; apartment buildings at the back, 1911", çizim / drawing, Gresleri, ed. Le Corbusier, Viaggio in Oriente, 1985

6) "Yüzyıl başında İstanbul'dan bir sokak, Le Corbusier'nin "Voyage d'Orient" izlenimleri / A street scene rom the begin-

ning of the century; Le Corbusier's impressions of his Oriental Voyage", Gresleri, ed., *Le Corbusier, Viaggio in Oriente*, 1985 **7)** "Yangın sonrasında İstanbul, 1911 / Istanbul after the fire", fotoğraf / photograph: Le Corbusier, Gresleri, ed., *Le Corbusier, Viaggio in Oriente*, 1985 **8)** "Doğu yolculuğu sırasında genç Le Corbusier portresi / Portrait of the young Le Corbusier during an outing", G. Gresleri, ed., *Le Corbusier, Viaggio in Oriente*, 1985 **9)** "Le Corbusier'nin Doğu Seyahati (Voyage d'Orient) kitabının İtalyanca baskısı kapağı / the cover of the Italian version of Le Corbusier's Voyage to the Orient, TV Arşivi / HF Archives

234 "Dünya Kenti İstanbul Sergisi Cumhuriyet Dönemi İstanbul'u bölümü görüntüleri / Istanbul World City Exhibition, images from Istanbul in the Republic Period section", Darphane-i Amire Binası / Imperial Mint Building, salon / hall no: 3.1. Fotoğraf / Photography: Murat Germen, TV Arşivi / HF Archives

235 "Cumhuriyet Lirası / The new lira of the Republic",İ. Akbaş Koleksiyonu / Collection

236 "Padişahların tahtı artık müzede / Sultans' throne is now in the museum", TV Archives / HF Archives

237 "Kurtuluş Ordusu Galata Köprüsü üstünde / The Liberation army crossing Galata Bridge", 6 Ekim 1923 / Oct. 6, 1923, Ç. Gülersoy, *İstanbul Görünümleri 1*

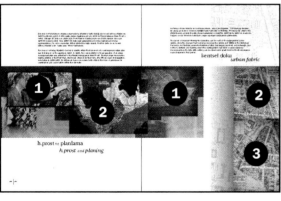

238 **1)** "Henri Prost İstanbul Teknik Üniversitesi'nde konferans veriyor / Henri Prost lecturing at Istanbul Technical University", *Archives de l'Architecture Moderne*, no. 43, 1982 **2)** "Henri Prost'un planından Beyoğlu paftası / Beyoğlu section of Henri Prost's map", harita / map, Mimarlar Odası İstanbul şubesi belgesi / document of Chamber of Architects, A. Yücel Arşivi / Archives

239 **1)** "Henri Prost'un planından İstanbul Sur içi paftası / Istanbul Sur içi section of Henri Prost's map", harita / map, İstanbul Büyükşehir Belediyesi Arşivi, C. Kayra, *Eski İstanbul'un eski haritaları* **2) & 3)** "J. Pervitich İstanbul Sigorta Haritaları - çeşitli paftalar / Istanbul Insurance Maps: J. Pervitich - various sections", harita / map, İ.T.Ü. Mimarlık Fakültesi Harita Arşivi / Istanbul Technical University Faculty of Architecture Archives, A. Yücel Arşivi / Archives

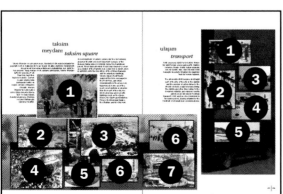

240 **1)** "Taksim Meydanı", ressam Nazmi Ziya / Taksim Square by painter Nazmi Ziya, yağlıboya resim / Oil painting, İ.R.H.M Arşivi **2)** "1940'larda Taksim Meydanı ve ek binaları yıkılmış kışla / Taksim Square in the 40s, with the partially demolished barracks", Ç. Gülersoy, *Taksim* **3)** "Taksim Gezisi ve çevresi, 1940'lar / Taksim Promenade, 1940s", Ç. Gülersoy, *Taksim* **4)** "1930'larda Gümüşsuyu ve Taksim / Gümüşsuyu and Taksim in the 40s", Ç. Gülersoy, *Taksim* **5)** "1920'lerin sonlarında Taksim Meydanı / Taksim Square towards the end of the 20s", Ç. Gülersoy, *Taksim* **6)** "Cumhuriyet Caddesi Taksim-Elmadağ çevresi için öneri, mimar: R. Günay / Cumhuriyet Avenue -a proposal for Taksim-Elmadağ and environs, architect: R. Günay", çizim belgesi / drawings, *Arredamento-Dekorasyon Dergisi*, 1996, s./p. 01

241 **1)** "Galata Köprüsü üstünde otomobil onarımı / Car being repaired over Galata Bridge", *50 Yıllık Yaşamımız 1923-1933*, Milliyet yayını / Milliyet publications **2)** "1930'larda Galata Köprüsü / Galata Bridge in the 1930s **3)** "1930'larda Taksim Meydanı'rda atlı araba ve otomobil / Carriage and tram in Taksim Square-the 1930s", Ç. Gülersoy, *Taksim* **4)** "Fiat Otomobilleri İstanbul Acentası tanıtma belgesi, 1920'ler / Sales Brochure for Istanbul Fiat Dealers-the 1920s", T.T.O.K. Arşiv Belgesi T.T.O.K. Archives, document, Ç. Gülersoy, *Taksim* **5)** "Türkiye-İtalya posta servisi yapan deniz uçakları Büyükdere önünde, 1930'lar başı / Amphibic planes doing postal service between Italy and Turkey, before Büyükdere shores, early 1930s", *50 Yıllık Yaşamımız 1923-1933*, Milliyet yayını / Milliyet publications **6)** "Anıt'ın yeni açıldığı günlerde Taksim Meydanı / Taksim Square, after the unveiling of the monumet", Ç. Gülersoy, *Taksim* **7)** "1950'lerde Taksim Meydanı, fonda apartmanlar ve Kristal Gazinosu / Taksim Square in the 50s, the Kristal Café and apartments in the background", Ç. Gülersoy, *Taksim*

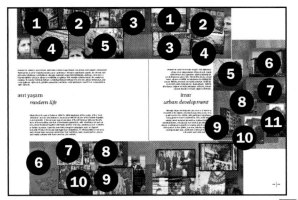

asri yaşam
modern life

imar
urban development

242

1) "İstiklâl Caddesi'nde Cumhuriyet Bayramı gecesi, 1930'lar / anniversary of the inauguration of the Republic: Evening on Beyoğlu-1930's", Ç. Gülersoy, *Beyoğlu'nda Gezerken* 2) Lâle Sineması çevresi / Lale cinema house and environs", Ç. Gülersoy, *Beyoğlu'nda Gezerken* 3) "Üç Horan Kilisesi önünde İstanbul Ermeni cemaati kutlaması, 1930'lar / Armenian congregation in front of Üç Horan Church-1930s", Ç. Gülersoy, *Beyoğlu'nda Gezerken* 4) "Taksim Majik Sineması, 1940'lar / Majik cinema house in Taksim around the 1940s", Ç. Gülersoy, *Taksim* 5) "1930'larda Tatavla Karnaval Panayırı görüntüsü / The Tatavla Carnival in the 1930s", *50 Yıllık Yaşantımız, 1923-1933*, Milliyet yayını / Milliyet Publications 6) "Taksim Belediye Gazinosu afişi / the poster of Taksim Belediye Gazinosu", Ç. Gülersoy, *Beyoğlu'nda Gezerken* 7) "Eski rakılar / The old rakıs", *50 Yıllık Yaşantımız 1923-1933*, Milliyet yayını / Milliyet Publications 8) "Tokatlıyan salonlarında dans, 1950'ler / dancing in the Tokatlıyan Hotel Ballroom, 1950s", Ç.

Gülersoy, *Beyoğlu'nda Gezerken* 9) "Sahne görüntüsü / the stage", Ç. Gülersoy, *Taksim* 10) "Tokatlıyan Restoranı, 1930'lar / Tokatlıyan Restaurant, 1930s", Ç. Gülersoy, *Beyoğlu'nda Gezerken*

243

1) "Bir deniz hamamı / a 'sea bathing' house or hamam", *İstanbul için Şehrengiz*, Y.K.B. yayını / YKB Publications 2) "Samatya sahillerinde bir pazar günü, 1929 yılı / a sunday along the Samatya coast, 1929", *50 Yıllık Yaşantımız, 1923-1933*, Milliyet yayını / Milliyet Publications 3) "Akıntıburnu'nda yüzme yarışı, 1930'lar / swimming championships in Akıntıburnu, 1930s", S. Giz Arşivi / Archives, G. Akçura, S. Keramuni, *Essays on Bosphorus* 4) "Moda Plajı, 1940'lar / Moda Beach, 1940s", kartpostal, *50 Yıllık Yaşantımız, 1923-1933*,, Milliyet yayını / Milliyet Publications 5) "İstanbul Üniversitesi Rasathane binası, mimar A. H. Holtay / Observatory at Istanbul University, architect: A. H. Holtay", R. Holod, A. Evin, eds., *Modern Turkish Architecture*

asri yaşam
modern life

imar
urban development

6) "Lâleli'de İ.Ü. Fen ve Edebiyat Fakülteleri Binası, mimar S.H. Eldem, E. Onat / The buildings of the Istanbul University Faculty of Arts and Sciences, Architects: S. Hakkı Eldem and E. Onat", A. Yücel Arşivi / Archives 7) "Florya Cumhurbaşkanlığı Deniz Köşkü, mimar S. Arkan / Florya Presidential Seaside Residence, Architect: S. Arkan", Cumhuriyet gazetesi arşivi / Cumhuriyet newspaper archives 8) "Gümüşsuyu'nda Üçler Apartmanı, mimar S. Arkan / The Üçler apartment building in Gümüşsuyu, Architect: S. Arkan", A. Yücel Arşivi / Archives 9) "Teşvikiye'de 1930-40'lı yıllara ait apartmanlar / Apartment buildings in Teşvikiye from the 1930s and the 1940s", A. Yücel Arşivi / Archives 10) "Eski Taşlık Şark Kahvesi, mimar S.H. Eldem / the old Taşlık Oriental Coffeehouse, Architect: S.H. Eldem", A. Yücel Arşivi / Archives 11) "İstiklâl Caddesi'nde bir apartman / An apartment building on Istiklal Avenue", A. Yücel Arşivi / Archives 12) "Beyoğlu'nda Çiçek Pasajı çevresi, 1940'lar / Beyoğlu and Çiçek Pasajı, 1940s", S. Giz Arşvi - T.T.O.K., Ç. Gülersoy, *Beyoğlu'nda*

Gezerken 13) "Beyoğlu'nda bir mağaza vitrini / shopwindow in Beyoğlu", S. Giz Arşivi / Archives 14) "Üniversiteye dönüşmeden önce, İstanbul Dar'ül Fünun öğrencileri, Bayezid Meydanı'nda, binaların önünde kutlamada / students of Dar'ül Fünun before it became Istanbul University: celebrating in front of the school gates in Beyazıt Square", *50 Yıllık Yaşamımız, 1923-1933*, Milliyet Yayını / Milliyet Publications

atatürk

avrupalı sürgünler
exiles from europe

Leon Trotski
Martin Wagner
Kurt Stahl
Richard Weiss
André
Hans wenter
fritz Neumann
Robert Vorhoelzer
Karl Strupp

244

1) "Şişli'de Atatürk'ün Evi, bugün Atatürk Müzesi / Atatürk's house in Şişli, currently, the Atatürk Museum", Ön Cephe/ Façade, *Kemal Atatürk*, Yapı Kredi Bankası anı yayını 2) "Mustafa Kemal Atatürk - Cumhurbaşkanlığı günlerinde / Mustafa Kemal Atatürk during the days of his Presidency", Atatürk (portre), Şafak İstanbul, fotoğraf üzerine yağlıboya / oil on photograph, Env. No. D. 2821 3) "Cumhurbaşkanı Atatürk, Dolmabahçe rıhtımında İngiltere Kralı Edward'ı karşılıyor / President Atatürk greets Edward, King of England, at the Dolmabahçe Palace pier", *İngiltere Kralı Edward'ın İstanbul Ziyareti*, Yedigün özel yayını / special issue 4) "Atatürk, çalışma arkadaşlarıyla İstanbul'da plajda / Atatürk and friends at the beach-Istanbul", Cumhuriyet gazetesi Arşivi / Cumhuriyet, newspaper archives 5) "Dolmabahçe Sarayı'nda Tarih Kongresi / The History Congress at Dolmabahçe Palace", *Atatürk'ün İstanbul'daki Hayatı*, MEB yayını / MEB Publications 6) "Atatürk'ün naaşı Galata Köprüsü'nden geçiyor, 10 Kasım 1938 / Atatük's funeral

procession crossing the Galata Bridge Nov. 10, 1938", Ç. Gülersoy, *İstanbul Görünümleri 1* 7) "Cumhuriyet Lirası üstünde Atatürk Portresi / Atatürk's portrait on new coins", İ. Akbaş Koleksiyonu / Collection

245

1) "Genç Alman politik göçmenleri bir toplu eğlencede / young German political refugees having fun", J. Cremer, H. Pryztulla, *Exil Türkei* 2) "Alman politik göçmenleri-portreler / German political refugees-portraits", J. Cremer, H. Pryztulla, *Exil Türkei* 3) "Savaş yıllarında Alman sığınmanların buluşma adresi: Tünel Alman Kitabevi / Meeting place of the German refugees during World War II: The German Bookshop in Tünel", J. Cremer, H. Pryztulla, *Exil Türkei* 4) "Troçki ve eşi, İstanbul'daki ikâmetleri günlerinde, şehir sokaklarında / Trotsky and wife: during their residence in Istanbul", Cumhuriyet gazetesi arşivi / Cumhuriyet, newspaper archives

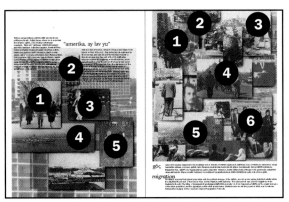

"amerika, ay lav yu"

göç
migration

246

1) "General Eisenhower ve eşi Sultanahmet Meydanı'nda, 1950 / General Eisenhower and his wife in Sultanahmet Square, 1950", Cumhuriyet gazetesi arşivi / Cumhuriyet, newspaper archives 2) "İstanbul Hilton Oteli, bir dönemin simgesi / Istanbul Hilton: Symbol of an era", Y. Çelenk arşivi / Archives 3) "Missouri denizcileri eğleniyor, İstanbul 1946 / Sailors from the Missouri: Having fun, Istanbul, 1946", Cumhuriyet gazetesi aşivi / Cumhuriyet newspaper archives 4) "Missouri Zırhlısı İstanbul limanında, 1946 / battleship Missouri in Istanbul Harbour, 1946", Cumhuriyet gazetesi arşivi / Cumhuriyet, newspaper archives 5) "Pekos-Bill çocuk dergisi kapağı / Cover of children's comics Pekos Bill, özgün koleksiyon belgesi / original collection item, Cihannüma Kitabevi

247

1) "Beyoğlu'nda kış, 1950'ler / winter of 1950 in Beyoğlu", A. Güler arşivi / Archives 2) 5'den ayrıntı / detail from # 5 3) "Haliç'te iş bekleyen hamallar / porters waiting for a job: Golden Horn", A. Güler Arşivi / Archives 4) "Galata Köprüsü'nde bohçacı kadınlar / Women vendors on Galata Bridge", A. Güler Arşivi / Archives 5) "1950'lerde Karaköy Meydanı / Karaköy Square in the 1950s", A. Güler Arşivi / Archives 6) "Vize bekleyen işçiler / workers waiting for a visa", *Archives de l'Architecture Moderne*, s./p. 43, 1982

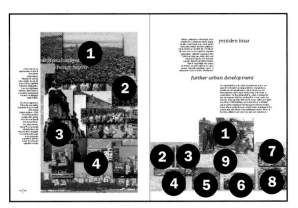

değişim başlıyor
change begins

yeniden imar
further urban development

248

1) "Harbiye-Elmadağ Taksim, 1970'ler sonu gelişmesi / Developments along Harbiye and Elmadağ during the 1970s", A. Neftçi Arşivi / Archives 2) "Topkapı otobüs terminali, 1970'ler / Topkapı Bus Terminal, 1970s", A. Neftçi Arşivi / Archives 3) "Süleymaniye-Vefa, 1970 / Süleymaniye and Vefa, 1970", Atilla Yücel Arşivi / Archives 4) "Anadolu Yakası gelişmesi, 1970'ler sonu / The developments on the Anatolian side, late 70s", A. Yücel Arşivi / Archives

249

1) "Başbakan Adnan Menderes yıkım faaliyetini denetliyor / Prime Minister Menderes inspecting demolition activity", A. Güler Arşivi / Archives 2) "İmar sonrası Aksaray Meydanı / Aksaray Square following facelift", *Archives de l'Architecture Moderne*, no. 43, 1982 3) "Tophane-Karaköy yol genişletmesi faaliyeti belgesi, 1950'lar / document on

road expansion on the Karaköy - Tophane route, 1950s", T.T.O.K. arşivi / Archives 4) "Eminönü Meydanı genişletme faaliyeti - yıkım alanından görüntü / scene from the demolition area during the enlarging of Eminönü Square", A. Güler Arşivi / Archives 5) "Menderes İmar programı haber fotoğrafı / news photo of the Menderes Development Project", hava fotoğrafı üzerine çizim / drawing on aerial photograph, *Yeni İstanbul* 6) "Aksaray Meydanı genişletme işlemleri, 1950'ler / Expansion work in Aksaray Square undertaken in the 50s", A. Güler arşivi / Archives 7) "Genişletilmiş haliyle Aksaray Meydanı, 1960'lar / Aksaray Square after it was enlarged, 1960s", A. Güler Arşivi / Archives 8) "Maçka-Elmadağ arası kentsel gelişmesi, 1950'ler / urban development and expansion in the Maçka - Elmadağ area, the 1950s", İ.T.Ü. Arşivi / Archives 9) "Taksim Meydanı, 1970'ler sonu / Taksim Square in the 1970s, final appearance", A. Neftçi Arşivi / Archives

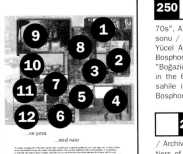

eski...   old...   ...ve yeni   ...and new

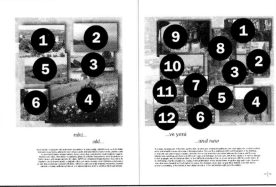

kültür

culture

siyasi yoğunlaşma

political activity

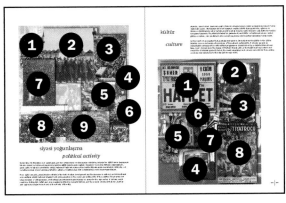

büyüme

growth

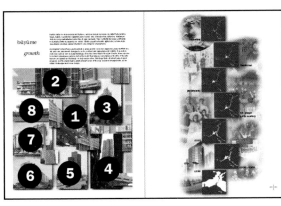

megapol

megapolis

istanbul için requiem

requiem for istanbul

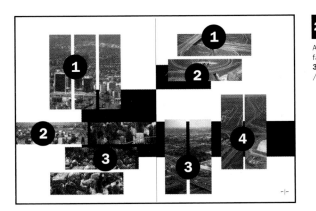

---

250 1) "Boğaziçi, 1960'lar / The Bosphorus in the 60s", A. Yücel Arşivi / Archives 2) "Şemsipaşa, 1970'ler / Şemsipaşa in the 70s", A. Yücel Arşivi / Archives 3) "Boğaz kıyısı, 1960'lar sonu / Bosphorus shore towards the end of the 60s", A. Yücel Arşivi / Archives 4) "Boğaziçi çevresi, 1970'ler / Bosphorus hills in the 1970s", A. Güler Arşivi / Archives 5) "Boğaziçi çevresi, 1960'lar sonu / Bosphorus and Environs in the 60s", A. Yücel Arşivi / Archives 6) "Boğaziçi'nde sahile inen sokak / street leading to the waterfront in Bosphorus", A. Güler Arşivi / Archives

251 1) "Süleymaniye-Kayserili Ahmet Paşa Sokağı, 1970'ler / Süleymaniye, Kayserili Ahmet Paşa Street, 1920s", A. Yücel Arşivi / Archives 2) "1970'lerde kent cepheleri, Şişli / the frontiers of the city in the 1970s, Şişli", L. Vilan, *Bulletin de l'I.F.A.*, Istanbul 3) "Tarabya, 1970'ler / Tarabya in the 70s", A. Neftçi Arşivi / Archives 4) "Zeyrek, 1970'ler /

Zeyrek in the 70s", R. Günay- İ.T.Ü. Arşivi / Archives 5) "1950'ler sonu Haliç / Holden Horn towards the end of the 50s", A. Güler Arşivi / Archives 6) "1960'larda Boğaziçi kıyı kullanımı / Shores of the Bosphorus during the 60s", *T.T.O.K. Bülteni, İstanbul özel sayısı* 7) "Haliç ve Süleymaniye sırtları, 1970'ler / the Golden Horn and the hills of Süleymaniye, 1970s", A. Güler Arşivi / Archives 8) "Süleymaniye'de sokak, 1970'ler / street in Süleymaniye in the 70s", R. Günay- İ.T.Ü. Arşivi / Archives 9) "Sultanahmet-Soğukçeşme Sokağı, 1970'ler / Sultanahmet, Soğukçeşme Street, 1970s", A. Yücel Arşivi / Archives 10) "Perşembe Pazarı-Galata, 1960'lar sonu / Perşembe Pazarı-Galata in the late 60s", A. Yücel Arşivi / Archives 11) "Haliç, 1960'lar / the Golden Horn, 1960s", A. Yücel Arşivi / Archives 12) "Karaköy Rıhtımı / Karaköy pier", A. Güler Arşivi / Archives

---

252 1) "7'den ayrıntı / detail from # 7 2) "Başbakan Menderes kent imarını denetliyor / Prime Minister inspecting development works", Cumhuriyet gazetesi arşivi / Cumhuriyet newspaper archives 3) "6-7 Eylül olayları sabahı İstanbul sokakları / the streets of Istanbul after theincidents of Sept. 6 and 7", A. Güler Arşivi / Archives 4) 9'dan ayrıntı / detail from # 9 5) & 6) "27 Mayıs sabahı İstanbul / morning of the 27th of May, Istanbul", A. Güler Arşivi / Archives 7) "DP'nin Fatih Mitingi, kürsüde Adnan Menderes / Democrat Party's Fatih rally, Menderes at the platform", A. Güler Arşivi / Archives 8) "1960'larda bir işçi mitingi / a workers protest meeting in the 60s", A. Güler Arşivi / Archives 9) "İstanbul Belediyesi Binası, mimar: N. Erol / Istanbul City Hall, architect: N. Taksim'de Kanlı Pazar-1 Mayıs 1977 / The Bloody Sunday in Taksim Square, May 1, 1977", A. Güler Arşivi / Archives

253 1) "Tepebaşı Dram Tiyatrosu afişi / Tepebaşı Theatre poster", İstanbul Belediyesi / Istanbul Municipality, *Muhsin Ertuğrul'un 50. Sanat Yılı* 2) "Fasıl / Classical Turkish music ensemble", A. Güler Arşivi / Archives 3) "Yangın sonrası Tepebaşı Dram Tiyatrosu / After the fire at the Tepebaşı Theatre", Ç. Gülersoy, *Beyoğlu'nda Gezerken* 4) "Varyete / Variety show", A. Güler Arşivi / Archives 5) "Beyoğlu Markiz Pastanesi'nin son günleri, 1970'ler / last days of the Markiz Patisserie in Beyoğlu, 1970s", Ç. Gülersoy, *Beyoğlu'nda Gezerken* 6) 2'den ayrıntı / detail from 2 7) "Tepebaşı Dram Tiyatrosu cephesi (yanmadan önce) / Tepebaşı Theatre, façade (before the fire)", Ç. Gülersoy, *Beyoğlu'nda Gezerken* 8) "Bir film afişi / movie poster", A. Batur Arşivi / Archives

---

254 1) "Zeyrek Sosyal Sigortalar Kurumu binası, mimar: S.H. Eldem / Zeyrek, the Offices of the Social Security Institution, architect: S.H. Eldem", Dia / A.K.A.A. Arşivi / Archives 2) "İstanbul Adliye Sarayı, giriş cephesi, mimarlar: S.H. Eldem-E. Onat / Istanbul Palace of Justice, entrance side, architects: S.H. Eldem - E. Onat", Seddad Hakkı Eldem, architect, Mimar publ. 3) "İstanbul-Sheraton Oteli, mimarlar / Istanbul Sheraton, architects", AHE Group, A. Yücel Arşivi / Archives 4) "Odakule Binası, mimar: K. Tecimer / Odakule Building, architect: K. Tecimer", A. Yücel Arşivi / Archives 5) "Karayolları Bölge Müdürlüğü Binası, mimarlar: M. Konuralp- S. Sağlamer / Karayolları (Roadworks) Administration District Headquarters, architects: M. Konuralp and S. Sağlamer", A. Yücel Arşivi / Archives 6) "İstanbul Belediyesi Binası, mimar: N. Erol / Istanbul City Hall, architect: N. Erol", R. Holod-A. Evin, eds., *Modern Turkish Architecture* 7) "Cağaloğlu-İstanbul Reklam Binası, mimarlar, G. Çilingiroğlu, M. Tunca / the Istanbul Reklam Building in

Cağaloğlu, architects: G. Çilingiroğlu and M. Tunca", A. Yücel Arşivi / Archives 8) "Tercüman Gazetesi binası, mimar: G. Çilingiroğlu / The Tercüman Building, architect: G. Çilingiroğlu", A. Yücel Arşivi / Archives

255 "Kuruluşundan bugüne İstanbul'un kentsel yerleşme sınırları / the borders of Istanbul, from its foundation to the present", özgün çizim / original drawing, TV arşivi / HF Archives

---

256 1) "Bir milyon TL - Yüzyıl sonunun günlük alışveriş değeri / a million liras: current value, at the end of the century" 2) "1980'lerde tarihi kent silueti: önde Haliç kıyısı dolgu alanları, arkada Süleymaniye sırtları / the old city skyline in the 80s: the land - filled shores of the Golden Horn and the Süleymaniye hills", A. Yücel Arşivi / Archives 3)Andre Barney, Archive de l'Architecture Bruxelles, no. 23, 1982, p. 70-72

"Birleşen kıtalar: 1. Boğaz Köprüsü ve Boğaziçi sırtları / continents united: the First Bosphorus Bridge and the

257 Bosphorus hills", A. Neftçi Arşivi / Archives

---

258 1) "1990'larda kentsel gelişme: Zincirlikuyu bölgesi / urban development around the 1990s: Zincirlikuyu", A. Neftçi Arşivi / Archives 2) "1990'larda İstanbul'un yeni yüzü / the new face of Istanbul", A. Güler Arşivi / Archives 3) "Havaalanı / the airport, 1990", Milliyet Gazetesi Arşivi / Milliyet, newspaper Archives

259 1) "ayrıntı / detail: "1990'larda metropoliten alandan 'peyzaj' / Metropolitan scenery in the 1990s", A. Neftçi Arşivi / Archives 2) "Karayolu varyantı içinde Osmanlı köprüsü / Ottoman bridge inside the highway network", A. Neftçi Arşivi / Archives 3) "Sur, karayolu, mezarlık ve konutlar... 1990'larda kent / the City Walls, the cemetary and the houses... the city in the 1990s", A. Neftçi Arşivi / Archives 4) "1990'larda kent çevresi manzaraları, dörtlü kavşak ve gecekondular / scenes from periphery, the crossroads and the shanty houses", Aras Neftçi Arşivi / archives

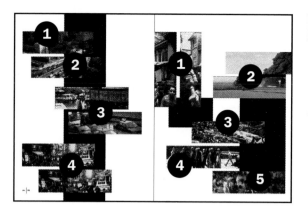

260 1) "1990'larda surlar ve sur arkası / Inside the City Walls proper and behind, 1990s", A. Neftçi Arşivi / Archives 2) "Tarihi sur, kent kapısı ve şehre giren karayolu / the historical Wall, city gate and the road leading into town", A. Neftçi Arşivi / Archives 3) "İstanbul çevresinden yol ve insan manzarası - yağmur sonrasında kentsel karayolu / city streets after the rain, the road and the man", Milliyet Gazetesi Arşivi / Milliyet, newspaper Archives 4) "Metropol-demokrasisinin mekanı - Beyoğlu'nda bir gençlik yürüyüşü / The center of metropolitan democracy: a student demonstration in Beyoğlu", Milliyet Gazetesi Arşivi / Milliyet, newspaper Archives

261 1) "1990'larda kent çevresi manzaraları, dörtlü kavşak ve gecekondular / scenes from periphery, the crossroads and the shanty houses", Araç Neftçi Arşivi / Archives 2) "Yoğunlaşan deniz trafiği ve tanker yangınları / increased sea traffic and the tanker fires", E. Emiroğlu Arşivi / Archives 3) "Spor heyecanı, maç sonrası kitleler / the excitement of sports, the masses after a soccer match", Milliyet Spor Servisi Arşivi / Archives 4) "Yeni kozmopolitizm - Bayezid Meydanı'nda asyalı turistler / new dimensions in cosmopolitan living: Asian tourists in Beyazıt Square, A. Neftçi Arşivi / Archives 5) "Bir İstanbul gençlik mekanı - Roxy bar / a youthful Istanbul location : Roxy bar", Aktüel Arşivi / Archives

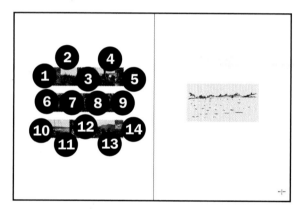

262 1) "Küresel imgeler - küresel kültür: bir gençlik konserinden enstantane / global images - global culture: Scene from a youth concert", M. Önder Arşivi / Archives 2) "Marjinal sektör - Boğaziçi Köprüsü üstünde satıcı / The marginal sector: Vendor on the Bosphorus Bridge", Y. Çelenk Arşivi / Archives 3) "Sanat Festivali sırasında Taksim Meydanı / Taksim during the Istanbul Festival", İstanbul Kültür ve Sanat Vakfı belgesi / Istanbul Festival Foundation document 4) "İstanbul Festivali enstantanesi / from the Istanbul Festival", Y. Çelenk Arşivi / Archives 5) "Fatih Sultan Mehmet Köprüsü - Boğaz üzerinde ikinci Asya - Avrupa karayolu bağlantısı / Fatih Sultan Mehmet Bridge, the second Bosphorus crossing on the Europe - Asia motorway", A. Neftçi Arşivi / Archives

263 1) "Fener, seçim zamanı sokaklar, 1991 / an election day in Fener, 1991", A. Batur Arşivi / Archives 2) "İstanbul gecesi / an Istanbul evening", Y. Çelenk Arşivi / Archives 3) "Yeni kentsel prestij imgeleri - Zincirlikuyu için gece görünüşü çizimi / new prestige symbols, drawings for Zincirlikuyu by night", A. Yücel Arşivi / Archives 4) "1980'lerin kenti ve kentlileri - suriçinin yeni sakinleri / the city and its people in the 80s, the new inhabitants of the city wall", A. Güler Arşivi 5) "Yeni kentsel - mimari imgeler: bir ikiz gökdelen tasarımı / new symbols in urban architecture: Design for two skyscrapers", A. Yücel Arşivi / Archives

264 1) "Galata ve Haliç, 1980'lerde değişmeyen siluet / Galata and the Golden Horn - unchanging silhouette", A. Neftçi Arşivi / Archives 2) "Kalıcılık ve mezarlar - Eyüp / immutability and graves, Eyüp", A. Yücel Arşivi / Archives 3) "İstanbullu mekanlar - bir manav dükkanı içi / Sights of Istanbul, inside the greengrocers", A. Güler Arşivi / Archives 4) "Boğaziçi sırtlarında piknik / picnic on the hills around Bosphorus", A. Güler Arşivi / Archives 5) "Seçkin yaşam - Dolmabahçe Sarayı'nda resepsiyon / high society: reception at Dolmabahçe Palace", A. Güler Arşivi / Archives 6) "Süleymaniye Camisi'nde Teravih namazı / Evening prayers during Ramadan in Sultanahmet Mosque", A. Neftçi Arşivi / Archives 7) "Kentiçi görüntüsü, Galata / Scene from the city, Galata", Dia / A. Güler Arşivi / Archives 8) "Küçük Boğaziçi Yalıları / Anadolukavağı, 1980 / smaller waterfront houses (yalıs) along the Bosphorus, Anadolukavağı", A. Yücel Arşivi / Archives 9) "Kuruyemişçi / Vendor selling dried fruit and nuts", A. Güler Arşivi / Archives 10) "Sahil hayatı - Kayıklı yolsuz Boğaziçi / life along the water: Bosphorus without the viaducts", A. Yücel Arşivi / Archives 11) "Sultanahmet Camii'nde sünnet çocukları / boys awaiting circumcision: Visiting Sultanahmet Mosque", A. Güler Arşivi / Archives 12) "Değişmeyen alışveriş mekanı - Kapalıçarşı / the ultimate shoppers' paradise: The immutable Covered Bazaar", Y. Çelenk Arşivi / Archives 13) "Boğaziçi'nin değişmez ikilisi: Yalı ve gemi / The Bosphorus twins: The yalı and the ship", G. Sözen, *1001 Çeşit istanbul ve Boğaziçi Yalıları* 14) "1990'larda, 1980'lardan bir tanık: Cite'de Péra (bugünkü Çiçek Pasajı / surviving witness from the 1890s: Cité de Péra (Çiçek Pasajı of today)", G. Sözen, *1001 Çeşit istanbul ve Boğaziçi Yalıları*

265 "İstanbul'un eski kimliği - deniz - topografya ve kent silueti / the real Istanbul, sea, topography and the silhoutte", çizimle Corbusier 1911 / drawing by Le Corbusier 1911, G. Gresleri: *Le Corbusier, Viaggio in Oriente*

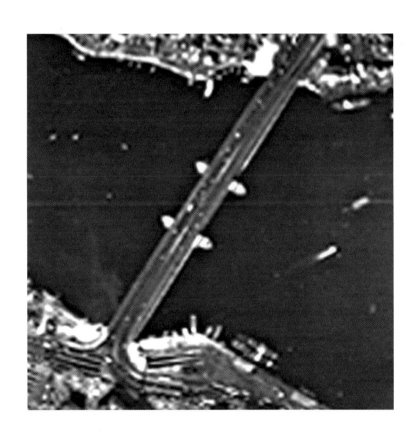

TÜBİTAK MAM/Uzay Teknolojileri Bölümü/Space Technologies Department

Türkiye Ekonomik ve Toplumsal Tarih Vakfı•The Economic and Social History Foundation of Turkey
Yıldız Sarayı Arabacılar Dairesi Barboros Bulvarı 80700 Beşiktaş/İstanbul Tel:(90-212) 227 37 33•Fax:(90-212) 227 37 32